GUIDE DES
Aînés

BIBLIOTHÈQUE ADMINISTRATIVE
Conseil du trésor – Services gouvernementaux
Éléments de catalogage avant publication

Dupont, Élaine.
Guide des aînés / Élaine Dupont, Jocelyn Dionne [pour le] Conseil du trésor, Services gouvernementaux. -- 3e éd. -- Sainte-Foy, Québec : Publications du Québec, c1995.

ISBN 2-551-16160-6

1. Personnes âgées – Québec (Province) 2. Personnes âgées, Service aux – Québec (Province) I. Québec (Province). Conseil du trésor. Services gouvernementaux.

Élaine Dupont
Jocelyn Dionne

Québec

Le contenu et l'édition de la présente publication ont été réalisés par
Les Publications du Québec
1500D, boulevard Charest Ouest
Sainte-Foy (Québec)
G1N 2E5

La mise à jour de la présente édition du Guide des aînés
a été réalisée par le Groupe Média Science en mars 1995,
à partir de l'œuvre originale conçue et rédigée par Élaine Dupont
et Jocelyn Dionne.

Couverture
Graphisme : Ose Design
Photographie : Brigitte Ostiguy

Annotation typographique
Pouliot Guay, graphistes

Les personnes handicapées qui ne peuvent se servir de l'imprimé courant à cause d'une déficience visuelle ou motrice peuvent se procurer cet ouvrage sous forme de livre-cassette en s'adressant à :

LA MAGNÉTOTHÈQUE
1030, rue Cherrier, bureau 304
Montréal (Québec)
H2L 1H9
Tél. : (514) 524-6831
(sans frais) 1 800 361-0635

AVERTISSEMENT
En aucun cas, ces renseignements ne remplacent les textes de loi : ils n'ont donc pas de valeur juridique.

Dans le but de ne pas alourdir le texte, la forme masculine a été privilégiée.

Dépôt légal – 1995
Bibliothèque nationale du Québec
Bibliothèque nationale du Canada
ISBN 2-551-16160-6

AVANT-PROPOS

Le ***Guide des aînés*** traite de mille et un sujets

- *qui vous préoccupent : la santé; les questions d'argent; les impôts; l'habitation;*
- *qui vous concernent : le droit; l'éducation; le transport; le travail;*
- *qui vous divertissent : les loisirs; la culture; etc.*

Le Guide des aînés, c'est un recueil d'information, un compagnon qui vous indique, sur-le-champ, ce que vous désirez savoir, où le trouver et comment l'obtenir.

Le Guide des aînés, une façon intéressante de découvrir tous les services qui s'offrent à vous.

Le Guide des aînés, consultez-le, il a été réalisé spécialement pour vous.

SOMMAIRE

CHAPITRE 1

VOTRE BIEN-ÊTRE PHYSIQUE

À mesure que nous vieillissons,
ce sont nos maux qui rajeunissent.
Proverbe finnois

•••••

L'ACTIVITÉ PHYSIQUE

Le corps est une machine qui ne demande qu'à fonctionner. Si elle est négligée, elle risque de rouiller. Ne l'oubliez pas! Depuis quelques années, vous sentez vos facultés physiques diminuer et vous pensez que c'est l'âge. Ne serait-ce pas aussi l'inactivité ?

Une vie active ne garantit pas une longévité accrue ou une santé inaltérable. Toutefois, elle assure vigueur et bien-être. Lors d'une maladie ou d'une intervention chirurgicale, les chances de rétablissement sont plus grandes.

Pour mieux dormir, manger avec appétit et diminuer le degré d'anxiété, il faut passer à l'action et suivre un programme régulier et progressif d'activités physiques.

Les jeux olympiques ne seront pas pour cette année, c'est sûr; il faut commencer lentement et en faire un peu plus chaque jour. Cette progression détermine l'amélioration de la condition physique.

Partez du bon pied, choisissez un programme graduel qui vous satisfait et qui est approprié à votre situation.

Si vous n'êtes pas habitué à faire de l'exercice ou si vous souffrez de troubles cardiaques, il est préférable de consulter votre médecin. Après examen, il vous conseillera ou non de subir un test de condition physique qui permettra de mesurer votre aptitude à l'exercice et de déterminer votre forme physique initiale. Quel que soit son état de santé, on peut faire de l'activité physique... adaptée à ses capacités. Il existe maintenant, pour les personnes ayant subi des crises cardiaques, des programmes de réadaptation.

À vous de choisir...

Vous avez l'embarras du choix. Au début, vous pouvez tout simplement aller au magasin à pied, utiliser les escaliers ou faire les travaux ménagers vous-même. Progressivement, vous pourrez vous adonner à des activités comme la marche ou la bicyclette, qui renforcent les jambes. Des sports tels que le tennis, le golf, les fers à cheval ou les quilles, qui aident à maintenir l'élasticité musculaire du haut du corps, ou des activités comme la natation ou le ski de randonnée sont bénéfiques pour l'ensemble des muscles du corps. L'important est de vous consacrer à un sport que vous aimez.

Vous avez besoin de conseils ou vous désirez vous intégrer à un groupe **?** Il existe dans votre région des organismes qui offrent des services professionnels :

- les associations sportives;
- le Centre local de services communautaires (CLSC);
- certains clubs de l'âge d'or;
- les modules Kino-Québec de votre territoire;
- le service de l'éducation aux adultes des commissions scolaires;
- le service des loisirs de votre municipalité;
- le service des sports des différentes universités ou associations professionnelles;
- la Société canadienne de la Croix-Rouge;
- le Y.M.C.A. ou le Y.W.C.A.

Les numéros et les adresses de ces organismes se trouvent dans votre annuaire téléphonique.

Quelques exercices pour les aînés

Précautions

- s'assurer d'aller à son propre rythme en évitant les mouvements brusques;
- toujours bien respirer sans retenir son souffle;
- bouger la tête lentement sans forcer les mouvements;
- s'arrêter si on ressent une douleur ou un étourdissement;
- éviter de pencher la tête trop bas pour les personnes sujettes à la haute pression.

La respiration

- mains aux hanches, pencher le haut du corps vers l'avant en expirant;
- redresser le corps vers le haut en inspirant;
- répéter.

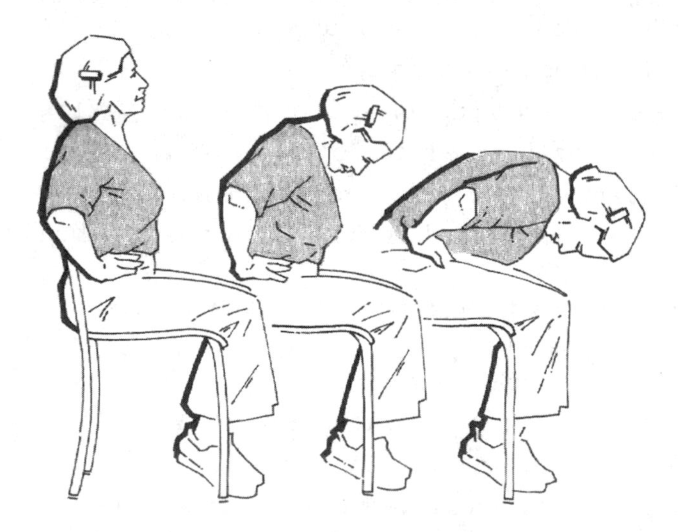

La taille

- les bras pendants, pencher le tronc de côté comme pour prendre un objet sur le sol;
- remonter en inspirant;
- répéter.

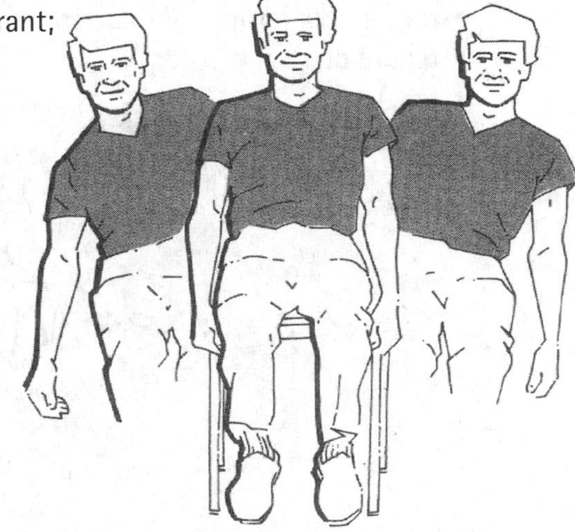

Les hanches

- assis sur le devant de la chaise, en s'aidant des deux mains, amener le genou vers la poitrine;
- redescendre le genou et étirer la jambe vers l'arrière;
- faire la même chose avec l'autre jambe;
- répéter.

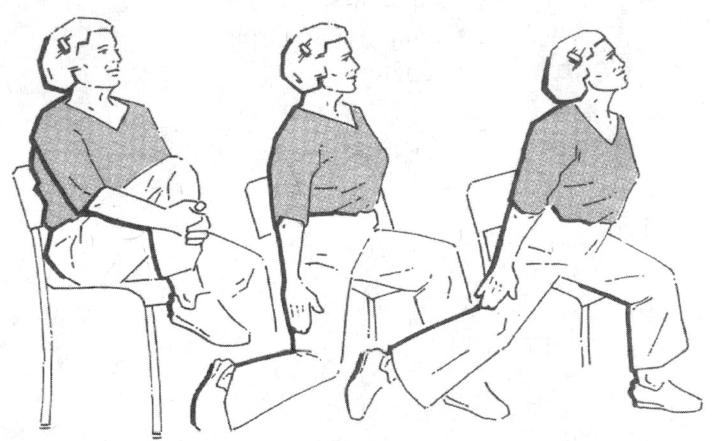

Le ventre

- mains aux épaules, pencher le tronc vers l'avant en expirant et toucher le coude droit avec le genou gauche;
- revenir à la position initiale en inspirant;
- refaire de l'autre côté;
- répéter.

Le dos

- bras tendus vers le haut, descendre le tronc vers l'avant en expirant et toucher le sol avec les doigts;
- remonter en inspirant;
- répéter.

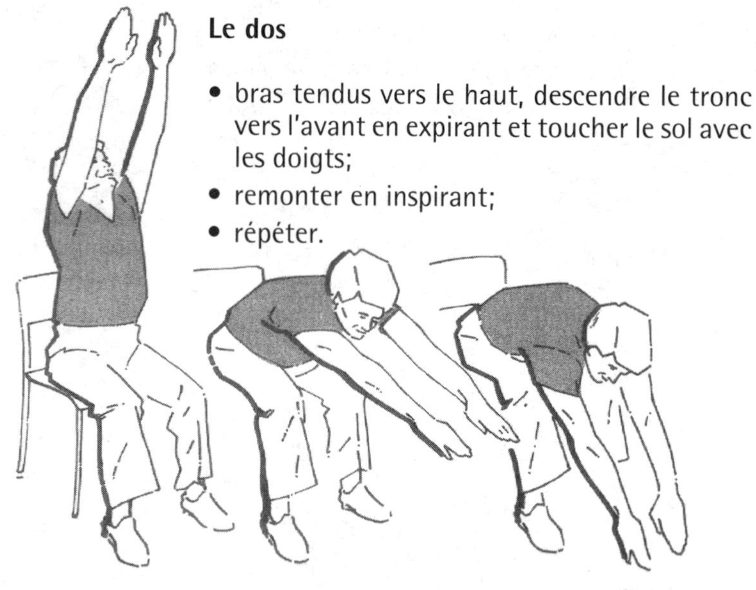

Relaxation

- assis, bras pendants de chaque côté;
- fermer les yeux;
- inspirer profondément en gonflant le ventre;
- expirer lentement;
- répéter à votre propre rythme.

VOTRE ALIMENTATION

« Nous sommes ce que nous mangeons »

Cette devise signifie simplement que la façon dont nous nous alimentons fait toute la différence entre une bonne et une mauvaise forme physique, entre un bon et un mauvais rendement. Bien manger constitue une assurance-santé peu coûteuse à laquelle il n'est jamais trop tard de souscrire.

C'est simple, il suffit d'observer la règle d'or en alimentation qui est de prendre des repas nourrissants et bien équilibrés. Une bonne santé n'est pas un bien acquis. En vieillissant, il faut veiller davantage à la qualité et à la quantité des aliments consommés, puisque les besoins énergétiques sont moindres. Il faut adapter son alimentation à son âge et à ses nouvelles activités.

L'important est de puiser dans les quatre groupes d'aliments du guide alimentaire, soit :

- le lait et les produits laitiers;
- le pain et les céréales;
- les fruits et les légumes;
- la viande, le poisson, la volaille ou leurs substituts.

Il est important de varier quotidiennement ses aliments

Consommez à chaque repas des aliments contenus dans deux ou trois de ces groupes; ils fourniront tous les éléments nutritifs dont l'organisme a besoin. Chacun de ces groupes d'aliments joue un rôle bien particulier pour le bien-être de l'organisme.

Le lait et les produits laitiers

Le lait et les produits laitiers sont indispensables à l'entretien des os et des dents; cela est particulièrement important lorsqu'on atteint « l'âge de la sagesse ». Si vous n'avez pas bu un bon grand verre de lait depuis votre jeunesse, il n'est pas trop tard pour bien faire. Et si vous n'êtes vraiment pas un adepte du lait, il existe une solution de rechange : les produits laitiers. Rien de mieux qu'un yogourt, un morceau de fromage ou encore une crème glacée; mais attention, pas d'abus! À noter, cependant, que le lait est enrichi de vitamines D, et non les autres produits laitiers.

Le pain et les céréales

Le pain et les céréales contiennent de l'amidon, des protéines végétales, de la vitamine B et des sels minéraux. Ils possèdent donc d'excellentes qualités nutritives. Pour ce groupe d'aliments, nous suggérons le pain et les céréales à grain entier, qui contiennent beaucoup de fibres, ce qui favorise l'élimination et réduit les besoins de laxatifs.

Les fruits et les légumes

Les fruits, pour leur part, sont de bonnes sources de vitamines et de minéraux, surtout lorsqu'ils sont pleins de saveur. Ce sont des trésors à découvrir. Il y a aussi les mal connus, souvent les mal aimés; vous l'avez deviné, ce sont les légumes. Pourtant, ils constituent une source étonnante de vitamines et sont indispensables au bon fonctionnement de l'intestin.

La viande et les substituts

La viande, le poisson, les œufs et autres substituts tels que les légumineuses procurent à l'organisme une teneur élevée en protéines de bonne valeur nutritive. Mais nous, Québécois, avons tendance à privilégier « Dame viande » à ses confrères. Il est totalement faux de croire qu'on doit manger deux repas de viande par jour pour être en santé.

Le sucre

Trop, c'est trop! Mais, pour la plupart des gens, le sucre occupe une place d'honneur dans le régime alimentaire. Saviez-vous que nous mangeons en moyenne 40 kilos de sucre par année ? Nous avons tous besoin de sucre, mais... Enfant, les promesses de sucreries nous ont fait tenir bien sage. Maintenant adulte, nous pensons sans doute que, mis à part le sucre que nous mettons dans notre café, nous tenons très peu au sucre. Attention aux surprises... Le sucre que nous consommons se retrouve sous différentes formes, comme la mélasse, le miel, le ketchup, les mayonnaises commerciales, les cornichons sucrés, le maïs en crème, les légumes en conserve, les fruits sucrés en conserve, les céréales sucrées, les desserts à la gelée.

Le sucre est incorporé à ces aliments, mais à des degrés divers, même dans les aliments naturels hautement recommandables, comme le miel, dont il faut tout de même faire un usage modéré.

Apprendre à lire les étiquettes

Pour réduire la consommation de sucre, on a tout intérêt à rechercher les indications « non sucré », « pas de sucre » et « sans sucre ajouté » sur les étiquettes.

Il sera toujours possible de se « sucrer le bec » puisque plusieurs aliments, à l'état naturel, contiennent déjà du sucre et qu'ils satisfont, en général, aux besoins de l'organisme. Ainsi, à compter d'aujourd'hui..., une pomme, c'est bien meilleur!

Le sel

Pour éviter de manger trop salé, il est bon de n'ajouter le sel qu'en fin de cuisson des aliments. Beaucoup d'aliments en conserve sont très salés; entre autres, les soupes, les charcuteries, les poissons. Pour contrôler la quantité de sel que l'on mange, rien de mieux que de cuisiner à la maison. Éviter d'en ajouter systématiquement, lui préférer des assaisonnements à base d'herbes et d'épices.

Quoi boire ?

L'eau

L'eau est sans contredit la meilleure des boissons. Il faut en boire beaucoup parce que l'organisme a besoin d'au moins un litre d'eau par jour, parce qu'elle aide à éliminer les déchets et n'apporte aucune calorie.

Les eaux embouteillées

Qui n'a pas un jour ou l'autre dégusté une bonne bouteille d'eau minérale ? Mais attention! Dans certains cas, il vaut mieux être prudent! Plusieurs contiennent beaucoup de sel.

Les eaux embouteillées n'ont pas toutes le même goût. Elles n'ont pas toutes, non plus, la même composition. Elles proviennent de sources différentes et possèdent donc des propriétés nutritives distinctes. Contrairement à l'eau du robinet, les eaux embouteillées ne subissent pas de traitement chimique, sauf, quelques-unes, une gazéification ajoutant à leur propriété digestive. Il revient à chacun de décider s'il préfère une eau plate ou une eau gazéifiée.

L'eau minérale ne fait pas de miracle. Il faut savoir la choisir et bien s'en servir. Il existe deux grandes catégories d'eaux embouteillées :

- les eaux à faible teneur en sels minéraux;
- les eaux à forte teneur en sels minéraux.

Il faut donc surveiller le pourcentage des sels. Lisez les étiquettes.

Pour information :

- le Centre local de services communautaires (CLSC) de votre localité. Vous trouverez la liste des CLSC à l'annexe II du *Guide*;
- le Département de santé communautaire (DSC) rattaché à votre centre hospitalier. Vous trouverez la liste dans votre annuaire téléphonique sous la rubrique « Hôpital ».

Pour documentation :

Ministère de la Santé et des Services sociaux
Direction des communications
Renseignements et diffusion
1088, rue Raymond-Casgrain
Québec (Québec)
G1S 2E4
Tél. : (418) 643-3380

LES VITAMINES

Sans trop savoir pourquoi ni comment, certaines personnes ont la manie d'ingurgiter un peu trop de vitamines. Certaines craignent le mauvais temps et veulent s'offrir une assurance contre la grippe! D'autres veulent acquérir une santé de fer, de la force ou de l'énergie pour passer l'hiver... Bref, toutes les raisons sont bonnes pour « piluler » de manière inconsidérée. Les vitamines font souvent l'objet d'une consommation injustifiée. Il ne faudrait pas croire qu'elles constituent la solution miracle à tous les maux.

Essentielles à la vie, elles assurent le bon fonctionnement de l'organisme, protègent la santé en empêchant certaines maladies (déficience de vitamines et carence en vitamines). Mais, la plupart du temps, il suffit de s'en remettre à la règle d'or en alimentation : « bien se nourrir; une alimentation saine et équilibrée ».

La plupart des aliments contiennent des vitamines. Le lait, le pain à grain entier ou enrichi, le beurre, les viandes, les poissons ainsi que les fruits et les légumes en contiennent suffisamment pour répondre aux besoins de l'organisme. En particulier, on doit manger souvent des crudités, des légumes verts et jaunes. Toutefois, comme chaque aliment n'en contient qu'une faible quantité, l'alimentation doit être variée pour que l'organisme trouve sa ration quotidienne de vitamines essentielles à son bien-être.

Toute personne qui se nourrit bien n'a pas besoin de suppléments de vitamines. Lorsque vous ressentez de la fatigue, peut-être avez-vous l'habitude de prendre des comprimés de vitamine C. Mais, en vérité, quelques heures supplémentaires de repos ou d'activité physique, selon le cas, vous redonneraient toute votre vitalité. De plus, la fatigue peut être causée par de multiples facteurs, y compris un manque de vitamines autres que la vitamine C.

Si une alimentation équilibrée procure à l'organisme toutes les vitamines nécessaires, un surplus vitaminique peut nuire à la santé. Par exemple, trop de vitamines A et D peut être toxique.

Il peut arriver, à certaines périodes, qu'un supplément vitaminique soit essentiel. Dans ce cas, votre médecin et votre diététiste demeurent les meilleurs juges et sauront vous conseiller utilement.

Saviez-vous que ?

Les besoins de l'organisme en vitamines ne varient pas selon les saisons.

La cigarette « brûle » la vitamine C.

Tout cela porte à réfléchir, n'est-ce pas.
Votre médecin, votre pharmacien ou votre diététiste demeurent les meilleurs conseillers en la matière. N'hésitez pas à les consulter.

AVEZ-VOUS VRAIMENT BESOIN D'UN LAXATIF ?

Pour certaines personnes, les laxatifs font presque partie de l'alimentation, tellement ils en consomment. Ces « drogués » des laxatifs ont, dans certains cas, de sérieux ennuis.

Tous les laxatifs ne conviennent pas à tout le monde. Ils font parfois obstacle à l'action de certains médicaments et peuvent même être contre-indiqués si l'on souffre de certaines maladies. Même les personnes en bonne santé doivent être prudentes. L'usage régulier des laxatifs n'est pas recommandé pour personne. Il entraîne automatiquement une habitude, une « dépendance »; l'intestin devient paresseux et attend sa pilule ou son sirop pour se mettre en marche. Se purger régulièrement condamne l'organisme à la dépendance.

Il existe six sortes de laxatifs : les laxatifs irritants, les laxatifs salins, les laxatifs huileux, les laxatifs « agent de masse », les lavements et les suppositoires.

Laissez place à la nature... Consommez des aliments riches en fibres et constitués de son tels que les céréales, le pain à grain entier, les fruits et les légumes crus, les légumineuses, etc. Si vous devez faire usage d'un laxatif, faites le bon choix. On ne choisit pas un laxatif comme on choisit une marque de café. Si vous n'êtes pas certain du type de produit qui vous convient, profitez d'une visite chez votre médecin pour lui demander conseil ou consultez votre pharmacien.

DES DENTS BELLES À CROQUER

Si on y fait attention, on peut garder ses dents naturelles toute la vie. Même au 3e âge, la carie est encore active; les dents étant souvent déchaussées, la carie les attaque surtout à la racine. Ces caries peuvent ordinairement être réparées, si vous voyez le dentiste assez tôt.

Mais le problème le plus important, c'est la maladie de la gencive, dont les principaux signes sont : l'inflammation, l'infection (pus), le saignement et le décollement de la gencive, puis la destruction lente de l'os qui supporte la dent, la mobilité des dents et, enfin, leur perte.

Avec un minimum de soins, on peut éviter ces problèmes. Il est aussi important de se brosser les dents à 70 ans qu'à 7 ans. L'usage de la soie dentaire est aussi nécessaire. Les friandises et les aliments très sucrés sont à éviter, surtout entre les repas.

Vous n'avez plus vos dents naturelles ?

Ne perdez pas votre sourire pour autant! Il est important de faire remplacer les dents perdues, soit par une prothèse partielle, soit par un dentier complet. Ces prothèses donnent généralement un bon degré de satisfaction. Mais on doit s'assurer qu'elles demeurent bien ajustées. Voilà pourquoi on doit les faire examiner de temps en temps et les faire rajuster si nécessaire.

En somme, le maintien de la santé buccale dépend d'abord des soins quotidiens qu'on y apporte. Mais aussi, n'oubliez pas que votre dentiste est le meilleur ami de vos dents. Consultez-le régulièrement (une fois l'an suffit généralement). Par l'examen de vos dents, de vos gencives et de l'ensemble de la cavité buccale, il pourra déceler les problèmes et les régler avant qu'ils ne deviennent graves.

Pour information :

le Département de santé communautaire (DSC) de votre localité dont vous trouverez la liste dans votre annuaire téléphonique sous la rubrique « Hôpital » ou avec

L'Ordre des dentistes du Québec
625, boul. René-Lévesque Ouest
15e étage
Montréal (Québec)
H3B 1R2

Tél. : (514) 875-8511

UN VACCIN CONTRE LA GRIPPE

La vaccination contre la grippe est une mesure de prévention inoffensive dont l'efficacité est reconnue. Sur le plan communautaire, il s'agit de la seule approche valable de protection des personnes vulnérables en raison de l'âge ou d'une affection chronique préexistante.

« En vertu de la Loi sur la protection de la santé publique », une fois l'an, le ministère de la Santé et des Services sociaux vous offre gratuitement, si vous avez 65 ans et plus, un vaccin contre la grippe. Il est disponible chez votre médecin de famille, à une clinique médicale ou au CLSC de votre localité du début d'octobre jusqu'à la fin d'octobre et au début de janvier. Pour qu'il soit efficace, il faut le recevoir quelques semaines avant l'apparition de la grippe, qui survient généralement au début de l'hiver.

Le vaccin provoque la formation d'anticorps qui confèrent une certaine résistance contre l'infection grippale. Quand le virus vivant apparaît, ces anticorps agissent pour protéger l'organisme contre la maladie.

Les vaccins grippaux modernes causent peu d'effets secondaires. Moins du tiers des personnes vaccinées sont incommodées par des réactions locales consistant en une rougeur et des courbatures au site d'injection et persistant un jour ou deux. Certaines réactions comme la fièvre, le malaise, etc., quoique peu fréquentes, débutent 6 à 12 heures après la vaccination et durent un jour ou deux. Ces réactions constituent la majeure partie des effets secondaires de la vaccination grippale.

Si vous êtes allergique aux œufs, vous devrez probablement vous abstenir de recevoir le vaccin. Parlez-en à votre médecin. Si, jamais, une réaction grave survenait par suite de la vaccination, consultez immédiatement votre médecin.

Vous êtes victime de la grippe, que faire?

Il n'existe aucun traitement particulier contre la grippe. « Gardez le lit et buvez beaucoup de liquide », vous dit-on. Le repos constitue en effet le seul remède efficace, avec peut-être des comprimés fébrifuges (qui réduisent la fièvre) et une consommation plus grande de liquides, qui prévient la déshydratation. Si les malaises persistent, mieux vaut consulter votre médecin.

LE CANCER : MONSTRE RÉEL OU « BONHOMME-SEPT-HEURES » ?

« Mieux vaut prévenir que guérir »

Il est faux de prétendre que « tout est cancérigène ». Il n'est pas nécessaire de changer complètement sa façon de vivre et de renoncer aux plaisirs de la vie.

Par contre, on peut faire beaucoup sur le plan individuel pour réduire les risques de cancer.

Le cancer est une réalité de la vie; ce n'est pas en faisant l'autruche que l'on écarte sa menace. Notons que 50 % des cancers sont liés à des facteurs sur lesquels on a un certain contrôle. On doit faire le premier pas. Il suffit d'un petit effort, car la vie en vaut bien la peine.

Le problème le plus sérieux au sujet du cancer demeure la crainte que le mot lui-même engendre. Peur et ignorance vont de pair. Il vaut mieux se renseigner sur la maladie.

Saviez-vous que ?

Certaines formes de cancer peuvent être évitées; un cancer diagnostiqué à temps aura, dans la majorité des cas, de bonnes chances d'être complètement guéri.

La clé de la réussite réside dans un diagnostic précoce. Il est essentiel de reconnaître les symptômes. Pour aider les gens, la Société canadienne du cancer a établi sept mesures de prévention :

1. Devenez ou demeurez un non-fumeur et évitez la fumée des autres.
2. Optez pour un régime alimentaire varié, composé d'aliments contenant peu de matières grasses et beaucoup de fibres. Maintenez un poids-santé et limitez votre consommation d'alcool.
3. Protégez-vous des rayons du soleil. Examinez votre peau régulièrement et signalez sans tarder tout changement à votre médecin.
4. Pratiquez l'auto-examen des seins une fois par mois et n'oubliez pas que la cytologie vaginale (test Pap) et la mammographie sont deux examens essentiels que vous devez prévoir périodiquement, selon votre âge.

5. Consultez régulièrement votre médecin et votre dentiste pour des examens de contrôle.
6. Soyez attentif à tout changement de votre état de santé habituel. Si vous découvrez une bosse, un grain de beauté qui a changé d'aspect ou une plaie qui ne guérit pas, parlez-en tout de suite à votre médecin.
7. Suivez les consignes de sécurité lorsque vous manipulez des matières dangereuses, que ce soit à la maison ou au travail.

Lors de votre prochaine visite chez votre médecin, demandez-lui de vous examiner et de vous montrer comment faire un auto-examen. De plus, le bureau local de la Société canadienne du cancer peut vous fournir des dépliants, des films ou des vidéos que vous pouvez louer ou acheter et tout autre matériel sur le sujet. En pratiquant votre auto-examen, vous apprendrez vite à vous connaître et, si quelque chose d'anormal apparaît, vous vous en apercevrez tout de suite.

Le cancer du sein

Vous vous séchez après avoir pris un bain et vous sentez une bosse dans l'un de vos seins. Que faites-vous ?

De nombreuses femmes n'en parlent pas parce qu'elles ont peur d'être atteintes du cancer, ou encore de devoir subir une mammectomie, quoique cette chirurgie soit de moins en moins pratiquée aujourd'hui. De telles appréhensions sont compréhensibles, mais la politique de l'autruche constitue aussi la solution la plus dangereuse. Si cette bosse est cancéreuse, il est souhaitable qu'elle soit diagnostiquée et traitée au plus tôt.

Mettez toutes les chances de votre côté et effectuez une fois par mois l'examen de vos seins. Le seul symptôme d'un cancer du sein est, très souvent, une bosse dans le sein. Vous êtes la personne la mieux placée pour détecter cette bosse. Lors de votre prochaine visite chez votre médecin, demandez-lui de vous montrer comment faire cet examen. Passez également une mammographie à tous les deux ans. La Société canadienne du cancer et le personnel du Centre local de services communautaires (CLSC) de votre localité sont aussi en mesure de vous aider.

La Société canadienne du cancer

La Société canadienne du cancer bénéficie de l'aide de centaines de milliers de bénévoles qui s'occupent de la campagne de souscription, d'assistance aux malades et d'éducation populaire.

Le service aux patients

Le Programme de services aux patients de la Société canadienne du cancer peut aider à satisfaire certains besoins physiques (non médicaux); il permet de trouver auprès des bénévoles du réconfort, ce qui aide à garder une attitude positive.

Voici un éventail des services offerts par la Société :

- visites à domicile;
- aide financière aux personnes à faible revenu qui doivent se transporter à un centre de traitement;
- visites aux femmes ayant subi une mammectomie pour les aider à reprendre goût à la vie, tant du point de vue physique que du point de vue émotif;
- échanges entre un malade guéri et un malade souffrant;
- fourniture de pansements (sous prescription) et de prothèses;
- brochures et dépliants.

Si vous avez des doutes sur votre état de santé, consultez sans tarder votre médecin ou un gynécologue. Vous pouvez aussi vous rendre directement à la consultation externe d'un hôpital.

Pour information :

Société canadienne du cancer

Rive-Sud
460, rue de Normandie
Bureau 119
Longueuil (Québec)
J4H 3P4
Tél. : (514) 442-9430

Québec – Chaudière-Appalaches
489, boul. René-Lévesque Ouest
Québec (Québec)
G1S 1S2
Tél. : (418) 683-8666

Mauricie
1322, rue Sainte-Julie
Trois-Rivières (Québec)
G9A 1Y6
Tél. : (819) 374-6744

Richelieu-Yamaska
1225, rue des Cascades
Bureau 112
Saint-Hyacinthe (Québec)
J2S 3H2
Tél. : (514) 773-1003

Montréal
5151, boul. de l'Assomption
Montréal (Québec)
H1T 4A9
Tél. : (514) 255-5151

Saint-Jérôme
52, rue Legault
Bureau 210
Saint-Jérôme (Québec)
J7Z 2B8
Tél. : (514) 436-2691

Outaouais
266, boul. Saint-Joseph
Hull (Québec)
J8Y 3X9
Tél. : (819) 777-4428

Saguenay – Lac Saint-Jean Chibougamau – Chapais – Côte-Nord
416, rue Racine Est
Chicoutimi (Québec)
G7H 5C8
Tél. : (418) 543-2222

LE RÉGIME D'ASSURANCE-MALADIE

La carte d'assurance-maladie

Si vous résidez de façon permanente au Québec, vous possédez sûrement la carte d'assurance-maladie (« carte-soleil ») qui permet de bénéficier des divers services couverts par la Régie de l'assurance-maladie du Québec.

Si vous n'avez pas votre carte et que vous croyez être admissible au régime, procurez-vous le cahier de formulaires de la Régie dans une pharmacie, un CLSC, un bureau de Communication-Québec ou à ceux de la Régie.

Remplissez soigneusement le formulaire approprié après avoir lu les instructions sans oublier de fournir tous les documents exigés, de signer le formulaire et, pour les personnes de 14 ans ou plus, de suivre le processus d'authentification (photo et signature, à moins d'exceptions). Les personnes de 75 ans ou plus ont le choix d'avoir ou non leur photo sur leur carte.

Les formulaires du cahier doivent être utilisés pour signaler les situations suivantes : naissance, adoption, changement d'adresse au Québec, décès, mariage, divorce ou séparation, renouvellement de la carte d'un résident temporaire, renouvellement d'une carte expirée, correction à l'identité, départ du Québec, retour au Québec, première inscription, carte perdue, volée ou endommagée.

Saviez-vous que ?

La présentation de la carte d'assurance-maladie est obligatoire pour obtenir des services assurés. Autrement, vous devrez payer les services reçus et demander un remboursement à la Régie.

Responsabilités du titulaire de la carte d'assurance-maladie

- toute personne qui prête, donne ou vend sa carte d'assurance-maladie est passible de peines prévues par la loi;
- la carte d'assurance-maladie n'est pas valide à vie. La date d'expiration est inscrite dans le bas, à droite. Quelque temps avant la date d'échéance, vous recevez un Avis de renouvellement que vous devez remplir et présenter à un point d'authentification

avec une photo et deux pièces d'identité (certaines exceptions sont prévues);

- vous devez signaler à la Régie tout changement d'adresse ou d'état civil;
- dans les trois mois qui suivent le décès du détenteur ou la perte du statut de résident du Québec, la carte doit être retournée à la Régie.

Conditions d'admissibilité

Le statut de résident du Québec demeure la condition d'admissibilité première pour se prévaloir du régime d'assurance-maladie, mais certains cas font exception à la règle :

- si vous manifestez l'intention de vous établir au Québec et que vous répondez à l'une des conditions suivantes, vous êtes admissible au régime de même que toutes les personnes à votre charge :
  - vous êtes résident permanent ou immigrant reçu (vous êtes admissible dès votre arrivée);
  - vous êtes un nouveau résident du Québec en provenance d'une autre province canadienne; dans ce cas, vous devenez admissible aux régimes d'assurance-maladie et d'assurance-hospitalisation le premier jour du 3e mois suivant la date de votre arrivée au Québec;
- vous êtes ressortissant étranger et désirez séjourner temporairement au Québec (trois mois ou plus) pour y travailler et vous détenez un permis de travail des autorités canadiennes de l'immigration. Dans ce cas, vous êtes bénéficiaire du régime pendant la période de validité de votre certificat;
- si vous et les personnes à votre charge séjournez pour une période limitée hors du Québec, vous conserverez la qualité de résident du Québec si vous répondez à l'une de ces conditions :

- vous séjournez hors du Québec moins de 183 jours au cours d'une même année civile;
- vous êtes l'employé d'un organisme sans but lucratif ayant son siège social au Canada et vous travaillez à l'étranger dans le cadre d'un programme d'aide ou de coopération internationale reconnu par le ministère de la Santé et des Services sociaux;
- vous êtes fonctionnaire du gouvernement du Québec en service à l'extérieur de la province.

À noter que certains cas particuliers (séjour hors du Québec pendant plus de 183 jours, une fois tous les sept ans, par exemple) sont prévus par les règlements; vous pouvez communiquer avec la Régie à ce sujet.

Si vous ne répondez pas à l'une des conditions mentionnées plus haut et que vous croyez être admissible au régime d'assurance-maladie, vous pouvez soumettre votre cas à la Régie pour étude.

Bénéficier de l'assurance-maladie n'est pas un droit acquis

Vous pouvez perdre tous les privilèges de l'assurance-maladie si vous êtes parmi les cas suivants :

- vous quittez définitivement le Québec pour vous établir dans un autre pays. Vous perdez vos droits dès la date de votre départ du Québec;
- vous décidez d'établir votre résidence dans une autre province canadienne où vous séjournez. Vous n'êtes plus considéré comme bénéficiaire du régime à compter du premier jour du 3e mois suivant la date de votre établissement définitif dans cette province;
- vous séjournez hors du Québec pendant 183 jours ou plus au cours d'une même année civile.

Pour information sur le programme d'assurance-maladie et les services couverts :

Régie de l'assurance-maladie du Québec
Service des renseignements aux bénéficiaires
Case postale 6600
Québec (Québec)
G1K 7T3

Québec : (418) 646-4636

Montréal : (514) 864-3411

Sans frais : 1 800 561-9749 (ailleurs au Québec)

ATS (appareils de télécommunications pour sourds) :

Québec : (418) 682-3939

Sans frais : 1 800 361-3939 (ailleurs au Québec)

PROGRAMME D'ASSURANCE-MALADIE DU QUÉBEC

	SERVICES MÉDICAUX ET CHIRURGICAUX
Services assurés	• les visites et les examens; • les consultations; • les traitements psychiatriques; • les actes diagnostiques ou thérapeutiques; • la chirurgie; • l'anesthésie; • la radiologie; • la plupart des services de laboratoires et certains examens très spécialisés, l'échographie par exemple, ne sont assurés qu'en centre hospitalier.
Exclusions	• la psychanalyse, sauf si ce service est rendu dans un établissement autorisé par le ministre; • les consultations par télécommunication ou par correspondance; • l'acupuncture; • l'injection de substances sclérosantes dans les varices et l'examen effectué à cette occasion, en cabinet privé; • tout ajustement de lunettes ou de lentilles de contact;

(suite) SERVICES MÉDICAUX ET CHIRURGICAUX

- les consultations dans le but d'obtenir le renouvellement d'une ordonnance;
- les services requis pour les fins de la justice;
- les examens exigés pour obtenir un permis de conduire, un passeport, un visa, une police d'assurance, un emploi (sauf si un tel examen ou service est exigé par une loi du Québec autre que la Loi sur les décrets de convention collective), ou des examens exigés en cours d'emploi;
- les examens exigés par différents organismes;
- les services dispensés à des fins purement esthétiques;
- tout examen ou service non relié à un processus de guérison ou de prévention de la maladie; sont considérés comme tels : les examens d'emploi ou en cours d'emploi ou lorsque tel examen ou service est demandé par un employeur ou son représentant, à moins qu'un tel examen ou service soit exigé par une loi du Québec autre que la Loi sur les décrets de convention collective.

ASSURANCE HOSPITALISATION

Services assurés

Centre hospitalier :

- le séjour dans une salle de 3 lits ou plus;
- les repas;
- les soins infirmiers;
- les tests de laboratoire;
- les radiographies;
- les électro-encéphalogrammes;
- les électro-cardiogrammes et autres services diagnostiques;
- certains appareils et prothèses pouvant être intégrés à l'organisme (cardio-stimulateurs, plaques d'acier);
- les médicaments ou autres préparations prescrits par un médecin et administrés pendant votre séjour à l'hôpital;
- l'utilisation des salles d'opération, de réveil et des installations d'anesthésie;
- le matériel anesthésique et chirurgical;
- l'utilisation des installations de radiothérapie;

(suite) ASSURANCE HOSPITALISATION

- l'utilisation des installations de physiothérapie;
- les services du personnel hospitalier.

Consultation externe :

- les soins d'urgence;
- les soins de chirurgie mineure (l'enlèvement de points de suture, l'excision de petites tumeurs comme les verrues et les kystes, l'extraction de corps étrangers, le traitement de certaines fractures, l'application et l'enlèvement d'un plâtre, etc.);
- les tests de laboratoire;
- les radiographies;
- les électro-cardiogrammes;
- les électro-encéphalogrammes;
- autres services diagnostiques;
- les services de physiothérapie, d'ergothérapie et d'inhalothérapie;
- les services d'audiologie et d'orthophonie (troubles de l'ouïe et du langage);
- les services d'orthoptique (troubles de la vue);
- la radiothérapie, y compris la cobalthérapie, la radiumthérapie ou autres;
- les services cliniques de psychiatrie;
- les traitements par électrochocs, l'insulinothérapie et la thérapie du comportement.

Exclusions

Centre hospitalier :

- le supplément pour la chambre à un ou deux lits lorsque c'est vous qui en faites la demande;
- les médicaments que vous apportez à votre sortie de l'hôpital;
- les appels téléphoniques interurbains et les télégrammes;
- l'hospitalisation sans nécessité médicale (examens préventifs, bilans de santé, etc.);
- la rémunération d'une infirmière particulière si c'est vous qui en faites la demande.

(suite) ASSURANCE HOSPITALISATION

Consultation externe :

- la chirurgie esthétique, sans nécessité médicale;
- les bilans de santé;
- les examens exigés par les compagnies d'assurances;
- les injections sclérosantes pour le traitement des varices à des fins esthétiques;
- les prothèses et les appareils orthopédiques qui ne sont pas intégrés à l'organisme (lunettes, dentiers, etc.) (si vous êtes bénéficiaire de l'aide sociale depuis au moins 6 mois, dans certains cas, ces prothèses peuvent être payées).

Particularités *Centre hospitalier* :

- si, pour des raisons médicales, votre médecin prescrit l'hospitalisation en chambre de un ou deux lits, vous n'aurez pas à payer la différence;
- si, à votre admission vous avez demandé une chambre de un ou deux lits et que, par la suite seulement, votre médecin juge, par votre état de santé, qu'elle est nécessaire, vous devrez quand même payer le supplément;
- si vous êtes un malade chronique et que vous désirez une chambre à un ou deux lits, une partie des frais seront assumés par l'assurance-maladie. La répartition des frais entre vous et la Régie sera établie en fonction de votre situation financière.

SERVICES AMBULANCIERS

Services assurés

- le transport du domicile ou d'un lieu public au centre hospitalier.

Particularités

- vous devez être âgé de 65 ans et plus ou être bénéficiaire d'aide sociale pour bénéficier du service ambulancier gratuit;
- votre transport ambulancier doit être justifié, compte tenu de votre situation géographique et de votre état de santé par le médecin en fonction lors de votre arrivée à l'hôpital.

LES MÉDICAMENTS

Services assurés

- tous les médicaments inscrits sur la « Liste des médicaments » publiée par la Régie de l'assurance-maladie et prescrits par un médecin ou un dentiste;
- les seringues et les aiguilles jetables qui sont requises pour l'administration de l'insuline.

Particularités

- vous devez être âgé de 65 ans et plus pour être admissible au programme de médicaments;
- si vous avez entre 60 et 64 ans, que vous bénéficiez d'une allocation de conjoint en vertu de la Loi sur la sécurité de la vieillesse et que, sans cette allocation, vous auriez droit à l'aide sociale et que vous détenez le carnet de réclamation délivré par le ministère de la Sécurité du revenu du Québec, vous pouvez obtenir vos médicaments gratuitement;
- la liste des médicaments est disponible deux fois par année (janvier, juillet) chez les médecins et les pharmaciens, pour consultation;
- les personnes souffrant d'une MTS ou de syndromes cliniques reliés à une MTS ont droit gratuitement aux médicaments servant à les traiter, quel que soit leur âge.
- les personnes de 65 ans ou plus doivent payer 2 $ pour chaque médicament prescrit et pour chaque renouvellement d'un médicament prescrit et ce, jusqu'à un maximum de 100 $ de contribution par année civile (calculs effectués par la Régie). Les personnes de 65 ans ou plus qui reçoivent le maximum du supplément de revenu garanti en vertu de la Loi sur la sécurité de la vieillesse du gouvernement fédéral n'ont pas à payer les 2 $ de contribution.

PROGRAMME DE CHIRURGIE BUCCALE

Services assurés

- les examens;
- les consultations;
- la radiologie;
- les services de chirurgie buccale déterminés par règlement et qui sont requis au point de vue dentaire.

Exclusions

- ablations de dents ou de racines;
- l'esthétique.

(suite) PROGRAMME DE CHIRURGIE BUCCALE

Particularités

- les services de chirurgie buccale doivent être rendus par un dentiste ou un spécialiste en chirurgie buccale, en milieu hospitalier ou un établissement hospitalier universitaire.

SERVICES DENTAIRES

Services assurés

- une prothèse dentaire complète ou partielle par maxillaire et par période de 5 ans, et dans le cas d'une première prothèse, trois mois ou plus après l'ablation des dents;
- la réparation et le regarnissage des prothèses à certaines conditions;
- examens;
- consultations;
- radiographies;
- enseignement des mesures d'hygiène buccale;
- nettoyage de dents;
- obturation de dents (plombage);
- couronnes en acier inoxydable ou nickel-chrome;
- services de chirurgie (extraction de dents et de racines, ablation de kyste, réduction de fracture);
- détartrage.

Exclusions

- certaines couronnes (or, porcelaine);
- traitement de canal;
- l'application topique de fluorure;
- redressement des dents;
- paradontie;
- apectomie;
- reconstitution d'une dent;
- chirurgie buccale de nature esthétique;
- implantation de prothèses sous-muqueuses.

Particularités

- pour recevoir gratuitement les services dentaires, vous devez bénéficier de l'aide sociale depuis au moins 6 mois. En d'autres cas, ces services sont à vos frais;
- tous les services dentaires assurés doivent être donnés en cabinet, en établissement ou ailleurs par des dentistes ou par des spécialistes en chirurgie buccale. Les prothèses peuvent être fournies par un dentiste, un spécialiste en chirurgie buccale ou par un denturologiste ayant signé un accord avec la Régie.

SERVICES OPTOMÉTRIQUES

Services assurés

- l'examen des yeux;
- l'analyse de leurs fonctions;
- l'étude des troubles visuels;
- la prescription d'un traitement approprié.

Les exclusions

- l'achat, la pose, l'ajustement et le remplacement des lunettes et des lentilles de contact;
- l'orthoptique (troubles de la vue), sauf en établissement hospitalier;
- les services dispensés à des fins purement esthétiques;
- les services requis pour les fins de justice ou exigés par un tiers;
- les examens faits à des groupes de personnes, à moins que l'optométriste auquel on s'adresse n'ait obtenu une autorisation écrite de la Régie;
- les examens exigés par différents organismes ou associations;
- les examens exigés pour obtenir un permis de conduire, un passeport, un visa, une police d'assurance, un emploi, ou exigés en cours d'emploi.

Particularités

- vous devez être âgé de 65 ans ou plus pour être admissible au programme de services optométriques;
- si vous êtes prestataire de la sécurité du revenu, quel que soit votre âge, vous, ainsi que les personnes à votre charge, ont droit au programme;
- un seul examen complet et une seule étude de la vision des couleurs par période de douze mois est couvert par le programme.

PROTHÈSES MAMMAIRES

Services assurés

- deux prothèses mammaires externes par sein, jusqu'à concurrence de 200 $ par prothèse. Par la suite, tous les ans, à la date anniversaire de l'intervention chirurgicale (ou du constat médical dans les cas d'aplasie), les bénéficiaires recevront un montant forfaitaire de 200 $ pour couvrir les frais de remplacement de la prothèse.

(suite) PROTHÈSES MAMMAIRES

Particularités

- le coût de vos prothèses vous sera remboursé uniquement si vous en faites la demande à : Régie de l'assurance-maladie du Québec, Programme de prothèses mammaires, Case postale 6600, Québec (Québec), G1K 7T3;
- vous devez joindre à votre demande les documents suivants :
  - une ordonnance signée par un médecin confirmant la mastectomie totale ou radicale (le numéro du professionnel ainsi que son nom doivent être indiqués très lisiblement sur le certificat), avec vos nom, prénom, adresse au complet ainsi que votre date de naissance et votre numéro d'assurance-maladie. L'ordonnance n'est remise qu'à votre première réclamation;
  - une facture originale spécifiant la date de l'achat de vos prothèses, la nature des services rendus et le montant payé (un coupon de caisse n'est pas suffisant);
  - la facture doit mentionner le nom, l'adresse au complet et le numéro de téléphone de l'établissement où l'achat a été fait, ainsi que vos nom, prénom, adresse et numéro d'assurance-maladie au complet;
- la Société canadienne du cancer, dans le cadre de son programme « Toujours femme » , offre des services d'aide à toute femme ayant subi une mastectomie. Prière de communiquer avec le bureau régional le plus près de chez vous.

AIDE FINANCIÈRE AUX STOMISÉS

Services assurés

- une aide financière de 600 $ par année;
- le supplément couvrant la différence entre l'allocation annuelle du 600 $ et les frais réellement engagés, et cela pour les bénéficiaires de l'aide sociale.

Particularités

- ce programme s'adresse aux personnes ayant subi une iléostomie, une urostomie, une colostomie permanente;
- pour obtenir l'aide financière, vous devez vous inscrire au programme en mentionnant vos nom, prénom, adresse complète, date de naissance, numéro

(suite) AIDE FINANCIÈRE AUX STOMISÉS

d'assurance-sociale, le cas échéant. Cette demande doit être adressée à : Régie de l'assurance-maladie du Québec, Programme d'appareils fournis aux stomisés, Case postale 6600, Québec (Québec), G1K 7T3;
- l'inscription doit être accompagnée d'un certificat médical attestant le caractère définitif de l'intervention;
- par la suite, à la date anniversaire de l'intervention chirurgicale, les bénéficiaires recevront un montant forfaitaire de 600 $ (par stomie) pour couvrir les frais de remplacement de l'appareillage;
- si vous êtes bénéficiaire de l'aide sociale, vous devez fournir tous les reçus pour obtenir le supplément, y compris ceux qui correspondent aux dépenses couvertes par l'allocation de 600 $.

Il est à noter que la plupart des professionnels de la santé, que ce soit les médecins omnipraticiens, les médecins spécialistes, les pharmaciens, les dentistes, les optométristes et autres, participent au régime. Si un professionnel exerce hors du cadre du régime, il doit aviser ses clients qu'ils devront assumer eux-mêmes les frais d'honoraires et n'auront droit à aucun remboursement de la Régie. À noter que les professionnels de la santé qui exercent dans le cadre du régime sont rémunérés par la Régie de l'assurance-maladie.

Qu'arrive-t-il si je tombe malade hors du Québec ?

Si vous bénéficiez du régime d'assurance-maladie, que vous séjournez moins de 183 jours à l'extérieur de la province et que vous recevez au Canada des services hospitaliers qui sont assurés au Québec, l'établissement qui a dispensé les services sera entièrement remboursé. Cependant, les honoraires des médecins traitants vous seront remboursés pour un montant n'excédant pas ceux qui sont payables au Québec. Hors du Canada, si vous devez être hospitalisé dans une situation d'urgence, la Régie paie, depuis le 1er janvier 1994, un montant maximum de 498 $, par journée d'hospitalisation (y compris la chirurgie d'un jour). Ce montant est indexé le 1er janvier de chaque année. Si vous recevez les soins d'un professionnel de la santé, le montant du remboursement auquel vous avez droit n'excédera pas celui qui est payable au Québec, même si vous avez payé plus cher.

Pour l'une ou l'autre de ces situations, vous devez demander un remboursement en remplissant le formulaire « Demande de remboursement » disponible à la Régie de l'assurance-maladie.

À noter qu'il existe des ententes avec divers pays en matière de sécurité sociale, en particulier à l'égard de l'assurance-maladie et de l'assurance-hospitalisation.

Pour information :

Secrétariat de l'administration des ententes de sécurité sociale
355, rue Sainte-Catherine Ouest
6e étage
Montréal (Québec)
H3B 1A1
Tél. : (514) 873-5030

Communication-Québec (voir annexe I).

Peut-on avoir recours à ses assurances personnelles ?

Vous pouvez vous prévaloir de vos assurances personnelles pour couvrir les frais de services, obtenus au Québec et ailleurs au Canada, qui ne sont pas déjà assurés en vertu du régime d'assurance-maladie du Québec. Si vous avez reçu ces services hors du Canada, votre assurance assumera, s'il y a lieu, la différence entre le coût des services assurés et le montant payé par la Régie pour ces mêmes services. Elle remboursera la totalité des frais s'il s'agit de services qui ne sont pas inclus dans le programme d'assurance-maladie du Québec. Dans le cas des services où le régime d'assurance-maladie n'assume pas la totalité des dépenses effectuées, par exemple les prothèses mammaires, votre assurance peut combler la différence.

Saviez-vous que ?

Lorsque vous quittez le Québec, que ce soit pour quelques heures, quelques semaines ou quelques mois, il est important de compléter votre protection en contractant, avant de partir, une assurance privée pour couvrir la partie que les régimes publics d'assurance-maladie et d'assurance-hospitalisation ne couvrent pas.

Puis-je obtenir une aide financière pour payer mes prothèses ?

Vous souffrez d'un handicap permanent; le programme d'assurance-maladie prévoit un ensemble de services très particuliers tels : prothèses oculaires, prothèses et appareils orthopédiques, aides visuelles, aides auditives. Pour obtenir des renseignements supplémentaires sur ces services, communiquez avec la Régie d'assurance-maladie ou avec l'un des bureaux de Communication-Québec dont la liste est mentionnée à l'annexe I du *Guide*.

Si vous bénéficiez de l'aide sociale, vous êtes admissible à plusieurs services non mentionnés dans le tableau. Pour connaître l'ensemble du programme de l'aide sociale, communiquez avec : le centre Travail-Québec de votre localité, dont vous trouverez l'adresse et le numéro dans votre annuaire téléphonique ou Communication-Québec.

Soins à domicile

	CENTRES LOCAUX DE SERVICES COMMUNAUTAIRES (CLSC)
Services disponibles	• consultations individuelles; • traitement de plaies; • surveillance de médication; • injections; • surveillance de l'état général; • prises de sang; • suivi pour diabétique; • autres soins pouvant être administrés à domicile.
Exigences	• les soins doivent être généralement recommandés par un médecin traitant; • lorsqu'il s'agit de soins post-opératoires, vous devez être référé par l'hôpital.
Conditions d'admissibilité	• votre état de santé doit justifier les soins à domicile; • ces soins médicaux ne peuvent vous être offerts par vous-même ou par vos proches. Ainsi une attention particulière est accordée aux personnes qui ne bénéficient d'aucun support; • vous ne pouvez, pour des raisons physiques, vous déplacer pour recevoir ces soins médicaux; • vous devez vous-même accepter de recevoir des soins médicaux à domicile.
Démarches à suivre	• consultez votre médecin traitant; • faites une demande de soins à domicile au CLSC de votre district.
Particularités	• les demandes ne sont pas acceptées automatiquement, elles sont soumises à une évaluation, le tout dans des délais respectables; • les soins médicaux sont administrés par des infirmiers; • les soins à domicile sont gratuits; • les CLSC constituent le premier organisme de référence pour obtenir des soins à domicile; • pour information, contactez le CLSC de votre district. La liste apparaît à l'annexe II du *Guide*.

SOINS DE SANTÉ OLSTEN KIMBERLY (SERVICES PRIVÉS)

Services disponibles

- soins à domicile :
  - injection;
  - pansement;
  - vérification de la tension artérielle, etc.;
- services à domicile :
  - aide familiale;
  - dame de compagnie;
  - rédiger la correspondance, etc.

Exigences

- assumer les frais de ces services.

Conditions d'admissibilité

- les services sont :
  - les services d'un infirmier. Tarif uniforme jour et nuit. À noter qu'un minimum de 2 heures est exigé pour chacun des déplacements;
  - les services d'un auxiliaire familial;
  - le service de visite d'un infirmier;
  - les services de surveillance d'un malade 24 heures par jour sont aussi disponibles.

Démarches à suivre

- en cas de besoin, composez le numéro suivant : (418) 682-8800 à Québec ou (514) 879-5657 à Montréal.

Particularités

- une centaine d'infirmiers autorisés, infirmiers auxiliaires, aides infirmiers et auxiliaires familiaux œuvrent au sein des services de soins de santé Olsten Kimberly;
- ce service de soins de santé dessert les régions de Québec et de Montréal;
- ces services sont offerts 24 heures sur 24 et 7 jours sur 7;
- pour obtenir des dépliants explicatifs, écrivez à :
  Soins de santé Olsten Kimberly
  1275, chemin Sainte-Foy, bureau 192
  Québec (Québec), G1S 4S5
  500, boul. René-Lévesque Ouest, bureau 1505
  Montréal (Québec)
  H2Z 1W7

PARADE DES DIX SOUS POUR LES PERSONNES HANDICAPÉES DU QUÉBEC

Services disponibles
- service de prêt gratuit de :
  - chaises roulantes;
  - lits d'hôpital;
  - marchettes, etc.

Exigence
- une prescription médicale.

Démarches à suivre
- contactez l'organisme à l'adresse suivante :
  1000, rue Saint-Antoine Ouest, bureau 410
  Montréal (Québec), H3C 3R7
  Tél. : (514) 866-3689

Particularités
- les prêts sont effectués pour huit mois maximum;
- livraison.

EN CAS D'URGENCE

Il existe au Québec un ensemble de services qui peuvent nous aider.

Les services ambulanciers

Les services ambulanciers constituent le service d'urgence majeur. Si vous êtes âgé de 65 ans et plus ou si vous êtes bénéficiaire de l'aide sociale, le transport par ambulance est gratuit. Toutefois, le médecin traitant ou le médecin qui vous prend en charge à l'établissement ou toute autre personne spécialement mandatée par le directeur général de l'établissement doit certifier que votre état de santé justifiait le mode de transport sur civière par ambulance pour avoir droit à la gratuité du transport. Il existe différentes compagnies qui offrent des services ambulanciers; pour en connaître la liste, vous devez consulter votre annuaire téléphonique sous la rubrique « Ambulance ».

Pour plus de sécurité, il est préférable de conserver, bien à la vue, le numéro de téléphone d'un service d'ambulance. Il existe des autocollants avec la mention « AMBULANCE », que vous pouvez coller sur votre appareil de téléphone. Si, en cas d'urgence, vous êtes pris de panique ou que votre condition ne vous permet pas d'appeler une ambulance, vous pouvez faire le 911. Également, vous pouvez faire le « 0 », et la téléphoniste pourra composer l'appel pour vous.

Qui fait quoi ?

Ophtalmologiste

Médecin spécialiste qui s'occupe de l'œil, de la fonction visuelle, des maladies oculaires et des opérations pratiquées sur l'œil. On l'appelle aussi oculiste.

Optométriste :

Opticien qui examine la vue.

Opticien :

Personne qui fabrique, vend des instruments d'optique (Ex. : faire faire ses lunettes chez l'opticien).

Info-Santé

Info-Santé est un service d'information téléphonique s'adressant aux résidents des agglomérations de Québec et Montréal. Vingt-quatre heures par jour, 7 jours par semaine, Info-Santé offre une réponse appropriée à vos besoins immédiats, que ce soit en termes de conseils pratiques de santé ou d'information concernant les nombreuses ressources existantes.

INFO-SANTÉ : (418) 648-2626, Québec

INFO-SANTÉ : (514) 275-7575, Montréal

Les cliniques d'urgence

Il existe une clinique d'urgence dans la quasi-totalité des centres hospitaliers. Les services sont couverts par le régime d'assurance-maladie. Sur place, une équipe spécialisée peut vous offrir tous les soins nécessaires. Pour connaître les noms et adresses des cliniques d'urgence, vous devez consulter votre annuaire téléphonique sous la rubrique « Hôpital ».

La majorité des centres locaux de services communautaires (CLSC) ont une clinique d'urgence; cependant, vous devez vous adresser au CLSC qui dessert le territoire de votre lieu de résidence. La liste des centres locaux de services communautaires se trouve à l'annexe II du *Guide*.

Urgence-Santé

Urgence-Santé a pour mission d'assurer les soins et les services préhospitaliers d'urgence, comportant le transport ambulancier et l'intervention médicale en certaines circonstances. Urgence-Santé assure également le transport inter-établissements.

Urgence-Santé dessert uniquement la Communauté urbaine de Montréal.

Comment procéder ?

Il suffit de composer le 911 et le préposé au triage des appels vous répondra. Vous expliquez la situation et, si c'est une « urgence urgente », une équipe de techniciens ambulanciers et un médecin (si jugé nécessaire) vous porteront secours. Par la suite, le malade est transporté à l'hôpital, si cela s'impose.

URGENCE-SANTÉ : 911

Il existe un service similaire pour les résidents de la ville de Jonquière :

Jonquière-Médic
2201, rue Demontfort
Jonquière (Québec)
G7X 4P6

Tél. : (418) 542-8111

Maintenant que vous savez tout, ou presque, faites votre liste de numéros de téléphone à composer « en cas d'urgence », que vous garderez à proximité... naturellement!

CHACUN SES « BOBOS », CHACUN SES « BIBITTES »

L'arthrite

Il existe plus de 110 formes d'arthrite différentes; certaines sont plus ou moins graves, d'autres le sont extrêmement. Si les effets de chacune sont connus, on ignore encore comment prévenir la plupart des formes d'arthrite. Nul ne peut prédire comment une personne sera affectée ou comment elle devrait être traitée aussi longtemps que la forme particulière d'arthrite dont elle est atteinte n'aura pas été établie par le diagnostic d'un médecin.

Si vous souffrez d'arthrite, il est recommandé de :

- consulter votre médecin au début de la maladie. C'est là que son intervention vous sera le plus salutaire. Suivez fidèlement ses conseils;
- éviter de soumettre les articulations affectées à des efforts et à des pressions inutiles. Si votre médecin recommande des exercices thérapeutiques, suivez fidèlement et attentivement ses instructions;
- se méfier des médicaments non prescrits par le médecin et des « cures miracles »;
- prendre régulièrement le sommeil et le repos dont vous avez besoin;
- ne pas vous inquiéter outre mesure. Sous surveillance médicale, plusieurs aspects de l'arthrite, dont la douleur et l'incapacité motrice, peuvent être contrôlés.

Le Programme d'initiative personnelle de l'arthritique (PIPA)

Le PIPA est un nouveau programme de promotion de la santé conçu pour vous aider à mieux comprendre votre arthrite, apprendre à composer avec la douleur chronique et vous impliquer plus activement dans le traitement de votre arthrite.

Pour information sur les cours du PIPA offerts dans votre région, ou sur les frais d'inscription :
Société d'arthrite : (514) 846-8840.

L'Association des arthritiques de Québec

L'Association des arthritiques de Québec existe depuis 1980. Elle vous apportera l'aide et l'assistance nécessaires en vue de mieux connaître et comprendre votre état; elle vous aidera à améliorer votre qualité de vie.

Si vous désirez devenir membre de l'Association ou si vous voulez plus d'information, composez :
(418) 648-1603.

Votre médecin est la personne la plus qualifiée pour vous informer sur votre cas. La Société d'arthrite, pour sa part, peut vous renseigner sur la maladie en général et sur les programmes offerts.

Pour information :

Bureaux de division de la Société d'arthrite au Québec :

Région de Montréal
2155, rue Guy
Bureau 1120
Montréal (Québec)
H3H 2R9
Tél. : (514) 846-8844
Téléc. : (514) 846-8999

Région de Québec
1275, boul. Charest Ouest
Bureau 220
Québec (Québec)
G1N 2C9
Tél. : (418) 687-1177
Téléc. : (418) 687-0261

Téléphones pour les « durs d'oreille »

Dans notre vie de tous les jours, on ne saurait se passer du téléphone, instrument de communication indispensable s'il en est un. Si vous avez 65 et plus et souffrez d'un handicap physique, certaines améliorations peuvent être apportées à votre appareil.

Si vous souffrez de troubles mineurs de l'ouïe, vous pouvez régler vous-même la sonnerie du téléphone. Vous pouvez aussi faire ajouter une grosse sonnerie à votre appareil. Il existe également un combiné conçu exprès pour les personnes dures d'oreille; il est muni d'un bouton qui permet d'amplifier le volume de la voix de l'interlocuteur.

Si vous avez la voix faible, il existe un combiné avec amplificateur qui permet d'augmenter le volume de votre voix et de converser au téléphone sans effort.

Pour information, composez sans frais : 1 800 361-8412.

LA CHIROPRATIQUE ET L'ACUPUNCTURE : DES MÉDECINES ALTERNATIVES

La chiropratique

En 1973, le gouvernement québécois a reconnu la chiropratique comme une profession autonome.

En quoi consiste-t-elle ?

La chiropratique est un mode de traitement (thérapeutique manipulatoire) qui accorde une grande importance au système nerveux et à la colonne vertébrale. Elle a pour objet de pratiquer les corrections de la colonne vertébrale, des os, du bassin ou des autres articulations à l'aide des mains. Elle dépiste, évalue et corrige, par une approche naturelle, la plupart des dérangements et des distorsions.

Si vous consultez un chiropraticien, il examinera, par une légère pression des doigts le long de votre épine dorsale, l'alignement et la position de vos vertèbres. Au besoin, il pourra prendre des radiographies. Après avoir déterminé la nature de votre problème vertébral, il commencera à vous soigner. C'est par une intervention, principalement manuelle, sur les mécanismes articulaires qu'il se proposera de corriger votre problème.

Les frais

Les services des chiropraticiens ne sont pas couverts par le régime d'assurance-maladie. Cependant, dans certains cas, les assurances personnelles peuvent assumer une partie des frais.

La liste des chiropraticiens qui exercent dans votre localité est inscrite dans l'annuaire téléphonique sous la rubrique « Chiropraticien ».

Pour information sur les services offerts et sur les frais engagés :

L'Ordre des chiropraticiens du Québec
7950, boul. Métropolitain Est
Ville d'Anjou (Québec)
H1K 1A1
Tél. : (514) 355-8540
Téléc. : (514) 355-2290

L'acupuncture

L'acupuncture est une technique thérapeutique créée et développée depuis la haute antiquité par les Chinois. La pratique consiste à implanter de fines aiguilles sur des points très précis du corps humain.

Les acupuncteurs pensent que l'énergie du corps voyage le long de circuits bien définis appelés méridiens. Chacun de ces méridiens se rend à un organe précis. C'est ainsi que, pour traiter un ulcère d'estomac, on piquera légèrement certains points situés sur le méridien de l'estomac. Ce qui, selon les acupuncteurs, permettra à l'énergie de circuler normalement dans cet organe.

Les acupuncteurs traitent des troubles fonctionnels tels que constipation, ulcères, asthme, bronchite, engourdissements, maux d'oreilles, troubles de la prostate, douleurs musculaires, maux de tête, arthrite, rhumatisme, etc.

Les frais ?

Vous devez payer la totalité des frais découlant d'un traitement d'acupuncture.

Pour connaître la liste des acupuncteurs, consultez votre annuaire téléphonique sous la rubrique « Acupuncture ».

ÉVALUEZ VOTRE CONDITION PHYSIQUE

Encerclez la réponse appropriée

	Jamais ou rarement	Parfois	Régulièrement ou très souvent
SYSTÈME CARDIO-RESPIRATOIRE			
Je participe à des activités physiques, sportives (bicyclette, natation), de loisir (jardinage) ou professionnelles (travaux manuels).	1	3	5
Je m'essouffle rapidement.	5	3	1
J'utilise les ascenseurs plutôt que les escaliers.	5	3	1
Après ma journée de travail, je suis fatigué.	5	3	1
Je fume.	5	3	1

	Jamais ou rarement	Parfois	Régulièrement ou très souvent
ALIMENTATION ET POIDS CORPOREL			
Je me préoccuperais de mon poids s'il présentait un excédent	1	3	5
Mon poids est supérieur à ce qu'il devrait être.	5	3	1
Avant de commencer la journée, je prends un petit déjeuner.	1	3	5
Je préfère des fruits et des légumes plutôt que des sucreries et du café.	1	3	5
Pour maigrir, j'utiliserais le sauna ou les bains chauds.	5	3	1
FLEXIBILITÉ ET ENDURANCE MUSCULAIRE			
Je ressens des douleurs articulaires.	5	3	1
Je pratique différents exercices d'assouplissement.	1	3	5
Je suis courbaturé après avoir pratiqué une activité physique comme pelleter de la neige, jardiner, etc. ou après avoir pratiqué un sport.	5	3	1
Je renforce les groupes musculaires importants de mon corps par des exercices spécifiques tels les redressements assis.	1	3	5
DÉTENTE			
Je prends le temps de me détendre.	1	3	5
Je regarde la télévision.	5	3	1
Je veux tout faire la même journée.	5	3	1

Inscrivez le total des chiffres encerclés

VOTRE RÉSULTAT

Faites d'abord la somme de toutes vos réponses encerclées.

Plus votre total sera élevé, meilleur sera votre résultat.

Mauvais	Faible	Moyen	Bon	Excellent
moins de 51	52 à 57	58 à 63	64 à 69	70 et plus

Comment interpréter votre résultat

Si votre résultat est de 60 et plus

Vous êtes sur la voie de la bonne forme. Continuez et persévérez. Comme le dit si bien le dicton « Cent fois sur le métier, remettez votre ouvrage », seule la pratique régulière et variée d'activités physiques permettra une amélioration et un maintien de vos capacités. En fait, une bonne condition physique est une habitude à prendre... pour la vie.

Si votre résultat est de 59 ou moins

Évitez de vous comparer. Même si votre condition physique n'est pas à son meilleur, cela ne doit pas vous empêcher de participer à un programme d'entraînement et de progresser à votre rythme. Vous en retirerez les bienfaits escomptés en y investissant temps et efforts. Souvenez-vous que l'activité physique utilisée avec sagesse demeure la plus naturelle des médecines, tout en étant peu coûteuse et efficace. Cela ne dépend que de vous!

CHAPITRE 2

POUR UNE BONNE SANTÉ MENTALE...

PSYCHIATRE, PSYCHOLOGUE, TRAVAILLEUR SOCIAL, OÙ EST LA DIFFÉRENCE ?

Depuis quelque temps, vous vous sentez déprimé, anxieux, malheureux. Dans certains cas, une conversation avec un parent ou un ami suffit à vous réconforter, mais quelquefois les services d'un professionnel s'avèrent nécessaires. À qui devez-vous vous adresser dans ces circonstances ? À un psychologue, à un psychiatre, à un travailleur social ? Comment se démêler avec tous ces spécialistes de la santé mentale ? Tentons de définir le rôle de chacun.

Les psychiatres

En plus de leurs cours de médecine, les psychiatres ont consacré quatre années de leur formation à la science du diagnostic et du traitement de problèmes psychiques comme l'angoisse, la dépression... Les traitements dispensés par les psychiatres tiennent compte de l'individu dans son ensemble et visent à l'aider à se prendre en main et à faire face à ses difficultés.

En général, les services d'un psychiatre sont couverts par le régime d'assurance-maladie. Si vous êtes âgé de 65 ans et plus, on vous remboursera le coût des médicaments. Il y a environ 1000 psychiatres au Québec qui pratiquent en cabinet privé, à l'hôpital ou en institution psychiatrique.

Les psychologues

Les psychologues ont une formation universitaire minimale de quatre ans (baccalauréat et maîtrise en psychologie). Pendant ces années, ils acquièrent des connaissances sur des sujets comme le développement de la personnalité, les modes d'apprentissage, etc. Mais, selon leurs choix, ils peuvent devenir spécialistes en évaluation, en croissance personnelle, en adaptation, en psychologie industrielle, en psychothérapie, etc.

Les psychologues-psychothérapeutes évaluent et traitent des problèmes psychiques. Si vous voulez en consulter un en cabinet privé, il vous faudra en assumer les frais (60 $ l'heure en moyenne), à moins que votre assurance-maladie privée en assume une partie. Consultez votre police d'assurance ou votre agent pour en connaître toutes les conditions.

Vous pouvez rencontrer un psychologue-psychothérapeute dans les centres locaux de services communautaires CLSC, les hôpitaux (plus rarement) et d'autres établissements publics. Dans ce cas, c'est gratuit. Communiquez avec l'un de ces établissements pour savoir s'il y en a un de disponible pour vous.

Il y a environ 5500 psychologues au Québec.

Les travailleurs sociaux

Les travailleurs sociaux reçoivent une formation universitaire de trois ans pendant lesquels ils acquièrent des connaissances théoriques et pratiques (stages) en service social. Il y a plus de 10 000 travailleurs sociaux au Québec.

Ils ont acquis de l'expérience pour solutionner des problèmes sociaux et psychiques de nature individuelle, conjugale, familiale ou autre. Vous pouvez les rencontrer dans les (CSS), les centres locaux de services communautaires (CLSC), les hôpitaux, les centres d'accueil, où les services sont gratuits. D'autres travaillent en cabinet privé, au tarif approximatif de 50 $ l'heure. Vous devez alors assumer ces frais au complet.

Les gens ne connaissent pas leur bonheur,
mais celui des autres ne leur échappe jamais.

Pierre Daninos

•••••

Vos assurances privées peuvent payer ces services

Ces tarifs vous semblent élevés ? Vérifiez vos contrats d'assurance. Dans certains cas, votre contrat d'assurance-invalidité ou d'assurance-maladie peut payer une partie des frais engendrés par une thérapie. Consultez le représentant de votre compagnie d'assurances. Il pourra, en vérifiant les termes de votre contrat, vous dire si les frais d'une consultation avec ces spécialistes sont compris ou non.

Pour information :

Psychiatre

Association des médecins psychiatres du Québec
C.P. 216, succursale Desjardins
Complexe Desjardins
Montréal (Québec)
H5B 1G8

Tél. : (514) 350-5128

Collège des médecins du Québec
2170, boul. René-Lévesque Ouest
Montréal (Québec)
H3H 2T8

Tél. : (514) 933-4441

- dans les hôpitaux;
- dans les cabinets privés, mais il est préférable d'obtenir une demande écrite de consultation de votre médecin traitant;
- généralement, les services psychiatriques sont couverts par le régime d'assurance-maladie.

Psychologue

Ordre des psychologues du Québec
1100, avenue Beaumont
Bureau 510
Montréal (Québec)
H3P 3H5

Tél. : (514) 738-1881

- dans les centres locaux de services communautaires (CLSC), dans les hôpitaux; les services y sont gratuits;
- dans les cabinets privés; vous en assumez les frais en tout ou en partie, selon les conditions de votre assurance-maladie privée.

Travailleur social

Ordre professionnel des travailleurs sociaux du Québec
5757, avenue Decelles
Bureau 335
Montréal (Québec)
H3S 2C3

Tél. : (514) 731-3925

- dans les centres locaux de services communautaires (CLSC), les hôpitaux; les services y sont gratuits;
- dans les cabinets privés; vous en assumez les frais.

LE CURATEUR PUBLIC, POUR VOUS AIDER

Vous êtes âgé. Vous êtes en bonne santé physique et mentale, mais certaines personnes de votre entourage doutent de vos capacités mentales, notamment lorsqu'il s'agit d'administrer vos biens. Cela vous inquiète-t-il ? Vous craignez que ces individus réussissent à obtenir la gestion de vos biens ?

Protégez-vous!

Personne de votre entourage ne peut décider, de son propre gré, de votre incapacité mentale. La *Loi sur le curateur public* est là pour vous protéger.

Le Curateur public est une personne nommée par le gouvernement du Québec, régie par une loi spéciale, qui a pour mission :

- l'administration et la protection des biens des personnes inaptes;
- la protection des droits de la personne inapte;
- l'administration et la protection des biens sans maître et des successions vacantes;
- la surveillance de l'administration des curateurs ou des tuteurs privés.

Selon la nouvelle loi, seul un tribunal peut autoriser l'ouverture d'un régime de protection et décider de sa nature.

Les procédures préliminaires à l'ouverture d'un régime de protection peuvent être enclenchées de deux façons. Soit par la personne qui a besoin de protection, son conjoint, ses proches ou toute personne qui lui porte un intérêt particulier, soit à la suite de la transmission au Curateur public d'un rapport signé par le directeur général d'un établissement de santé ou de services sociaux. Dans les deux cas, la demande est acheminée directement au tribunal.

En effet, si une personne majeure qui reçoit des soins ou des services d'un établissement de santé ou de services sociaux a besoin d'être assistée ou représentée dans l'exercice de ses droits civils, le directeur général de l'établissement transmet au Curateur public un rapport d'inaptitude, accompagné d'une évaluation médicale et psychosociale précisant la nature et le degré de cette inaptitude. Il remet à la personne concernée une copie du rapport et avertit un de ses proches.

Après réception du rapport, si le Curateur public est convaincu de la nécessité d'ouvrir un régime de protection, il tente de trouver un curateur ou un tuteur privé pour la personne concernée, avant d'entreprendre les procédures nécessaires à l'ouverture de ce régime. Le Curateur public pourra être nommé curateur ou tuteur par le tribunal, si aucun particulier ne peut ou ne veut agir comme curateur ou tuteur privé.

Nomination d'un tuteur ou d'un curateur privé

Pour être tuteur ou curateur privé, une personne doit être majeure, jouir de tous ses droits civils, être présente à l'assemblée de parents et être nommée par un jugement de la Cour supérieure.

Les procédures :

- le requérant (un parent ou le curateur privé), par l'entremise d'un notaire ou d'un avocat, doit présenter à la cour une requête demandant l'ouverture d'un régime de protection et la convocation d'une assemblée de parents. Cette requête doit être accompagnée des évaluations médicale et psychosociale démontrant l'inaptitude;
- l'assemblée de parents, qui doit réunir au moins cinq personnes majeures, se tient devant un greffier de la Cour supérieure du district judiciaire de votre domicile;
- le juge ou le greffier, selon le cas, rend sa décision au moyen d'un jugement en tenant compte des évaluations médicale et psychosociale, du résultat de sa rencontre avec la personne à protéger et de l'avis de l'assemblée de parents.

Les responsabilités du tuteur ou curateur à la personne

Les responsabilités du tuteur ou curateur à la personne se résument ainsi, à moins que le jugement du tribunal ne donne d'autres précisions :

- veiller à la garde et à l'entretien de la personne représentée; assurer le bien-être moral et matériel de celle-ci;
- faire respecter les droits de la personne représentée. Seul le tuteur peut autoriser ou refuser un traitement médical ou une intervention chirurgicale au nom de cette personne si celle-ci est jugée inapte à consentir ou à refuser;
- représenter le majeur dans l'exercice de ses droits civils et dans toute action en justice;
- faire faire un rapport de réévaluation médicale et psychosociale du majeur trois ans après sa nomination comme tuteur ou après cinq ans, s'il s'agit d'un curateur.

Les responsabilités du tuteur ou curateur aux biens

Le tuteur ou curateur qui a la responsabilité de l'administration des biens s'acquitte de cette tâche de façon prudente, diligente et compétente. Il doit entre autres :

- faire l'inventaire des biens de la personne représentée. Une copie de cet inventaire doit être adressée au Curateur public et au conseil de tutelle;
- si le patrimoine à administrer est de plus de 25 000 $, souscrire une sûreté destinée à garantir sa gestion;
- se garder de louer, acheter ou utiliser pour son propre compte les biens appartenant à la personne représentée;
- obtenir une autorisation du conseil de tutelle ou du tribunal avant de vendre, hypothéquer ou aliéner (vendre, donner) les biens de la personne représentée, s'il s'agit d'un tuteur;
- tous les ans à la date anniversaire de son entrée en fonction, faire rapport de sa gestion au Curateur public;

- à la fin de son mandat, faire un compte rendu de son administration à la personne ou à ses héritiers et faire remise des biens placés sous sa responsabilité.

Le tuteur ou curateur privé peut faire des placements à même le patrimoine qu'il administre. Ces placements doivent cependant correspondre à ceux qui sont prévus par le Code civil (obligations des gouvernements, actions, etc.).

Le Curateur public veille

Le Curateur public surveille l'administration du tuteur ou curateur privé et, au besoin, le conseille dans l'exercice de sa fonction. Si le Curateur public constate des irrégularités dans sa gestion, il invitera celui-ci à corriger la situation. Si le tuteur ou le curateur fait preuve d'incapacité ou d'infidélité à son mandat, le Curateur public peut, comme le conseil de tutelle ou toute autre personne intéressée, demander son remplacement au moyen d'une procédure judiciaire présentée au tribunal et, par la suite, le poursuivre pour les préjudices subis par la personne intéressée.

Lorsqu'il n'y a pas eu nomination d'un tuteur ou d'un curateur privé, la gestion de vos biens est confiée au Curateur public, qui assume les mêmes responsabilités. Ce dernier a le droit de toucher des honoraires qui sont décidés par le Règlement d'application de la Loi sur le curateur public. Ces honoraires doivent être acquittés à même le patrimoine de la personne représentée. Mais il ne pourra rien recevoir si l'on démontre que vous n'avez pas les moyens de payer.

Pour information :

Le Curateur public

Montréal
600, boul. René-Lévesque Ouest
Bureau 500
Montréal (Québec)
H3B 4W9
Tél. : (514) 873-0072
Sans frais : 1 800 267-3740

Mauricie – Bois-Francs
25, rue des Forges
4e étage
Trois-Rivières (Québec)
G9A 6A7
Tél. : (819) 371-6009

Estrie
200, rue Belvédère Nord
R.C. 01
Sherbrooke (Québec)
J1H 4A9
Tél. : (819) 820-3187

Québec
1305, chemin Sainte-Foy
1er étage
Québec (Québec)
G1S 4N5
Tél. : (418) 643-4108
Sans frais : 1 800 463-4562

Saguenay – Lac Saint-Jean
1299, avenue des Champs-Élysées
Bureau 105
Chicoutimi (Québec)
G7H 6J2
Tél. : (418) 698-3608

UNE MALADIE MÉCONNUE : LA MALADIE D'ALZHEIMER

La maladie d'Alzheimer est une des principales causes de mortalité. Elle se manifeste parfois aux environs de la quarantaine mais, le plus souvent, après soixante-cinq ans. Cette maladie à l'évolution lente se caractérise principalement par la perte de mémoire et la destruction de la personnalité. Ainsi, la personne qui est atteinte éprouve de plus en plus de difficultés à se concentrer, a des « trous » de mémoire fréquents, perd constamment ses objets personnels, renonce graduellement à des activités quotidiennes, etc. Bien que certains de ces symptômes soient inhérents au processus normal de vieillissement, leur fréquence et leur gravité constituent des indices importants dans le dépistage de la maladie. La maladie d'Alzheimer a été identifiée une première fois en 1906 par le neurologue allemand du même nom.

Actuellement, on dénombre plus de 250 000 cas au Canada, dont 41 000 au Québec. Il existe depuis 1978 une association d'entraide pour le soutien des familles : la Société d'Alzheimer, qui compte 13 000 membres et 60 sections au Canada. Ses buts principaux sont l'aide à la lutte contre la maladie, le financement de la recherche et l'information de ses membres et du personnel médical et paramédical.

Pour information :

Fédération québécoise des sociétés Alzheimer
1474, rue Fleury Est
Montréal (Québec)
H2C 1S1

Tél. : (514) 388-3148

Société Alzheimer de l'Estrie
1036, rue Belvédère Sud
Local 0212
Sherbrooke (Québec)
J1H 4C4

Tél. : (819) 821-5127

Société Alzheimer des Laurentides
37, rue Principale Est
C.P. 276
Sainte-Agathe-des-Monts (Québec)
J8C 3A3

Tél. : (819) 326-7186

Société Alzheimer Rive-Sud
33, rue Argyle
Saint-Lambert (Québec)
J4P 3P5

Tél. : (514) 672-4899

Société Alzheimer de Montréal
3974, rue Notre-Dame Ouest
Montréal (Québec)
H4C 1R1

Tél. : (514) 931-4211

Société Alzheimer de l'Outaouais québécois
331, boul. Cité des Jeunes
Hull (Québec)
J8Y 6T3

Tél. : (819) 777-4232

Société Alzheimer de la Mauricie
620, rue Sainte-Geneviève
Trois-Rivières (Québec)
G9A 3W7
Tél. : (819) 376-7063

Société Alzheimer Saguenay – Lac Saint-Jean
70, avenue Saint-Joseph Sud
Alma (Québec)
G8B 3E4
Tél. : (418) 668-0161

Société Alzheimer Granby et Région
179, rue Principale
Granby (Québec)
J2G 2V5
Tél. : (514) 777-3363

Société Alzheimer Lanaudière
973, rue Allard
L'Assomption (Québec)
J0K 1G0
Tél. : (514) 589-6119

Société Alzheimer Rouyn-Noranda
C.P. 336
Rouyn-Noranda (Québec)
J9X 5C3
Tél. : (819) 764-3554

Société Alzheimer de Québec
830, rue Ernest-Gagnon
Bureau 109-4
Québec (Québec)
G1S 3R3
Tél. : (418) 527-4294

Société Alzheimer Gaspésie – Îles-de-la-Madeleine
97A, rue Jacques-Cartier
C.P. 2125
Gaspé (Québec)
G0C 1S0
Tél. : (418) 368-7208

Société Alzheimer Haut-Richelieu
C.P. 485
Saint-Jean-sur-Richelieu
(Québec) J3B 6Z8
Tél. : (514) 347-5500

Société Alzheimer Maskoutains-Vallée des Patriotes
2650, rue Morin
Local 124
Saint-Hyacinthe (Québec)
J2S 8H1
Tél. : (514) 778-2572

Société Alzheimer Vallée de l'Or Foyer de Val d'Or
1212, avenue Brébeuf
Val d'Or (Québec)
J9P 2C9
Tél. : (819) 825-3093

Saviez-vous que ?

Si votre mémoire vous semble défaillante, ne concluez pas trop vite que c'est un symptôme de la maladie d'Alzheimer. Demandez plutôt à votre médecin de vous faire subir un examen médical complet afin de vérifier s'il ne s'agit pas d'une autre maladie. Quelquefois une dépression, causée par une retraite récente, un deuil ou une maladie grave peuvent affecter la mémoire. Par ailleurs, une infection, un problème cardiaque ou un problème rénal peuvent également influencer votre santé mentale. Ainsi, n'hésitez pas à consulter votre médecin qui pourra vous référer, si nécessaire, au spécialiste concerné.

« MAUDITE BOISSON »

Le problème de la consommation abusive d'alcool chez les personnes âgées est très mal connu. Il n'en est pas moins réel et de taille... L'abus d'alcool est généralement relié à des problèmes d'adaptation et à des conditions de vie difficiles : la perte d'un conjoint, des problèmes de logement, d'argent, de santé, etc. Si l'alcool prend trop d'importance dans votre vie, si vous n'êtes pas capable de vous en passer, s'il vous cause des difficultés, consultez votre médecin ou demandez l'aide d'organismes spécialisés.

Les Alcooliques anonymes (A.A.) peuvent vous venir en aide. Pour connaître le numéro du groupe A.A. de votre localité, consultez les pages jaunes de l'annuaire téléphonique sous la rubrique : « Toxicomanie-Centres d'information & de traitement ».

Certains centres hospitaliers offrent des services aux personnes souffrant d'alcoolisme; il existe aussi des centres d'accueil spécialisés en désintoxication et en réadaptation. Pour connaître la liste des organismes qui peuvent vous aider, communiquez avec le Centre local de services communautaires (CLSC) de votre localité. Vous trouverez la liste à l'annexe II du *Guide*.

MÉDICAMENT OU POTION MAGIQUE ?

Est-il vraiment nécessaire d'avoir recours à la médication de façon systématique? Les médicaments ne sont pas un bien de consommation ordinaire.

TESTEZ-VOUS

1. Il n'y a aucun danger à prendre le médicament d'une autre personne si vous ressentez les mêmes symptômes.

   Vrai ☐ Faux ☐

2. Si votre médecin vous prescrit un médicament et qu'il vous dit de prendre toute la quantité suggérée, vous pouvez quand même cesser toute consommation dès que les malaises sont disparus.

   Vrai ☐ Faux ☐

3. Si on vous administre un nouveau médicament, il est tout à fait normal que vous développiez des effets secondaires.

   Vrai ☐ Faux ☐

4. Rien ne vous empêche de prendre un petit verre d'alcool si vous êtes sous l'effet des médicaments. D'ailleurs, l'alcool peut faire progresser votre guérison.

   Vrai ☐ Faux ☐

5. Le pharmacien, en raison de sa formation universitaire, est un spécialiste du médicament et peut vous fournir tous les renseignements relatifs à vos médicaments.

   Vrai ☐ Faux ☐

6. Si votre médecin vous avise de cesser de prendre un médicament, il est plus prudent de conserver les comprimés supplémentaires au cas où les malaises surviendraient de nouveau. Ainsi, vous éviterez de débourser une seconde fois pour cette prescription.

   Vrai ☐ Faux ☐

7. Il est primordial de dire à votre médecin et à votre pharmacien quels médicaments vous absorbez, qu'ils soient prescrits ou non.

   Vrai ☐ Faux ☐

8. Les médicaments peuvent être consommés à n'importe quel moment de la journée.

   Vrai ☐ Faux ☐

Solutions

1 = Faux 2 = Faux	3 = Faux 4 = Faux	5 = Vrai 6 = Faux	7 = Vrai 8 = Faux

Si vous avez plus d'une erreur, ces conseils pourraient vous être utiles :

- dites à votre médecin et à votre pharmacien quels médicaments vous absorbez, qu'ils soient prescrits ou non. L'association de deux ou plusieurs médicaments peut entraîner des effets indésirables.
- n'oubliez pas que l'alcool, sous quelque forme que ce soit, peut multiplier ou annuler l'effet de plusieurs médicaments;
- votre médecin vous indiquera le nom du médicament et vous expliquera son action. Toutefois, votre pharmacien doit aussi vous informer sur l'usage des médicaments; il doit vous indiquer clairement quand prendre vos médicaments pour qu'ils produisent un effet maximum. Sinon, demandez-lui;
- si vous développez des effets secondaires, appelez votre médecin. Il pourra sans doute résoudre le problème en ajustant l'ordonnance ou en changeant le médicament;

Il se noie plus de gens dans les verres
que dans les rivières.

G.C. Lichtenberg

• • • • •

- les instructions concernant votre médicament figureront sur l'étiquette du contenant; votre pharmacien vous rappellera bien souvent ces instructions de vive voix. Si vous n'êtes pas sûr d'avoir bien compris, demandez-lui des explications détaillées;
- si votre médecin vous dit de prendre toute la quantité prescrite, complétez le traitement, même si vous vous sentez mieux avant la fin du traitement. Il est inutile qu'un médecin prescrive un antibiotique pour une infection si le patient ne prend que la moitié de la quantité prescrite! Les symptômes peuvent réapparaître;
- si votre médecin vous avise de cesser de prendre un médicament, jetez-le dans les plus brefs délais;
- sachez exactement comment et quand prendre un médicament. Par exemple, certains médicaments ne peuvent être pris avec les repas, parce que les acides gastriques détruisent ou limitent l'ingrédient actif ou le rendent sans effet. Si vous avez des doutes à ce sujet, demandez à votre médecin ou à votre pharmacien;
- ne prenez jamais de médicaments prescrits pour quelqu'un d'autre et ne donnez jamais à une autre personne des médicaments qui vous ont été prescrits;
- dans le cas de médicaments de vente libre, consultez votre pharmacien si vous n'êtes pas certain de leur efficacité. Encore une fois, informez votre pharmacien de tout médicament que vous consommez;
- certains produits ne résistent pas à la chaleur et à l'humidité. Certains médicaments doivent être conservés au réfrigérateur. Demandez toujours à votre pharmacien où et comment conserver un médicament;
- gardez toujours les médicaments hors de la portée des enfants.

Pour information :

Collège des médecins du Québec
2170, boul. René-Lévesque Ouest
Montréal (Québec)
H3H 2T8

Tél. : (514) 933-4441

Ordre des pharmaciens du Québec
266, rue Notre-Dame Ouest
Bureau 301
Montréal (Québec)
H2Y 1T6

Tél. : (514) 284-9588

MES AMIES LES BÊTES...

Vous vous sentez seul, vous auriez besoin de compagnie ? Aimez-vous les animaux ?

Sans être un remède miracle, la présence d'un animal domestique peut jouer un grand rôle dans le bien-être physique et mental, comme cela est observé pour les enfants, les adolescents et même les adultes.

Des recherches effectuées aux États-Unis et en France ont démontré qu'un animal pouvait stimuler et aider à conserver une certaine discipline. Il encourage à l'exercice, égaie la maison et peut vous obliger à garder le sens de l'humour. Résultat final : vous pensez moins à vos petits « bobos ». Le seul fait d'avoir un être vivant à caresser ou à toucher, et qui réagit à votre voix, peut agrémenter votre vie.

Si vous désirez garder un animal chez vous, informez-vous des règlements de votre municipalité et de votre immeuble concernant la propriété d'animaux domestiques. Sachez que votre propriétaire peut vous interdire la garde d'un animal; toutefois, la Régie du logement peut en décider autrement si l'animal ne perturbe pas la tranquillité des voisins.

Assurez-vous de votre capacité à satisfaire les conditions d'hygiène que nécessiste une bête.

Informez-vous auprès de votre médecin, si votre état de santé (allergie, asthme) vous autorise à prendre une telle initiative.

Maintenant, on parle même de zoothérapie

La zoothérapie est l'utilisation d'animaux dans différents programmes thérapeutiques ayant pour but d'améliorer la santé physique et mentale des gens. Les effets bénéfiques de cette thérapie ont été démontrés scientifiquement depuis plusieurs années, auprès de différentes clientèles, dont les aînés. Plusieurs projets sont actuellement en cours avec la collaboration des centres hospitaliers, des départements de gérontologie, etc. Par ailleurs, la Société protectrice des animaux s'implique aussi dans le domaine de la zoothérapie en offrant, notamment, des visites avec des animaux dans des centres d'accueil pour personnes âgées.

Pour information :

Ordre des médecins vétérinaires du Québec
795, avenue du Palais
Bureau 200
Saint-Hyacinthe (Québec)
J2S 5C6
Tél. : (514) 774-1427
Sans frais : 1 800 267-1427

La Société protectrice des animaux

S.P.A. de Québec
Division Rimouski
791, rue Lausanne
C.P. 372
Rimouski (Québec)
G5L 7C3

Tél. : (418) 723-2133

S.P.C.A. Duplessis
351, rue Holiday
C.P. 1218
Sept-Îles (Québec)
G4R 4X7

Tél. : (418) 964-3272

S.P.A. de l'Estrie
1139, boul. Queen Nord
Sherbrooke (Québec)
J1H 5H1

Tél. : (819) 821-4727

S.P.C.A. Aylmer
C.P. 157
Aylmer (Québec)
J9H 5E5

Tél. : (819) 684-4758

S.P.C.A. Laval
1820, boul. Saint-Elzéar Ouest
Chomedey (Québec)
H7L 3N2

Tél. : (514) 681-1631

S.P.C.A. de Montréal
5215, rue Jean-Talon Ouest
Montréal (Québec)
H4P 1X4

Tél. : (514) 735-2711

S.P.A. de Québec
1130, avenue Galilée
Québec (Québec)
G1P 4B7

Tél. : (418) 527-7041

S.P.A. de Val-d'Or
C.P. 686
Val d'Or (Québec)
J9P 4P6

Tél. : (819) 825-7694

S.P.A. Rouyn-Noranda
C.P. 1247
Rouyn (Québec)
J9X 6E4

Tél. : (819) 762-6448

S.P.A. de Québec
Division Rive-Sud
6579, Saint-Laurent
Lévis (Québec)
G6V 3N9

Tél. : (418) 837-1268

Vous vous souvenez de ces chansons ?

Il faut cependant reconstituer les titres dont tous les mots ont été mêlés. Quel méli-mélo!

Exemple :

Le cerises des temps = Le temps des cerises

1. Sous Paris de ponts les
2. Volait qui son voile
3. Promène s'y Isabeau
4. La moi que c'est dit plus on fière
5. Jolis tes ferme yeux
6. Dormir ange va belmon
7. Jolie êtes vous que sais je
8. La d'or des blés chanson
9. Berceau ange mon de
10. Mère pleurer ta jamais ne fais
11. Rose en vie la
12. Les hameau du cloches
13. Par Lorraine en passant la
14. De sur route la Berthier
15. Des légende bleus la flots

Solutions

1. Sous les ponts de Paris	9. Ange de mon berceau
2. Son voile qui volait	10. Ne fais jamais pleurer ta mère
3. Isabeau s'y promène	11. La vie en rose
4. On dit que la plus fière, c'est moi	12. Les cloches du hameau
5. Ferme tes jolis yeux	13. En passant par la Lorraine
6. Mon bel ange va dormir	14. Sur la route de Berthier
7. Je sais que vous êtes jolie	15. La légende des flots bleus
8. La chanson des blés d'or	

CHAPITRE 3

LES CLSC POUR VOUS AIDER À ORGANISER VOTRE VIE

Vous êtes seul ? Inquiet ? Vous avez besoin d'information, de conseils, de services ?

Il existe des gens et des organismes pour vous aider.

LE CENTRE LOCAL DE SERVICES COMMUNAUTAIRES (CLSC)

Le Centre local de services communautaires (CLSC) est un établissement du réseau public qui offre des services de santé et des services sociaux à l'ensemble de la population de son territoire. Il dispense une multitude de services, soit aux individus ou à des groupes ou à des organismes du milieu.

Nous distinguons deux types de services. Les services courants s'adressent à l'ensemble de la population. Les services à domicile s'adressent aux personnes âgées qui éprouvent des difficultés particulières pour demeurer chez elles.

Les services courants

L'accueil • L'évaluation • L'orientation

Ce service a pour but d'accueillir les personnes qui se présentent au CLSC ou qui appellent et demandent de l'aide, de l'information ou des conseils autant sur le plan de leur santé que sur le plan social. Il vise à préciser leurs attentes, à cerner les problèmes, à répondre à leurs questions et à les orienter rapidement vers un professionnel du CLSC, vers un autre établissement ou vers un autre organisme.

Les services de santé courants

Pour traiter des problèmes de santé aigus, assurer un suivi de sa condition de santé, obtenir des conseils et de l'information sur la santé, des services médicaux et des services infirmiers sans rendez-vous ou sur rendez-vous sont offerts par des médecins et des infirmières du CLSC.

Certains services sont offerts à des périodes précises : vaccination contre la grippe pour les personnes âgées, les prélèvements, etc.

Informez-vous sur l'horaire de ces services au CLSC et des services accessibles en cas d'urgence, en dehors des heures d'ouverture du CLSC. En effet, il existe actuellement, dans plusieurs régions, des services Info-santé accessibles en dehors des heures d'ouverture de votre CLSC.

Les services sociaux courants

Toute personne qui a besoin d'information, d'orientation, de conseil et d'aide psychologique et sociale peut appeler à son CLSC. Le CLSC peut aussi vous donner l'information sur les ressources communautaires ou publiques disponibles et vous conseiller pour accéder aux différents programmes d'aide gouvernementaux.

Les personnes aux prises avec des problèmes d'ordre personnel, familial ou social peuvent avoir de l'aide des intervenants sociaux du CLSC pour faire face à leurs difficultés ou, si nécessaire, être orientées vers d'autres ressources ou les personnes appropriées.

L'orientation à l'hébergement

Toutes les demandes d'hébergement en centre d'hébergement et de soins prolongés publics ou en résidence d'accueil doivent être faites au CLSC. Le personnel du CLSC, après avoir fait une évaluation de votre situation et vérifié avec vous et votre famille toutes les possibilités pour que vous puissiez demeurer à domicile, préparera votre dossier. Celui-ci sera acheminé à un comité d'admission régional ou sous-régional qui déterminera le type d'hébergement pouvant le mieux répondre à vos besoins. Durant la période d'attente, le CLSC vous supportera par des services à domicile si nécessaire.

LES SERVICES À DOMICILE

Ces services ont pour but d'apporter le soutien nécessaire à la personne âgée qui, en raison de son état de santé, de maladies chroniques ou de son état mental, éprouve des difficultés temporaires ou permanentes pour demeurer à domicile avec une qualité de vie acceptable pour elle ou ses proches.

Ces services visent donc selon le cas, à favoriser la convalescence, à compenser les pertes liées au phénomène de vieillissement, à restaurer les capacités, à prévenir la détérioration de l'état physique ou mental de la personne. Ces services visent aussi à soutenir les enfants, le conjoint ou autres membres de la famille qui aident une personne âgée.

De façon générale, les demandes d'aide proviennent de la personne elle-même, de sa famille ou sur référence d'un professionnel. Le CLSC doit définir avec la personne et ses proches les meilleures façons de l'aider. Souvent, il est nécessaire d'impliquer différents organismes pour supporter la personne, les centres de jour, les centres de bénévolats, etc.

Après une évaluation globale, la personne est admissible aux services si elle répond aux conditions suivantes :

- selon le cas, éprouver des difficultés temporaires ou permanentes dans sa capacité de prendre soin d'elle-même, de son logement, de sa sécurité, de ses biens et d'établir des liens significatifs avec son entourage;
- les proches ou les ressources environnantes ne peuvent apporter toute l'aide nécessaire;
- la personne est consentante et collabore;
- la personne ne peut se déplacer au CLSC pour avoir les services qu'elle nécessite.

Les services seront offerts en priorité aux personnes qui sont en situation d'urgence, qui ne reçoivent pas d'aide de leur famille ou si celle-ci est en voie d'épuisement. Enfin, les personnes socio-économiquement faibles seront desservies en priorité, notamment pour les services d'aide domestique.

La gamme de services

Les services d'aide

- les services d'assistance personnelle (soins d'hygiène de base, aide pour manger, se déplacer);
- l'aide domestique (entretien domestique, préparation de repas, approvisionnement, lessive);
- les services de soutien civique (aider à l'administration d'un budget, accomplir certaines démarches, remplir des formulaires);
- les services de gardiennage, de répit et de dépannage. Ces services s'adressent aux proches et visent à leur assurer des périodes de relâche planifiées ou en cas d'urgence, soit à domicile ou sous forme d'un hébergement temporaire de la personne en perte d'autonomie dans un centre d'hébergement et de soins de longue durée.

Les services de soins

De façon générale, ces services sont disponibles lorsque la personne ne peut se déplacer au CLSC en raison de son état de santé et de sa condition particulière.

Les soins infirmiers sont offerts à domicile aux personnes qui ont besoin de traitement lors d'une convalescence, d'une maladie chronique ou lors de phase terminale.

Les services médicaux offerts à domicile permettent d'assurer l'évaluation, le diagnostic, le traitement et le suivi médical.

Les services de réadaptation

Ces services (ergothéraphie, physiothérapie) ne sont pas offerts dans tous les CLSC. Lorsqu'ils existent, ils visent à améliorer la condition de la personne âgée, à maintenir sa capacité de fonctionnement dans la vie de tous les jours. Des programmes d'exercice pour stimuler les capacités physiques ou intellectuelles, la modification du domicile pour favoriser les déplacements sans danger, l'utilisation d'aides techniques pour accomplir des gestes courants sans aide sont autant de moyens qui sont mis en œuvre.

Les services psychosociaux

Ces services visent à maintenir ou à restaurer l'équilibre psychologique et social de la personne. Une attention particulière est apportée aux personnes qui souffrent d'isolement, qui viennent de vivre un deuil ou un changement de résidence, à celles qui sont susceptibles d'être victimes d'abus ou de négligence de la part de personnes de leur entourage.

Le CLSC offre des activités qui favorisent le support et l'entraide entre les personnes qui vivent des situations communes et il collabore avec les ressources communautaires et bénévoles du territoire pour développer des projets communs.

Accessibilité

Les CLSC sont pour la plupart ouverts de 9 h à 17 h et quelques soirs par semaine. Informez-vous des heures d'ouverture de votre CLSC local.

Dans les différentes régions du Québec, les services seront, d'ici les deux prochaines années, accessibles 24 heures sur 24 par le biais d'un service Info-Santé-CLSC.

Dès l'instauration de ce service, en communiquant avec votre CLSC, votre appel sera automatiquement acheminé à une centrale. Des infirmières pourront vous conseiller et vous orienter dans les situations de crise ou d'urgence sociale.

LE CLSC À L'ÉCOUTE DE SON MILIEU

Selon les besoins et les priorités du milieu, le CLSC met en place des services qui favorisent la santé et le bien-être des personnes sur une base collective et favorisent leur désir de rester chez elles le plus longtemps possible.

Action communautaire

Une aide technique (conseil, recrutement, animation, locaux, recherche de financement) peut être apportée aux groupes du milieu qui veulent développer des projets qui favorisent la qualité de vie des aînés (information, entraide, bénévolat, logement, revendication, etc.) ou qui veulent encourager l'entraide et le support entre les aînés.

Si vous désirez vous impliquer dans les différentes initiatives locales (échanges de services entre les générations, bénévolat, activités de loisirs pour les personnes confinées à domicile, etc.), le CLSC peut vous orienter vers les personnes responsables et vous informer des projets en cours au CLSC ou dans la communauté.

L'homme le plus heureux est celui qui fait le bonheur d'un plus grand nombre d'autres.

Denis Diderot

• • • • •

Activités de groupe

Fréquemment, le CLSC organise la formation de groupes de support pour les familles qui prennent soin d'une personne âgée. Des activités d'information, d'éducation et de développement communautaires sur différents sujets sont organisées pour favoriser une meilleure qualité de vie au troisième âge. Les activités principales portent souvent sur la nutrition, la prévention des chutes, la consommation rationnelle de médicaments, la prévention de l'abus et de la négligence, et la santé mentale. Informez-vous à votre CLSC sur les initiatives en cours.

CHAPITRE 4

L'HABITATION

ON EST SI BIEN CHEZ SOI

Il n'y a pas si longtemps, les hospices pour vieillards constituaient le seul recours pour les personnes âgées démunies. Heureusement, les temps ont changé et, comme Mme Beauregard, vous avez la possibilité de vivre ces belles années chez vous.

Mme Beauregard affiche très fièrement ses 78 ans. Elle est resplendissante de bonheur, bien que sa santé l'oblige à restreindre ses activités. Mais il n'est nullement question pour elle d'aller habiter en institution. « Rien ne remplace la vie chez soi », explique-t-elle. D'ailleurs, rien ne pourrait justifier cette décision... surtout pas son âge!

Compte tenu de son état de santé, Mme Beauregard ne peut assumer quotidiennement certaines tâches domestiques comme la préparation des repas, le lavage, le ménage. Il existe, pour améliorer les conditions de vie de Mme Beauregard et lui permettre de vivre chez elle, des services d'aide à domicile.

Les services d'aide à domicile, une solution fort appréciée

Peut-être pouvez-vous, comme Mme Beauregard, bénéficier des services d'aide à domicile ? Voici les démarches à faire :

- communiquez avec le Centre local de services communautaires (CLSC) de votre localité;
- communiquez avec votre Centre de bénévolat régional. Le personnel de ces établissements vous informera de toutes les procédures.

La liste des centres locaux de services communautaires (CLSC) se trouve à l'annexe II du Guide et la liste des centres de bénévolat est inscrite à l'annexe III du *Guide*.

Les conditions d'admission

L'état de santé physique et morale de la personne ainsi que les ressources environnantes disponibles sont les éléments qui entrent en ligne de compte lors d'une demande de service d'aide à domicile. Chaque demande est analysée individuellement. On procède par priorité. Par exemple, lorsqu'une personne âgée quitte l'hôpital, puis habite seule, sa demande sera jugée urgente. Des services d'aide à domicile lui seront apportés jusqu'à son rétablissement. Les services sont dispensés pour une courte durée ou, si nécessaire, pour une période prolongée. Dans le cas de Mme Beauregard, si elle ne peut recevoir, à l'occasion, l'aide d'un parent ou d'un ami et puisque son état de santé ne lui permet pas d'accomplir certaines tâches domestiques, on lui procurera des services sur une période prolongée.

Les services d'aide à domicile bénévole

Les services d'entretien ménager, le transport, les visites d'amitié, les déplacements à l'épicerie, les popotes roulantes, la pose des doubles fenêtres, le déneigement, etc., voilà ce que peuvent vous offrir les services d'aide à domicile bénévole en collaboration avec les ressources locales.

Les services privés d'un domestique

Si votre budget vous le permet, vous pouvez louer les services d'un domestique. Attention! dans ce cas, le domestique devient votre employé et vous devez agir à titre d'employeur. Ce qui veut dire :

- verser un salaire à votre employé;
- vous inscrire à Revenu Canada à titre d'employeur;
- prélever les cotisations de l'impôt provincial et de l'impôt fédéral sur le salaire de votre employé;

- payer les cotisations d'employeur à la Régie des rentes du Québec, à la Régie de l'assurance-maladie et à l'assurance-chômage;
- être conforme aux normes du travail de la Commission des normes du travail du Québec.

Pour connaître toutes les formalités relatives à ces exigences, communiquez avec votre bureau de district de Revenu Québec, de Revenu Canada et de la Commission des normes du travail, dont vous trouverez les adresses et numéros dans les pages bleues de votre annuaire téléphonique dans les sections Gouvernement du Québec et Gouvernement du Canada.

Un centre de jour : un prolongement de chez soi

Même heure, même jour, chaque semaine, un véhicule va chercher Mme Sanschagrin à sa résidence pour la conduire au centre de jour de son quartier. Depuis deux ans, Mme Sanschagrin est paraplégique, ce qui a entraîné de grands changements dans sa vie quotidienne.

Réapprendre à vivre

Outre tous les sourires, les encouragements et les amis que Mme Sanschagrin retrouve au centre de jour, elle peut bénéficier d'un éventail de services : suivi nursing, ergothérapie, physiothérapie, coiffure, pastorale, conditionnement physique (selon les centres de jour), sans oublier les ateliers de loisirs.

Le centre de jour permet à Mme Sanschagrin de vivre chez elle avec ceux qu'elle aime. N'est-ce pas merveilleux ? Le centre de jour lui apporte tous les soins et les services que requiert son état de santé, et elle habite toujours son « chez soi ».

Un centre de jour pour qui ?

L'objectif majeur du centre de jour est d'assurer le maintien à domicile des aînés. Pour être admissible à un centre de jour, vous devez manifester des besoins et afficher des problèmes de fonctionnement dans votre milieu.

Des services selon vos besoins

Si vous vous présentez dans un centre de jour, un membre du personnel préparera un plan d'intervention individuel pour déterminer vos besoins véritables. Cette évaluation permettra d'établir votre rythme de fréquentation. Vous pourrez venir au centre de jour une demi-journée par semaine, une journée complète ou deux, si vos besoins l'exigent. On élaborera un programme d'intervention régulier et d'une durée plus ou moins longue dans le but de maintenir ou de restaurer votre autonomie.

Pour plus d'information, communiquez avec le centre de jour le plus près de chez vous ou votre CLSC.

Êtes-vous en sécurité chez vous ?

Ça n'arrive pas seulement aux autres...
Vaut mieux prévenir certaines situations telles que les incendies, le vandalisme, les chutes...

Que faites-vous en cas d'incendie ?
Que faites-vous pour éliminer les risques d'incendie ?
Que faites-vous lors d'une panne d'électricité ?
Que faites-vous si vous êtes victime de vandalisme ?
Que faites-vous si vous êtes victime d'un acte criminel ?

Si les réponses à ces questions sont incertaines, voici l'ABC de la sécurité.

En cas d'incendie... ne ratez pas votre sortie

Gardez votre calme.

Évacuez immédiatement votre demeure. Si vous habitez un immeuble à logement, suivez le plan d'évacuation et surtout n'utilisez pas les ascenseurs!

Téléphonez aux pompiers et sonnez l'alarme.

Attention au feu...

- gardez le numéro de téléphone des pompiers bien à la vue, près du téléphone;
- rappelez-vous que certaines villes sont desservies par le service 9-1-1. C'est peut-être la vôtre;
- vérifiez occasionnellement votre détecteur de fumée et, s'il fonctionne avec des piles, vérifiez-les régulièrement (petit conseil : faire le changement des piles 2 fois par année lors du changement d'heure - heure avancée et heure normale);
- gardez toujours un extincteur chimique dans la maison;
- durant l'hiver, déblayez toutes les sorties et dégagez également les fenêtres;
- lorsque vous cuisinez, évitez de porter des manches longues, elles pourraient prendre feu;
- ne fumez pas au lit;
- débarrassez-vous des vieux chiffons, journaux ou tout autre article inutile qui s'accumulent dans la cave ou le grenier; ne gardez pas de produits inflammables, comme du diluant à peinture, dans votre logement;
- ne surchargez pas les prises de courant;
- ne vous improvisez pas électricien, demandez à un technicien qualifié d'installer ou de réparer vos appareils électriques, lampes et téléviseurs;
- faites vérifier annuellement vos appareils de chauffage, votre cheminée et vos circuits électriques;
- adressez-vous au Service des incendies de votre localité pour faire inspecter gratuitement votre demeure.

Pour information, communiquez avec le Service des incendies de votre municipalité :

Association des techniciens en prévention-incendie du Québec
C.P. 25 015
Sherbrooke (Québec)
J1J 4K7

Tél. : (819) 564-8061

Si vous jugez que la protection contre les incendies dans votre immeuble est insuffisante, contactez :

- le Service des incendies de votre municipalité;

Bureaux régionaux de la Direction générale de la Régie du bâtiment :

Bas-Saint-Laurent – Gaspésie
337, rue Moreault
Rimouski (Québec)
G5L 1P4

Tél. : (418) 722-3624

Saguenay – Lac-Saint-Jean
3950, boul. Harvey
Jonquière (Québec)
G7L 8L6

Tél. : (418) 695-7943

Québec
800, place d'Youville
12e étage
Québec (Québec)
G1R 5K7

Tél. : (418) 643-1686

Mauricie – Bois-Francs
100, rue Laviolette
Trois-Rivières (Québec)
G9A 5S9

Tél. : (819) 371-6181

Estrie
200, rue Belvédère Nord
Bureau 4.10
Sherbrooke (Québec)
J1H 4A9

Tél. : (819) 820-3646

Montréal-Lanaudière
545, boul. Crémazie Est
3e étage
Montréal (Québec)
H2M 2V2

Tél. : (514) 873-6600

Laval-Laurentides
4, place Laval
2e étage
Laval (Québec)
H7M 5Y3

Tél. : (514) 662-1669

Outaouais
170, rue de l'Hôtel-de-Ville
Hull (Québec)
J8X 4C2

Tél. : (819) 772-3860

Côte-Nord
456, rue Arnaud
Bureau 1.08
Sept-îles (Québec)
G4R 3B1

Tél. : (418) 962-6521

Montérégie-Richelieu
Édifice Montval
201, place Charles-Lemoyne
Bureau 3.10
Longueuil (Québec)
J4K 2T5

Tél. : (514) 928-7603

Abitibi-Témiscamingue
19, rue Perreault Ouest
Bureau 400
Rouyn-Noranda (Québec)
J9X 6N5

Tél. : (819) 764-5185

- Pour les villes de Beauport, Charlesbourg, Québec et Vanier, contactez le **Service de la protection contre les incendies**, Division prévention, au : (418) 691-6160.

En cas de panne de courant...

Vérifiez si votre demeure est la seule qui soit affectée :

- si la panne n'atteint qu'un circuit de votre installation, vérifiez les fusibles de votre panneau de branchement et remplacez, s'il y a lieu, celui qui est grillé par un autre d'égale résistance. Si votre installation est munie de coupe-circuits automatiques (« breakers ») et que l'un d'eux a basculé, replacez-le d'abord en position arrêt « OFF », puis ramenez-le en position marche « ON », pour rétablir le courant;
- lorsque le courant est rétabli, remettez vos appareils en marche un à un;
- si les difficultés persistent, il est conseillé de faire vérifier les fusibles de l'interrupteur principal par un maître électricien.

Si la panne affecte tout le voisinage :

- débranchez tous vos appareils électriques, sauf une ou deux sources d'éclairage;

- abaissez le thermostat des appareils de chauffage;
- communiquez avec les responsables des services d'Hydro-Québec de votre région;
- demeurez calme. Souvenez-vous que, même par une température très froide, il est possible d'habiter pendant plusieurs heures dans une maison non chauffée, sans inconvénient grave, à condition d'en tenir les portes et les fenêtres bien fermées;
- si vous disposez d'un appareil de chauffage auxiliaire, allumez-le avant que la maison ne se refroidisse trop;
- dans une maison, la tuyauterie est ce qu'il y a de plus vulnérable aux dégâts que peut causer le froid intense. Si vous utilisez un chauffage auxiliaire, assurez-vous que la température de la maison est suffisamment élevée pour éviter que la tuyauterie ne gêle. Dans les cas extrêmes, on peut également fermer le compteur d'eau et purger les tuyauteries et le chauffe-eau;
- après une panne assez longue, vérifiez l'état des denrées périssables dans les réfrigérateurs, congélateurs et armoires. Lors d'une panne d'électricité, les aliments entreposés dans un congélateur devraient pouvoir demeurer gelés pendant 24 ou même 48 heures si la porte de l'appareil demeure fermée.

Pour en savoir davantage…

Que ce soit pour une panne de courant, un tremblement de terre, une tempête d'hiver, une inondation, communiquez avec l'un des bureaux de la sécurité civile dont la liste figure dans les pages bleues de votre annuaire téléphonique dans la section Gouvernement du Québec sous la rubrique « Sécurité civile », ou communiquez avec le Service des incendies de votre municipalité.

Voici l'adresse du siège social de la protection civile du Québec :

Direction générale de la sécurité civile
2525, boul. Laurier
2e étage
Sainte-Foy (Québec)
G1V 2L2
Tél. : (418) 643-3256

Au voleur! Au voleur!

Surtout, ne touchez à rien. Communiquez immédiatement avec le Service de police de votre municipalité.

Mettez toutes les chances de votre côté :

- verrouillez bien toutes les portes;
- évitez de garder des sommes d'argent importantes à la maison. Votre bas de laine sera davantage en sécurité dans un coffret de sûreté ou dans un compte en banque;
- utilisez le système de dépôt direct, qui est plus sécuritaire, pour déposer vos chèques de rentes dans votre compte bancaire;
- si vous avez des objets de valeur, un système d'alarme serait préférable;
- surtout ne laissez pas de clé dans la boîte aux lettres ou sous la carpette;
- n'attirez pas l'attention des voleurs en laissant une note du genre :

  Chère Henriette, je suis partie pour quelques heures, mais ne te gêne pas, fais comme chez toi, j'ai laissé une clé sous le paillasson. Naturellement, je compte sur ta discrétion.

  Ton amie Jeanne.

COMMENT COMPLIQUER LA VIE DES VOLEURS

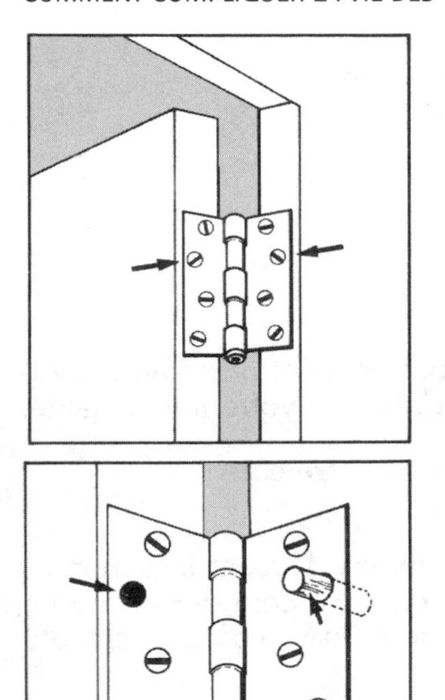

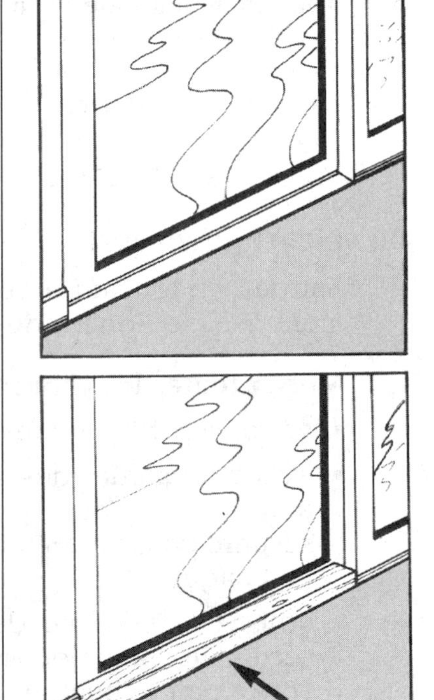

- Le voleur qui se heurte à une serrure difficile peut essayer d'enlever une porte qui s'ouvre vers l'extérieur en soulevant les goujons de ses charnières. Rendez-lui le travail impossible : enlevez deux vis, face à face, percez et insérez un goujon en bois dur ou en métal qui excédera la surface de la charnière d'un quart de pouce au maximum.

- Installez un morceau de bois ou de métal dans l'encadrement des portes patio ou des fenêtres qui s'ouvrent horizontalement. Plus question de les ouvrir de l'extérieur!

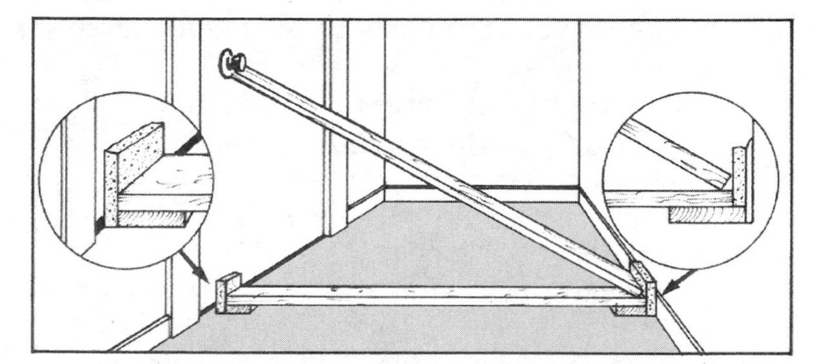

- Vous pouvez barricader les portes au moyen d'un arc-boutant ou d'une planche de 2 X 4.
- Pour améliorer la sécurité de la porte de votre garage, percez un trou dans la traverse et insérez-y un cadenas.
- La gâche fournie avec votre serrure peut ne pas être très solide. Remplacez-la. Choisissez-en une plus grande. Comme la pression sera répartie sur une plus grande surface, le cadre risquera moins de fendre sous l'effet d'un coup violent. Enfin, installez des vis plus longues.

Soyez prudent! Un accident est si vite arrivé.

Ces précautions peuvent vous sauver :

- ne grimpez pas sur une chaise ou sur un tabouret pour atteindre une armoire trop haute. Demandez de l'aide;
- assurez-vous que les carpettes et les tapis d'escalier sont bien fixés au plancher;
- assurez-vous que tous les escaliers sont bien éclairés et que la rampe est solide;
- placez des tapis antidérapants dans la baignoire ou la douche et sur le plancher de la salle de bain;
- installez un appui solide au mur pour faciliter l'accès à la baignoire;

- si vous renversez quelque chose, essuyez le sol immédiatement;
- attention aux parquets cirés;
- ne portez pas de pantoufles ou de souliers à semelles glissantes;
- ayez une lampe de poche ou une veilleuse pour vous guider dans le noir;
- si vous êtes malade ou invalide, ne verrouillez pas la porte de la salle de bain;
- n'hésitez pas à demander l'aide des autres.

Attention aux chutes

Si vous faites une chute, ne cédez pas à la panique. Essayez lentement de vous relever en vous appuyant sur un objet solide. Sinon, essayez d'atteindre un téléphone posé sur une table que vous pouvez faire basculer. N'oubliez pas que le 9-1-1 (s'il est en fonction dans votre région) ou les numéros de téléphone importants (ambulance, police, pompiers) devraient toujours être inscrits sur votre appareil.

Le service Vigilance postale peut vous sauver...

Si vous vivez seul, le service Vigilance postale peut veiller sur vous. Ce programme s'adresse aux personnes qui sont souvent seules dans leur logis et qui pourraient être dans l'impossibilité de demander de les aider, par suite d'un accident ou d'un malaise soudain.

Lors de sa tournée régulière, votre facteur surveillera tous les indices qui peuvent lui laisser croire que quelque chose d'inhabituel se passe chez vous : accumulation de courrier, lampes allumées constamment, porte entrouverte, etc. S'il soupçonne quelque chose, il prendra les mesures qui s'imposent.

Ce programme est mené en collaboration avec les facteurs et les centres locaux de services communautaires (CLSC). Pour y adhérer, vous devez remplir le formulaire d'inscription où l'on demande les coordonnées de votre médecin et le nom de deux personnes-ressources qui pourraient être contactées en cas d'urgence. Vous pouvez vous inscrire pour une période temporaire ou prolongée.

À noter que tous les centres locaux de services communautaires (CLSC) ne participent pas à ce programme. Mais peut-être pourriez-vous leur soumettre le projet ?

Pour en savoir davantage ou pour obtenir le formulaire d'adhésion, communiquez avec :

- votre bureau de poste;
- votre facteur;
- votre Centre local de services communautaires (CLSC), dont vous trouverez la liste à l'annexe II du *Guide*.

Le sage trouve à sa chaumière des grandeurs insoupçonnées.

Abel Joham-Desrivaux

• • • • •

L'assistance annuaire gratuite

Peut-être l'ignoriez-vous, mais Bell Canada offre gratuitement l'assistance annuaire aux personnes de 65 ans et plus.

Vous devez en faire la demande en communiquant avec le bureau d'affaires de Bell Canada de votre région. Vous n'avez qu'à prendre votre facture de téléphone et composer le numéro du service aux abonnés qui s'y trouve. On vous fera parvenir un formulaire que vous devrez compléter et retourner à Bell Canada.

QUEL TYPE D'HABITATION VOUS CONVIENT LE MIEUX ?

C'est peut-être... un logement à loyer modique (HLM)

Tous les mois, votre loyer est une source de tracas parce qu'il représente une partie trop considérable de votre revenu; peut-être êtes-vous admissible à un logement à loyer modique (HLM) ?

L'Office municipal d'habitation de votre localité attribue des logements à loyer modique aux ménages les plus démunis à partir de critères définis qui tiennent compte, en particulier, des revenus, des conditions actuelles de logement et de la part de revenu qui est consacrée au loyer.

Avec une habitation à loyer modique (HLM), vous ne payez qu'une partie du coût réel du logement, la différence étant assumée par le gouvernement du Québec, le gouvernement du Canada et les municipalités. Votre loyer mensuel de base est égal à 25 % de votre revenu considéré. Le bail comprend des montants forfaitaires pour les services suivants : le chauffage, l'eau chaude, les taxes afférentes au logement et un stationnement lorsque des aires sont prévues à cette fin.

Vous désirez des « suppléments » ?

C'est possible... si vous en assumez les frais.

Vous devez payer les frais supplémentaires pour l'utilisation d'un stationnement extérieur muni d'une prise électrique et pour tout stationnement additionnel ou un stationnement intérieur, ainsi qu'un montant forfaitaire pour un climatiseur. Enfin, toute personne indépendante qui demeure avec vous et dont le revenu ne sert pas à établir le loyer mensuel de base doit verser une contribution forfaitaire dont le montant peut être révisé annuellement.

Une réduction du loyer ?

Vous pouvez demander à l'Office municipal d'habitation une réduction de loyer en cours de bail dans deux circonstances précises :

- lorsque votre revenu de l'année civile en cours devient inférieur au revenu ayant servi à déterminer le loyer inscrit au bail;
- lorsque le nombre de personnes indépendantes qui cohabitent dans votre logement diminue.

Si 25 % du revenu est considéré; qu'est-ce qui est considéré ?

Votre revenu considéré pour fins de calcul de votre loyer de base est celui reçu durant la dernière année civile précédant la date du début du bail, peu importe la source de ce revenu : travail, aide sociale, sécurité de la vieillesse, autres pensions et prestations.

Si vous occupez seul le logement :

le revenu considéré est la moyenne mensuelle de vos revenus bruts de toute provenance.

Pour tout autre ménage :

le revenu considéré est celui du chef de famille auquel s'ajoute, s'il y a lieu, le revenu d'une seconde personne, soit la personne indépendante ayant le revenu le plus élevé.

Certains revenus ne sont pas considérés dans l'établissement de votre loyer de base :

- un remboursement ou un crédit d'impôt;
- un montant reçu par une famille d'accueil pour la prise en charge de l'usager;
- une aide financière accordée en vertu de la Loi sur les services de garde à l'enfance (L.R.Q., c. S-4.1);
- une allocation de disponibilité;
- une allocation familiale;
- une prestation de supplément de revenu de travail;

- une pension alimentaire versée par un locataire;
- une déduction de 10 % du revenu provenant du travail.

Prenez note

Un enfant d'un chef de famille ou de son conjoint âgé de moins de 25 ans n'est pas considéré comme personne indépendante pour fins de calcul du loyer de base. S'il est âgé de 21 ans et plus, il peut, toutefois, et selon certaines conditions, être appelé à verser une contribution forfaitaire au loyer.

Cette formule vous intéresse ?

Vous devez faire votre demande d'admission à l'Office municipal d'habitation de votre localité. Vous trouverez les coordonnées dans les pages blanches de votre annuaire téléphonique sous l'appellation « Office ».

L'Office municipal d'habitation vous fournira un formulaire de demande de location que vous devrez remplir. Votre demande sera évaluée, et l'Office vous informera par la suite de sa décision. Si un logement vous était accordé et que vous acceptiez de l'habiter, la loi prévoit que vous pouvez mettre fin à votre bail actuel en avisant par écrit votre propriétaire. Votre bail prendra fin dès que votre logement sera loué à un nouveau locataire ou, à défaut, trois mois après l'envoi d'un avis à votre propriétaire.

C'est peut-être... une chambre

Si vous êtes seul, vous préférerez peut-être louer une chambre plutôt qu'un appartement. Certaines chambres sont meublées, d'autres pas. Certaines sont situées dans des maisons dont toutes les pièces sont en location, d'autres dans des maisons privées occupées par le propriétaire. Certaines comprennent l'accès à une cuisine, d'autres pas.

La location d'une chambre tombe sous la juridiction de la Régie du logement, sauf si cette chambre est située dans un établissement hôtelier, ou de santé, ou encore dans la résidence principale du propriétaire, si ce dernier n'en loue pas plus de deux. Si la chambre possède une sortie extérieure distincte et des installations sanitaires indépendantes, elle est considérée comme un logement. Le locataire d'une chambre a donc les mêmes droits et obligations que les locataires d'un logement.

LE BAIL EST UN CONTRAT DE LOCATION

La transition de l'ancien au nouveau Code civil

Le nouveau Code civil régit les baux conclus à compter du 1er janvier 1994 et les baux en vigueur à cette date. Il existe quelques règles particulières de transition. Les délais raccourcis s'appliquent dès le 1er janvier 1994, mais, dans certains cas, il faut tenir compte du délai qui s'est écoulé avant cette date. Il est préférable de se renseigner auprès de la Régie du logement.

Bail

Contrat pour lequel l'une des parties s'oblige à faire jouir l'autre d'une chose pendant un certain temps moyennant un certain prix que celle-ci s'oblige à lui payer.

Comme vous le savez, le bail est un contrat de location. Il implique une entente écrite ou verbale contenant les obligations respectives du propriétaire et du locataire. Le bail écrit représente un instrument précieux puisque, en cas de désaccord, c'est le principal document auquel les deux parties peuvent se référer. La Régie du logement recommande à tous les locataires et propriétaires de signer un bail.

Au moment de la signature, ayez l'œil ouvert :

- votre propriétaire doit vous remettre, avant la conclusion du bail, un exemplaire du règlement de l'immeuble s'il en existe un. Celui-ci contient les règles auxquelles vous devez vous conformer, par exemple, quant à l'utilisation des espaces communs : ascenseurs, stationnement, garage, etc. Dès lors, vous êtes tenu de respecter ces exigences, et aucun règlement qui vous serait présenté ultérieurement ne serait valable. Il faut cependant respecter toutes les autres conditions qui peuvent apparaître au bail;
- à la conclusion du bail, le propriétaire doit vous donner un avis indiquant le loyer le plus bas payé pour le logement au cours des 12 mois précédant le début de votre bail;
- si vous estimez que la différence entre l'ancien et le nouveau loyer est exagérée, vous pouvez, dans les dix jours suivant la conclusion du bail, demander à la Régie de fixer le loyer, sauf si votre logement ne tombe que partiellement sous la juridiction de la Régie, par exemple un HLM, une coopérative d'habitation ou un logement situé dans un immeuble neuf;
- si, à la conclusion du bail, votre propriétaire ne vous a pas remis cet avis, vous pouvez, dans les deux mois suivant le début du bail, demander à la Régie de fixer le loyer. Vous pouvez aussi effectuer cette démarche dans les deux mois suivant le jour où vous

vous apercevez que le propriétaire a fait une fausse déclaration;

- dans les dix jours suivant la conclusion, le propriétaire doit vous remettre un exemplaire du bail écrit. Dans le cas d'une entente verbale, il doit quand même remettre un écrit donnant ses nom et adresse et les dispositions obligatoires du bail (loyer convenu, adresse du logement loué, etc.);
- si vous occupez un logement qui est partiellement sous la juridiction de la Régie, votre propriétaire doit vous remettre l'avis numéro 2 reproduit au bail de la Régie.

Il existe des regroupements de locataires qui peuvent :

- vous informer de vos droits;
- intervenir, en votre nom, pour vous défendre à la Régie du logement;
- constituer des mouvements de pression auprès des pouvoirs décisionnels, gouvernementaux et autres.

Où les trouver ?

- contactez le Centre local de services communautaires (CLSC) de votre localité;
- votre club de l'âge d'or;
- le centre de références de bénévoles de votre district;
- votre municipalité.

On vous fait la vie « dure » ?

Un instant... il existe des recours

Votre propriétaire ne se conforme pas à l'une de ses obligations. Vous avez bien tenté de vous entendre à l'amiable, mais cette personne « ne veut rien savoir ».

Voici une liste des principaux recours possibles :

- retenue du loyer;
- diminution du loyer;
- résiliation du bail;
- réclamation de dommages-intérêts;
- ordonnance de la Régie;
- dépôt du loyer.

Vous êtes un « malcommode » chronique ?

Vous faites la vie dure à votre propriétaire ?

Attention, vous êtes loin d'avoir tous les droits...

Si vous êtes le type de locataire borné et désagréable, prenez garde! Votre propriétaire peut, en tout équité, exercer certains recours.

Résiliation du bail

Votre propriétaire peut demander à la Régie que vous quittiez son logement si :

- vous dérangez les autres occupants et les empêchez de jouir normalement des lieux (ex. : bruit excessif);
- vous accusez un retard dans le paiement de votre loyer. Toutefois, cette procédure peut être évitée si vous payez, en plus des loyers dus et des intérêts, les frais judiciaires;
- s'il subit un préjudice sérieux, à la suite de nombreux retards dans le paiement du loyer, etc.

Que faire si vous devez quitter votre logement en cours de bail ?

Dans ces circonstances, vous avez tout intérêt à être en bons termes avec votre propriétaire. Un bail est un contrat qu'on ne peut rompre unilatéralement et qui reste en vigueur jusqu'à la fin des ententes conclues. La rupture nécessite l'accord des deux parties.

Si votre propriétaire refuse de mettre fin à votre bail avant terme, vous pouvez sous-louer votre logement, c'est-à-dire que vous pouvez trouver une personne qui consente à l'occuper à votre place. Sachez chercher la femme ou l'homme, car vous demeurez responsable du logement et du paiement du loyer jusqu'à la fin du bail. Vous devez envoyer à votre propriétaire un avis donnant le nom et l'adresse actuelle du sous-locataire pressenti. Le propriétaire ne peut refuser la sous-location sans motif valable. S'il en a, il doit l'exprimer dans les 15 jours par un avis écrit, sans quoi son silence sera considéré comme une acceptation. Si vous ne désirez pas revenir habiter le logement, vous devez aviser par écrit votre propriétaire que vous ne renouvellerez pas votre bail.

Pour résilier un bail, vous devez avoir une bonne raison

Une bonne raison, c'est le cas où :

- on vous attribue un logement à loyer modique (HLM);
- vous êtes relogé dans un autre logement à loyer modique;
- vous êtes admis dans un centre de réadaptation, un centre d'hébergement et de soins de longue durée, un centre d'accueil ou un foyer d'hébergement pour personnes âgées, administré par un organisme à but non lucratif;
- vous ne pouvez plus vous occuper de votre logement en raison de votre handicap;
- vous êtes une personne âgée et vous êtes admise de façon permanente dans un centre d'hébergement et de soins de longue durée ou dans un foyer d'hébergement, peu importe qu'il soit administré par un organisme à but lucratif ou sans but lucratif.

Dans ces circonstances, la résiliation entre en vigueur dès que le logement est loué à un nouveau locataire ou trois mois après l'envoi d'un avis au propriétaire, si le bail est à durée fixe de 12 mois ou plus. L'avis est d'un mois si le bail est à durée fixe de moins de 12 mois. Cet avis doit être accompagné d'une copie de lettre qui confirme l'attribution du logement.

Dans le cas d'un bail à durée indéterminée, le locataire n'a qu'à donner à son propriétaire un avis d'un mois :

- lorsque le logement devient dangereux pour ses occupants ou pour le public;
- lorsque le locataire déguerpit en emportant toutes ses affaires, le bail se trouve résilié de plein droit, et le propriétaire peut poursuivre son locataire en dommages-intérêts. Toutefois, cela ne s'applique pas si le logement est impropre à l'habitation;
- lorsqu'un locataire retarde le paiement de son loyer, le propriétaire peut demander la résiliation du bail;
- dans certaines circonstances, lorsque le locataire meurt. En principe, le décès d'un locataire ne met pas fin au bail. Toutefois, si personne ne restait avec le locataire décédé, l'héritier ou le légataire peut résilier le bail en donnant au propriétaire un avis écrit de trois mois, dans les six mois suivant le décès.

Que faire lorsque votre bail se termine ?

Ne soyez pas surpris si, quelque temps avant la date d'échéance de votre bail, votre propriétaire vous écrit pour vous annoncer un grand chambardement dans votre immeuble pour l'année à venir.

Saviez-vous que ?

Votre propriétaire a le droit, au terme du bail, d'en modifier la durée, d'en augmenter le loyer ou d'en changer les modalités.

Tout est une question de temps

Après avoir reçu l'avis de votre propriétaire, vous avez un mois pour y répondre par écrit. Si vous ne répondez rien, cela signifie que vous acceptez les modifications que votre propriétaire demande.

Une augmentation, ça se discute!

Vous trouvez que l'augmentation de votre loyer est exagérée et injustifiée. Pourquoi ne pas en parler à votre propriétaire ?

Qui ne risque rien, n'a rien.

Rien ne vaut une discussion « en tête à tête ». Votre propriétaire pourra, à l'aide des pièces justificatives, vous démontrer la ou les raisons qui l'ont obligé à agir ainsi. Il peut sembler difficile d'apprécier, au premier abord, la justesse et la pertinence d'une augmentation de loyer. C'est en y regardant de plus près qu'il sera plus facile pour votre propriétaire de vous demander une augmentation raisonnable et, pour vous, d'en évaluer la justesse.

Le calme après la tempête

Lorsque vous aurez convenu d'une entente sur le nouveau loyer et les modifications au bail, votre propriétaire doit vous remettre, avant le début du bail, un exemplaire ou encore un document sur lequel il décrit les nouvelles conditions. Si, malgré la négociation et la bonne foi des deux parties, il subsiste une mésentente, vous pouvez maintenir votre refus, et votre propriétaire peut pour sa part demander à la Régie du logement de trancher la question.

Si vous n'acceptez pas les modifications, vous devez contester devant la Régie du logement le réajustement. Non seulement le locataire, mais aussi le propriétaire peut contester le réajustement. La demande doit être faite dans le mois de la date à laquelle le réajustement de loyer prendra effet.

Le fils du propriétaire a choisi votre logement, que faire?

Dans la plupart des cas, vous faire une raison.

Le propriétaire peut, à la fin du bail, reprendre possession du logement pour l'habiter ou pour y loger ses ascendants ou descendants au premier degré, c'est-à-dire père, mère ou enfants. Dans les autres cas, il doit prouver qu'il est le principal soutien du parent ou allié pour lequel il réclame le logement. Il peut aussi y installer son ex-conjoint dont il est le principal soutien.

Pour information :

Régie du logement

Montréal
Tél. : (514) 873-2245

Québec
Tél. : (418) 643-2245

Hull
Tél. : (819) 776-2245

(du lundi au vendredi entre 8h30 et 16h30)

Dans les régions de Montréal et de Québec, un service de renseignements automatisé est offert tous les jours, jour et nuit. Dans les autres régions du Québec, on trouvera le numéro de téléphone de son bureau local dans les pages bleues de l'annuaire téléphonique.

VOUS AVEZ BESOIN D'UNE AIDE FINANCIÈRE ?

Programme Logirente

Vous n'arrivez pas à joindre les deux bouts ? Il n'y a aucun doute, le coût de votre logement gruge une trop grosse partie de votre budget.

M. Beausoleil, quant à lui, était admissible au programme Logirente... et vous ?

Ce programme d'allocation-logement mensuelle du gouvernement du Québec est conçu pour aider les citoyens âgés à revenu modeste à demeurer dans le logement de leur choix ou d'améliorer leur situation en s'installant dans un logement plus adéquat. Il s'agit d'une aide financière directe accordée à ceux pour qui le coût total du logement signifie une dépense trop élevée en fonction de leur revenu. Logirente s'adresse aux locataires de chambres, aux locataires d'appartements et aux propriétaires.

Contribution de Logirente

Logirente peut défrayer une partie du coût de votre logement. Lorsque vous consacrez plus de 30 % de vos revenus à votre loyer, l'aide accordée par Logirente est égale à 75 % de la partie du loyer qui dépasse 30 % de vos revenus. Toutefois, votre loyer et vos revenus ne doivent pas excéder certains montants maximaux.

Saviez-vous que ?

Le remboursement d'impôts fonciers, calculé dans votre déclaration de revenus du Québec, est déduit du montant alloué par Logirente.

Logirente : à certaines conditions

Ainsi, pour être admissible à ce programme en 1995, M. Beausoleil devra remplir les conditions suivantes :

- être âgé, ou sa conjointe, de plus de 57 ans;
- consacrer pour se loger plus de 30 % de son revenu annuel total, y compris le revenu de sa conjointe, ou de toute autre personne habitant son logement à l'exception d'un chambreur;

- ne pas bénéficier d'une aide gouvernementale pour se loger;
- résider au Québec depuis au moins un an.

Et vous ?

Vous croyez, comme M. Beausoleil, pouvoir bénéficier du programme Logirente ? Le présent document ne constitue qu'un résumé du programme; d'autres modalités peuvent s'appliquer.

Pour information :

Ministère du Revenu du Québec :

		(sans frais)
Hull	(819) 770-1768	1 800 567-9634
Jonquière	(418) 548-4322	1 800 463-6513
Laval	(514) 864-6299	1 800 267-6299
Montréal	(514) 864-6299	1 800 267-6299
Québec	(418) 659-6299	1 800 267-6299
Rimouski	(418) 722-3572	1 800 463-0715
Rouyn-Noranda	(819) 764-6761	1 800 567-6491
Sainte-Foy	(418) 659-6299	1 800 267-6299
Sept-Îles	(418) 968-0203	1 800 463-1703
Sherbrooke	(819) 563-3034	1 800 567-3531
Sorel	(514) 742-9435	1 800 363-0093
Trois-Rivières	(819) 379-5360	1 800 567-9385
Nouveau-Québec		1 800 463-2397

Vous pouvez aussi obtenir des renseignements d'ordre général sur le programme Logirente auprès de la Société d'habitation du Québec aux numéros suivants :

Québec : (418) 643-7676

Sans frais : 1 800 463-4315

Pour vous venir en aide

Personne n'est à l'abri de problèmes financiers. Lorsque rien ne va plus, que vous n'avez pas les revenus suffisants pour payer vos factures (notamment lorsqu'il s'agit d'un service essentiel comme l'électricité), il est réconfortant de savoir qu'il existe des organismes qui peuvent vous aider. Vous pouvez communiquer avec :

- l'Association coopérative d'économie familiale (ACEF);
- les services d'aide aux consommateurs et de consultation budgétaire;
- le groupe en consultation budgétaire GRAPE (ce service s'adresse uniquement aux habitants de la ville de Québec);
- les bureaux de la Sécurité du revenu, si vous êtes un usager.

Ces organismes pourront négocier, en votre nom, une entente de paiement avec vos fournisseurs (ex. : Hydro-Québec).

Votre budget personnel est un casse-tête, l'ACEF (service de consultation budgétaire) est là pour vous. À Québec, les services de consultation sont gratuits (chaque ACEF a sa politique).

ACEF de Granby
371, rue Saint-Jacques
Granby (Québec)
J2G 3N5

Tél. : (514) 375-1443

ACEF de Joliette
200, rue Salaberry
Bureau 124
Joliette (Québec)
J6E 4G1

Tél. : (514) 756-1333

ACEF de Québec
570, rue du Roi
Québec (Québec)
G1K 2X2

Tél. : (418) 522-1568

ACEF Rive-Sud
18, Montcalm
Longueuil (Québec)
J4J 2K6

Tél. : (514) 677-6394

ACEF du Centre de Montréal
1215, rue de la Visitation
Montréal (Québec)
H2L 3B5
Tél. : (514) 598-7288

ACEF de l'Est de Montréal
5955, de Marseille
Montréal (Québec)
H1N 1K6
Tél. : (514) 257-6622

ACEF du Nord de Montréal
7500, ave. De Châteaubriand
Montréal (Québec)
H2R 2M1
Tél. : (514) 277-7959

ACEF Sud-Ouest de Montréal
4017, rue Notre-Dame Ouest
Bureau 102
Saint-Hubert (Québec)
H4C 1R3
Tél. : (514) 932-5577

Service budgétaire populaire de l'Estrie
187, rue Laurier
Bureau 301 et 303
Sherbrooke (Québec)
J1H 4Z4
Tél. : (819) 563-0535

ACEF des Basses-Laurentides
42B, rue Turgeon
Sainte-Thérèse (Québec)
J7E 3H4
Tél. : (514) 430-2228

ACEF de l'Outaouais
42, rue Hôtel-de-Ville
3e étage
Hull (Québec)
J8X 4E3
Tél. : (819) 770-4911

ACEF de Laval
231A, des Laurentides
Laval (Québec)
H7G 2T7
Tél. : (514) 663-3470

Fédération nationale des associations de consommateurs du Québec (FNACQ)
1212, Panet
Montréal (Québec)
H2L 2Y7
Tél. : (514) 521-6820

Groupe de recherche en animation et planification économique (GRAPE)
2235, rue de la Paix
Québec (Québec)
G1L 3S8
Tél. : (418) 522-7356

Quelques conseils utiles si...

Vous vendez votre maison :

- consultez un spécialiste en évaluation pour connaître la valeur réelle de votre propriété;
- vous pouvez consulter un courtier en immeuble qui se chargera de dénicher le bon acheteur, moyennant une commission d'un certain pourcentage. La Chambre d'immeuble peut vous fournir des renseignements concernant les services offerts par ses membres :

Chambre immobilière du Grand Montréal
600, chemin du Golf
Île-des-Sœurs (Québec)
H3E 1A8
Tél. : (514) 762-2440

Chambre d'immeuble de Québec inc.
990, avenue Holland
Québec (Québec)
G1S 3T1
Tél. : (418) 688-3362

Vous voulez acheter une maison :

- prenez votre temps. Tout vient à point à qui sait attendre;
- vérifiez, à l'hôtel de ville de la municipalité, l'évaluation de la maison, le coût des taxes ou fiez-vous à la bonne foi du vendeur. Informez-vous des frais de chauffage et d'électricité;
- vous pouvez demander des conseils auprès d'un courtier en immeuble. Vous en trouverez la liste dans votre annuaire téléphonique sous la rubrique « Courtiers ».

Vous déménagez :

Si vous déménagez bientôt, il faut aviser certains services et personnes de votre changement d'adresse. Voici une liste sommaire qui vous aidera à dresser la vôtre :

Saviez-vous que ?

Si vous avez vendu votre résidence principale en 1994, vous devez remplir le formulaire Désignation d'une résidence principale (TP-274). Si vous avez réalisé un gain, vous pourrez ainsi éviter qu'une partie ou la totalité de ce gain soit considérée comme un gain en capital. Par contre, les revenus résultant de la location d'une telle résidence ainsi que ceux provenant de la location ou de la vente d'une résidence secondaire sont imposables.

- bureau de poste;
- Société de l'assurance automobile du Québec – Centre de services (permis de conduire et plaque d'immatriculation);
- Développement des ressources humaines Canada – Programmes de la sécurité du revenu;
- Revenu Québec;
- Revenu Canada;
- Régie des rentes du Québec;
- Régie de l'assurance-maladie;
- banques ou caisses Desjardins;
- compagnies d'assurances;
- compagnies émettrices de vos cartes de crédit;
- compagnie de téléphone;
- compagnie de gaz naturel;
- sociétés de fiducie (obligations, placements);
- distributeur de mazout (si vous avez un contrat);
- Hydro-Québec;
- compagnie de câblodistribution;
- médecin, dentiste;
- hôpital où vous avez un dossier médical;
- revues et journaux auxquels vous êtes abonnés.

Vous trouverez des cartes d'avis de changement d'adresse dans tous les bureaux de poste. À la période des déménagements, certaines compagnies joignent une languette détachable à votre enveloppe de retour de paiement. Il vous suffit de la remplir et de l'insérer avec votre paiement. De même, le permis de conduire et le certificat d'immatriculation ont une partie détachable à cette fin. Remplissez-la et expédiez-la aussitôt que vous connaissez votre nouvelle adresse.

On vous refuse un logement par discrimination. De quel droit ?

Par un beau matin, vous êtes à la recherche d'un logement dans un quartier de votre choix. Une affiche annonce « logement à louer ». L'apparence de la maison vous plaît... Vous entreprenez les démarches, mais on vous refuse le logement pour l'un des motifs suivants votre âge, votre race, votre couleur, votre sexe, votre orientation sexuelle, votre état civil, votre religion, vos convictions politiques, votre langue, votre origine ethnique ou nationale, votre condition sociale ou le fait que vous soyez une personne handicapée ou que vous utilisiez un moyen quelconque pour pallier votre handicap, ou pour tout autre motif de discrimination illégale. Dans de tels cas, la Commission des droits de la personne peut intervenir en votre faveur.

Comment procéder ?

- tentez de savoir pourquoi on vous refuse le logement. Notez les raisons qu'on vous donne;
- informez le propriétaire que la discrimination est prohibée par la loi et que la Commission des droits de la personne peut faire enquête dans ces cas;
- démontrez de façon aussi précise que possible que vous êtes en mesure de respecter les conditions du bail (nom et téléphone de l'ancien propriétaire, lettre de références);

- si vos efforts ne suffisent pas à convaincre le propriétaire, vous pouvez porter plainte à la Commission des droits de la personne dans les plus brefs délais possible.

Qui peut vous aider ?

- l'Association de locataires;
- le Comité logement;
- ou un groupe de femmes de votre quartier peuvent vous informer et vous aider à défendre vos droits;
- un organisme de communauté ethnique peut aussi vous aider directement ou en vous indiquant où vous adresser;
- la Commission des droits de la personne du Québec peut recevoir vos plaintes et évaluer, avec vous, les moyens de faire respecter vos droits.

Pour porter plainte ou pour renseignements supplémentaires, communiquez avec :

La Commission des droits de la personne du Québec

360, rue Saint-Jacques Ouest
Montréal (Québec)
H2Y 1P5
Tél. : (514) 873-7618
Sans frais : 1 800 361-6477

1279, boul. Charest Ouest
8e étage
Québec (Québec)
G1N 4K7
Tél. : (418) 643-4826
Sans frais : 1 800 463-5621

UNE RÉSIDENCE ADAPTÉE À VOS BESOINS!

Monsieur Beausoleil vit seul dans son appartement. Depuis un an, son état de santé s'aggrave progressivement. Il nécessite quotidiennement des soins médicaux. Il ne peut plus entretenir son logis et veiller à ses propres besoins.

Que faire dans une telle situation ?

Il existe différents types d'hébergement qui peuvent venir en aide à M. Beausoleil :

- l'hébergement en centre d'hébergement et de soins de longue durée (public ou privé);
- l'hébergement en résidence d'accueil;
- l'hébergement en pavillon;
- l'hébergement de longue durée dans un centre hospitalier de soins généraux, spécialisés et ultra spécialisés.

Le choix de l'établissement sera fixé en fonction du degré d'autonomie et des soins que requiert M. Beausoleil.

Le centre d'hébergement et de soins de longue durée, pour votre mieux-être

Le centre d'hébergement et de soins de longue durée est destiné aux personnes âgées en importante perte d'autonomie et qui nécessitent une assistance régulière pour satisfaire à leurs besoins personnels. En plus du gîte et d'une alimentation appropriée, ce genre de maison spécialisée assure les soins médicaux et infirmiers requis. Elle offre, de plus, certains services de réadaptation, de pharmacie, d'animation ainsi que des services externes par le biais des centres de jour.

Ne vous fiez pas aux apparences

Avant de signer une entente avec une résidence privée, vous auriez tout intérêt à vérifier si cette dernière possède un permis émis par le ministère de la Santé et des Services sociaux. Tous les centres d'hébergement privés ou publics possèdent ce permis et sont contrôlés régulièrement par le ministère. Sinon, il peut très bien s'agir d'une résidence qui échappe au contrôle de l'État.

Une résidence d'accueil : une ressource de type familial

Comme son nom l'indique, une résidence d'accueil est une famille qui héberge des personnes âgées chez elle. Ce type de ressource demeure la résidence qui offre le plus de similitude avec le milieu de vie naturel. Il s'adresse aux personnes incapables de satisfaire à leurs besoins personnels et requérant une aide pour leur entretien personnel et leur protection, mais qui n'ont pas vraiment besoin d'utiliser une ressource comme un centre d'hébergement et de soins de longue durée.

La résidence d'accueil peut recevoir jusqu'à neuf personnes. Outre le gîte, la nourriture et l'entretien personnel, ces résidences offrent aux aînés une protection sociale et une vie familiale. De plus, ils peuvent fréquenter un centre de jour. Les CLSC veillent au recrutement, à la formation et à la surveillance des résidences d'accueil, ce qui assure la qualité des services et des lieux. Le niveau de soins et de services requis est déterminé par une équipe multidisciplinaire, après évaluation de l'usager. Par la suite, un comité régional ou sous-régional d'admission mis sur pied par la Régie régionale de la santé et des services sociaux (RRSSS) décide quel type de ressources conviendra le mieux : maintien à domicile avec services, centre de jour, hôpital de jour, résidence d'accueil, etc.

L'hébergement en pavillon : une ressource intermédiaire

Le pavillon convient aux aînés qui doivent recevoir une assistance périodique dans l'exercice de certaines activités quotidiennes. En général, l'état de santé des usagers de pavillons est meilleur que celui des usagers des centres d'hébergement et de soins de longue durée. Le pavillon contribue à maintenir la personne âgée le plus longtemps possible dans un milieu de vie se rapprochant de son milieu habituel. En plus de fournir des lieux de résidence, les pavillons assurent, en collaboration avec les centres d'hébergement et de soins de longue durée, certains services : examens médicaux périodiques, soins infirmiers réguliers et soins d'assistance, activités de loisirs et autres. Rattaché par contrat à un centre d'hébergement et de soins de longue durée, le pavillon peut recevoir entre 10 et 29 personnes. Les pavillons sont tous inspectés périodiquement par le ministère du Développement des ressources humaines Canada et le ministère de la Santé et des Services sociaux, et sont agréés par ce dernier.

L'hébergement de longue durée en centre hospitalier de soins généraux, spécialisés et ultra spécialisés

Si l'on juge que M. Beausoleil est un malade chronique dont l'état instable exige des soins médicaux constants et prolongés, il devra demeurer dans un centre hospitalier de soins généraux, spécialisés et ultra spécialisés. Le choix de ce type d'hébergement est aussi déterminé par une équipe multidisciplinaire, sur référence du médecin traitant.

Où s'adresser pour faire une demande d'hébergement ?

Pour tous ces types d'hébergement, la première porte d'entrée demeure les centres locaux de services communautaires (CLSC). Vous devez y déposer votre demande d'hébergement et, s'il y a lieu, le personnel vous dirigera vers les personnes compétentes pour répondre à vos besoins. Vous trouverez la liste des CLSC à l'annexe II du *Guide*.

Qu'est-ce qui fait pencher la balance ?

Chaque demande d'hébergement déposée à un Centre local de services communautaires (CLSC) est évaluée individuellement. Le principal critère d'admission demeure le degré d'autonomie de la personne âgée et les ressources environnantes disponibles, particulièrement de la part des membres de sa famille. Les cas jugés urgents sont traités en priorité. À partir du degré d'autonomie de la personne, on établira le type de service qui lui convient le mieux, à savoir : service d'aide à domicile, hébergement en centre d'hébergement et de soins de longue durée (CHLD), résidence d'accueil, etc. Il est inutile de présenter une demande d'hébergement pour une perte d'autonomie éventuelle. La date d'inscription ne constitue pas un critère de sélection; même si vous avez présenté une demande à 50 ans, elle ne sera pas nécessairement acceptée à votre vieillesse. La décision finale en matière d'hébergement revient au comité régional ou sous-régional d'admission mis sur pied par la Régie régionale de la santé et des services sociaux. Ainsi, lorsque le Centre local de services communautaires (CLSC) a recueilli tous les documents nécessaires à l'analyse du dossier (rapport médical et autres), ce dernier est acheminé au comité d'admission, lequel déterminera le type d'hébergement qui correspond aux besoins de la personne. Par ailleurs, si l'évaluation de votre dossier suggère une orientation en résidence d'accueil, le même comité d'admission l'acheminera au CLSC responsable du recrutement et de la formation des résidences d'accueil.

À quel prix ?

Centre d'hébergement et de soins de longue durée public, résidence d'accueil, pavillon, unité de soins prolongés en centre hospitalier, peu importe; l'établissement est tenu de donner à M. Beausoleil tous les soins que requiert son état, sans égard à ses ressources financières. C'est le ministère de la Santé et des Service sociaux qui assume la grande partie des coûts, par l'intermédiaire de la Régie régionale du territoire où se trouve l'usager.

Il devra cependant débourser une certaine somme d'argent, qui correspond à peu près à ce qu'il lui en coûterait pour demeurer à la maison. Naturellement, il conservera une allocation de dépenses personnelles.

Comment calculer votre contribution ?

À *quoi contribuez-vous* ?

La contribution qui vous est demandée correspond assez exactement à ce qu'il vous en coûterait au minimum pour vivre dans votre propre domicile, et c'est pour cela qu'elle porte sur l'hébergement proprement dit, c'est-à-dire le logement et les repas, la buanderie, l'entretien ménager, le fonctionnement et l'entretien des installations et l'administration.

Quant aux services sociaux et aux services de santé, ils sont gratuits pour tous les citoyens du Québec, et évidemment pour vous qui résidez dans un établissement du réseau de la santé et des services sociaux. Ils n'entrent donc pas dans votre contribution. C'est pour cela que la contribution maximale qui vous est demandée, 37,76 $ par jour (1132 $ pour un mois de 30 jours) pour une chambre individuelle, représente moins de la moitié du coût réel de maintien d'une place d'hébergement.

Comment est-elle établie ?

Pour établir votre contribution, on tient compte :

- de votre chambre, selon qu'elle est individuelle, à deux lits, à trois lits ou plus;
- de votre capacité de payer, c'est-à-dire de vos revenus et des biens que vous possédez;

- de la garantie qui vous est donnée de conserver un revenu mensuel de 140 $ pour vos dépenses personnelles, quels que soient vos revenus et la chambre que vous occupez.

Saviez-vous que ?

Vous pouvez demander, pour le calcul de votre contribution ou pour d'autres renseignements, l'assistance du directeur de l'établissement où vous résidez. La personne responsable au Centre local de services communautaires (CLSC) de votre région peut également vous aider.

Le prix des chambres

Il est le même pour tous les établissements, qu'il s'agisse d'une résidence d'accueil ou d'un centre hospitalier de soins de longue durée :
chambre individuelle : 37,76 $ par jour
(1132 $ pour un mois de 30 jours)
chambre à 2 lits : 31,57 $ par jour
(947 $ pour un mois de 30 jours)
chambre à 3 lits : 23,46 $ par jour
(703 $ pour un mois de 30 jours)

Ces prix sont des maximums qui ne vous sont demandés que si vos revenus et les biens que vous possédez le permettent.

Vos biens et vos revenus

La façon de considérer vos revenus et vos biens varie selon que vous êtes une personne seule ou un membre d'une famille.

Vous êtes une personne seule

Vos revenus

Vous devez déclarer tous vos revenus, mais vous avez droit à certaines déductions :

- l'allocation pour dépenses personnelles;
- quels que soient votre revenu et la chambre que vous occupez, une allocation minimale de 140 $ par mois vous est garantie pour des besoins divers qui ne sont pas compris dans l'hébergement : habillement, coiffure, loisirs, etc.

Autres déductions :

- si vous avez moins de 65 ans, vous bénéficiez d'une exemption additionnelle de la moitié du revenu de contribution ainsi déterminé;
- si vous avez 65 ans et plus, vous conservez, en plus de l'allocation de dépenses personnelles de 140 $, la moitié de vos revenus qui excèdent le montant maximum versé comme pension de vieillesse.

Vos biens

Vous devez déclarer le montant de vos épargnes et de vos biens immobiliers, puisqu'ils entrent dans le calcul de la contribution.

Toutefois, ces épargnes et ces biens ne sont comptés que lorsqu'ils excèdent certaines sommes et selon les modalités suivantes :

- vos épargnes sont exemptées jusqu'à concurrence de 2500 $. L'excédent de ce montant servira à payer, s'il y a lieu, la différence entre votre revenu de contribution et le prix de la chambre;
- vos biens immobiliers, notamment votre résidence, sont totalement exemptés lorsque leur valeur nette n'excède pas 40 000 $, mais seulement la première année de votre hébergement. Si cette valeur est supérieure à 40 000 $, on compte chaque mois 1 % de l'excédent. Après un an d'hébergement, on comptera chaque mois 1 % de la valeur brute totale de vos biens qui excède 1500 $.

Quelques exemples pour un mois d'une durée de 30 jours

Exemple 1

***Une personne seule de 65 ans ou plus, hébergée, reçoit mensuellement une pension de sécurité de vieillesse de* 387,74 $*, une rente de retraite de* 400 $ *et un supplément de revenu garanti de* 200 $.**

Calcul de contribution :

- sur la pension maximale de sécurité de vieillesse 848,53 $ - 140 $ = 708,53 $
- 50 % de l'excédent du revenu total sur le maximum de sécurité de vieillesse :

Revenu total :	987,74 $
Maximum de sécurité de vieillesse :	848,53
Excédent :	139,21
50 % de cet excédent :	69,60
Revenu de contribution :	918,13
Moins l'allocation pour dépenses personnelles :	140,00 $
Contribution maximale :	778,13
Contribution payable :	
– pour une chambre à 3 lits	703,00 $
– pour une chambre à 2 lits	778,13
– pour une chambre individuelle	778,13

Exemple 2

***Une personne seule de* 55 *ans, hébergée, a un revenu mensuel de* 150 $ *et un avoir liquide de* 5000 $.**

Revenu total :	150,00 $
Allocation pour dépenses personnelles :	140,00
Revenu de contribution :	10,00

Contribution : 50 % du revenu de contribution
10 $ x 50 % = 5 $

Avoir liquide : 5000 $ - 2500 $ = 2500 $

Cette personne paiera 1132 $ pour une chambre individuelle, 947 $ pour une chambre à deux lits et 703 $ pour une chambre à trois lits ou plus. Lorsque son avoir liquide aura baissé à 2500 $, la contribution payable ne sera plus que de 5 $ par mois, quelle que soit la chambre occupée.

Vous êtes membre d'une famille

Vos revenus

Vous devez déclarer tous vos revenus et ceux de votre conjoint. De ce revenu total, on soustrait plusieurs déductions pour tenir compte de vos besoins personnels et de vos charges familiales :

- 789 $ par mois pour votre conjoint, s'il n'est pas hébergé; s'il est hébergé, vous êtes considérés l'un et l'autre comme personnes seules aux fins du calcul de la contribution;
- 395 $ par mois pour chaque enfant à charge de 18 ans et plus encore aux études;
- 315 $ par mois pour chaque enfant à charge de moins de 18 ans.

Autre déduction :

- du revenu de contribution ainsi obtenu, on déduit les trois quarts (3/4). Vous ne devez donc payer que le quart de l'excédent de la pension de vieillesse, que vous ayez moins de 65 ans ou 65 ans et plus.

Vos biens

Vous devez déclarer le montant de vos épargnes et de vos biens immobiliers, ainsi que ceux de votre conjoint, puisqu'ils entrent dans le calcul de la contribution.

Toutefois, ces épargnes et ces biens ne sont comptés que lorsqu'ils excèdent certains montants et selon les modalités suivantes : vos épargnes sont exemptées jusqu'à concurrence de 2500 $. L'excédent servira à payer, s'il y a lieu, la différence entre votre revenu de contribution et le prix de la chambre. Vos biens immobiliers, notamment votre résidence, sont totalement exemptés, lorsque leur valeur nette n'excède pas 40 000 $. Si elle excède ce chiffre, on compte chaque mois 1 % de l'excédent.

Votre contribution

Votre contribution ne peut jamais dépasser le moindre des deux montants suivants : le prix de la chambre ou votre capacité de payer établie en tenant compte de vos charges familiales et de vos biens personnels.

Saviez-vous que ?

Il serait préférable avant de présenter une demande d'hébergement en institution ou en résidence d'accueil, de tenir compte de la mention suivante :

Tous les biens que vous n'aurez pas légués ou donnés 2 ans avant la date d'admission dans une institution d'hébergement ou une résidence d'accueil seront considérés à titre de biens personnels pour le calcul de votre contribution...

Exemple 3

Un adulte hébergé et son conjoint vivant à domicile ont un revenu de pension de vieillesse et de supplément de revenu garanti totalisant 937,28 $.

Revenu total :	1375,76 $
Déduction : - conjoint	789,00
Revenu de contribution :	586,76

Contribution de 25 % du revenu de contribution :
586,76 $ x 25 % = 146,69 $

Cet adulte paiera 146,69 $ pour une chambre individuelle, une chambre à deux lits ou une chambre à trois lits ou plus.

Autres précisions

La contribution est exigible à partir du premier jour d'hébergement dans un centre d'accueil, dans un centre hospitalier de soins de longue durée ou dans un établissement reconnu comme pouvant offrir des services de soins de longue durée.

Dans un centre hospitalier de soins de courte durée, la contribution est exigible après 45 jours d'hospitalisation, sauf si votre médecin traitant certifie que votre état de santé nécessite encore des soins actifs.

Le prix demandé pour l'hébergement doit être payé à la direction de l'établissement, par vous-même ou votre conjoint, le premier de chaque mois.

Votre revenu de contribution pour un mois donné est établi sur la base de vos revenus du mois précédent. Cela signifie, par exemple, que la contribution payable le premier janvier 1995 a été établie sur vos revenus de décembre 1994.

À retenir

Les augmentations des prix des chambres prennent effet le 1er janvier de chaque année.

Vous désirez déposer une plainte...

Vous n'êtes pas satisfait des services obtenus dans votre centre d'hébergement ou autres ou si vous désirez déposer une plainte concernant votre allocation personnelle, communiquez avec la Régie régionale de la santé et des services sociaux (RRSSS) de votre localité. Vous trouverez la liste des RRSSS à l'annexe IV du *Guide*.

Connaissez-vous les noms des habitants du Québec ?

Voici une occasion de le vérifier. Certains noms sont cocasses mais il ne faut pas déménager pour si peu. Dans le carré de droite, inscrivez le numéro correspondant.

1. Agapitois	☐ Mont-Saint-Hilaire
2. Amablien	☐ Lac-Saint-Jean
3. Beauchasseur	☐ Magog
4. Bagotvillois	☐ Saint-Cœur-de-Marie
5. Beaufilois	☐ Saint-Agapit
6. Campivallensien	☐ Granby
7. Davidois	☐ Papineau
8. Granbyen	☐ Percé
9. Hilairemontais	☐ Saint-Zacharie
10. Jeannois	☐ Saint-Amable
11. Koska	☐ Saint-David
12. Latuquois	☐ Bellechasse
13. Limoulois	☐ Saint-Stanislas
14. Louperivois	☐ Montmagny
15. Magnymontois	☐ Rivière-du-Loup
16. Magogois	☐ Yamachiche
17. Mistoukois	☐ Trois-Pistoles
18. Papinois	☐ Bagotville
19. Péradien	☐ Rouyn-Noranda
20. Percéen	☐ La Tuque
21. Pêtrifontain	☐ Sacré-Cœur
22. Pistolois	☐ Tadoussac
23. Port-Jolien	☐ Pierrefonds
24. Rigaudien	☐ Sainte-Thérèse
25. Rouynorandien	☐ Saint-Sauveur
26. Sacré-Cœurois	☐ Trois-Rivières
27. Saint-Linois	☐ Rigaud
28. Saint-Sauveurois	☐ L'Anse-à-Beaufils

29. Tadoussacien
30. Tascherellois
31. Thérésien
32. Trifluvien
33. Yamachichois
34. Zacharois

☐ Limoilou
☐ Taschereau
☐ Saint-Lin
☐ Salaberry-de-Valleyfield
☐ Saint-Jean-Port-Joli
☐ Sainte-Anne-de-la-Pérade

Solutions

1 - 9	10 - 2	19 - 25	28 - 5
2 - 10	11 - 7	20 - 12	29 - 13
3 - 16	12 - 3	21 - 26	30 - 30
4 - 17	13 - 11	22 - 29	31 - 27
5 - 1	14 - 15	23 - 21	32 - 6
6 - 8	15 - 14	24 - 31	33 - 23
7 - 18	16 - 33	25 - 28	34 - 19
8 - 20	17 - 22	26 - 32	
9 - 34	18 - 4	27 - 24	

CHAPITRE 5

QUESTIONS D'ARGENT

Nous ne sommes plus à l'époque du bas de laine, et les questions d'argent peuvent vous sembler quelque peu complexes. Mais ne vous laissez pas impressionner, nous allons répondre à toutes vos questions.

Saviez-vous qu'il existe plus de 25 types de prestations offertes par le gouvernement québécois, le gouvernement fédéral et par les régimes privés ? Mais dans tout cela, vous, selon votre situation, à quoi avez-vous droit et pourquoi ?

LA COURSE AUX TRÉSORS...

Le Régime de rentes du Québec : un régime purement québécois

Le Régime *de rentes du* Québec *vous concerne peut-être* ?

Ce régime peut vous venir en aide par le biais de la rente de retraite, les prestations d'invalidité ou les prestations de survivants, mais il y a des conditions d'attribution particulières à chacune.

Avez-vous droit à une rente du Régime *de rentes du* Québec ?

Vous êtes admissible uniquement si vous y avez cotisé. Vous vous souvenez sûrement que, parmi la liste de déductions inscrites sur votre chèque de paye, on retrouvait le « Régime de rentes du Québec ». Eh oui! c'était pour ça. À titre d'exemple, en 1995, tout travailleur âgé de 18 à 70 ans (sauf celui de 65 ans ou plus prestataire de la rente de retraite ou de la rente d'invalidité) dont le revenu annuel est supérieur à 3400 $ cotise au régime. On déduit 2,7 % des salaires répartis entre 3400 $ et 34 900 $, ce dernier montant étant le revenu maximum sur lequel le travailleur peut cotiser au Régime de rentes du Québec. L'employeur est contraint de verser un montant égal au ministère du Revenu. Quant au travailleur autonome, il verse une cotisation annuelle de 5,4 % de ses gains échelonnés entre 3400 $ et 34 900 $. Ce sont ces cotisations qui vous donnent droit aux diverses rentes du régime.

Est-ce que tous les bénéficiaires d'une rente reçoivent le même montant ?

Vous vous demandez pourquoi votre voisin qui, pourtant, a le même âge que vous, retire une rente de retraite supérieure à la vôtre ? Tout s'explique! Le montant de votre rente est déterminé en fonction de vos gains et de vos années de cotisation inscrites au Registre des cotisants depuis le 1er janvier 1966.

Au sens du Régime de rentes, une année de cotisation signifie une année pour laquelle vous avez fait une cotisation sur des gains de travail supérieurs au crédit, ce qui signifie en 1995 les cotisations retenues à partir des revenus entre 3400 $ et 34 900 $. Une année qui vous serait attribuée à la suite du partage des gains est également reconnue comme une année de cotisation.

Vous avez décidé de vérifier vos années de cotisation; ces détails peuvent vous être utiles :

- une année au cours de laquelle vos gains ne dépassent pas le crédit d'impôt (3400 $ en 1995) ne peut être considérée comme une année de cotisation, même si des cotisations ont été versées. Dans ce cas, vous pouvez obtenir le remboursement des cotisations versées si vous produisez une déclaration de revenus conformément à la Loi sur les impôts;
- il n'est pas nécessaire de cotiser chaque semaine ou chaque mois dans l'année; une seule cotisation sur des gains supérieurs au crédit suffit pour qu'il y ait une année de cotisation.

Est-ce que l'on cotise toute sa vie au Régime de rentes du Québec ?

Non, l'âge limite pour cotiser au régime est de 70 ans. Cependant, vous ne pouvez plus cotiser au régime si vous recevez une rente de retraite ou d'invalidité.

Est-il possible de connaître le nombre d'années de cotisation qui vous est reconnu ?

Oui, puisque vous pouvez demander tous les ans votre relevé de participation en remplissant la formule de demande prévue à cette fin. Vous pouvez obtenir ce formulaire dans les caisses Desjardins et dans les bureaux de la Régie des rentes du Québec et de Communication-Québec.

Ainsi vous pourrez vérifier si toutes vos cotisations annuelles sont inscrites et faire corriger les erreurs qui auraient pu se glisser : erreur de transmission de la part de l'employeur, erreur de transcription ou tout simplement un oubli. Pour information, contactez la Régie des rentes du Québec aux numéros de téléphone suivants :

Région de Québec : (418) 643-5185
Région de Montréal : (514) 873-2433
Sans frais : 1 800 463-5185

C'est bien beau tout ça, mais comment procède-t-on pour faire une demande de prestation ?

Vous devez remplir une formule prévue à cette fin, que vous trouverez, tout comme le relevé de participation, aux bureaux de la Régie des rentes du Québec, de Communication-Québec et dans les caisses Desjardins. Les retardataires, attention! Un retard peut entraîner la perte d'un ou de plusieurs mois de rente.

La rente de retraite, une nouvelle vie qui commence

La rente de retraite, y avez-vous droit ?

Depuis janvier 1984, la retraite est flexible entre l'âge de 60 et 70 ans. Ainsi, vous pouvez bénéficier d'une rente de retraite si vous avez entre 60 et 70 ans et si vous avez cotisé au régime pour au moins une année. À noter que si vous êtes âgé entre 60 et 65 ans au moment de votre demande, vous devez avoir cessé de travailler ou gagner, sur une base annuelle, moins de 85 597 $ (en 1995).

Quel sera le montant de votre rente ?

Tout dépend des montants inscrits à votre Registre des noms. Le montant maximum en 1995 est de 713,19 $ par mois à 65 ans. La rente est indexée tous les ans, selon l'augmentation de l'indice des prix à la consommation.

Qu'est-ce que le Registre des cotisants ?

C'est le registre dans le lequel la Régie des rentes du Québec inscrit le cumul de vos gains et de vos cotisations de même que les gains qui vous sont attribués à la suite d'un partage de gains, par exemple à la suite d'un divorce. Vous pouvez demander, une fois l'an, le montant des gains admissibles inscrits à votre registre.

Est-il plus avantageux de retirer sa rente à 60 ans ou plus tard ?

Quand retirer sa rente ? Voilà toute la question!

Chaque cas étant différent, une petite analyse s'impose. La pleine rente de retraite est payable à l'âge de 65 ans. Si vous demandez votre rente avant 65 ans, elle sera réduite de 0,5 % par mois d'anticipation. Par contre, si vous retardez votre retraite à plus de 65 ans, votre rente sera majorée du même pourcentage pour chaque mois passé votre 65e anniversaire. Ainsi, si vous prenez votre retraite à 60 ans, vous recevrez une rente égale à 70 % de votre rente normale et, si vous attendez à 70 ans, vous toucherez une rente égale à 130 % de votre rente normale.

Avant de prendre une décision, certains points sont à considérer :

- si vous avez 65 ans et que vous continuez à travailler, vous ne pouvez pas demander votre rente et continuer à cotiser au régime dans le but d'augmenter vos contributions et de majorer le montant de votre rente. Il vaudrait mieux, dans ce cas, faire calculer les avantages et les inconvénients par la Régie des rentes, car il est rarement avantageux de continuer à cotiser après 65 ans;

- si vous recevez déjà une rente de retraite, vous ne pouvez plus cotiser au régime, même si vous recevez des gains de travail;
- vous pouvez recevoir votre rente de retraite, même si vous continuez à travailler, mais vous ne pouvez plus cotiser au régime.

Saviez-vous que ?

La rente de retraite ne modifie en rien le droit à la pension de Sécurité de la vieillesse du Canada. Par contre, si vous êtes bénéficiaire de la pension de la Sécurité de la vieillesse et que vous demandez un supplément de revenu garanti, on tiendra compte de votre rente de retraite du Régime de rentes du Québec.

Le montant maximum de la rente de retraite en 1995

Âge au début du paiement de la rente	Montant mensuel maximun
60 ans	499,23 $
65 ans	713,19
70 ans ou plus	927,15

Maintenant! *Quelle est votre décision* ?

Veuillez noter qu'il vous est possible, avant de prendre une décision définitive, de communiquer avec la Régie pour connaître le montant exact de la rente de retraite qui vous serait payable. Les numéros de téléphone de la Régie des rentes du Québec se trouvent dans les pages précédentes de ce chapitre.

La rente d'invalidité : une béquille financière

Les conditions pour y avoir droit :

Une personne peut avoir droit à la rente d'invalidité si elle a suffisamment cotisé au régime et qu'elle est déclarée invalide par la Régie.

- Avoir suffisamment cotisé au régime :
  - une personne de moins de 65 ans doit avoir cotisé, soit pour au moins deux des trois dernières années, soit pour au moins cinq des dix dernières années de sa période cotisable. Cela s'applique également si elle a cotisé pour au moins la moitié des années de sa période cotisable, mais au moins pour deux années (c'est-à-dire, en 1995, entre deux et quinze années). Cependant, une personne qui a entre 60 et 65 ans et qui, en raison de son invalidité, a cessé d'occuper un emploi rémunérateur avant le mois de juillet 1994, doit avoir cotisé pour au moins le tiers de sa période cotisable (c'est-à-dire entre cinq et dix années);
- Être déclaré invalide par la Régie :
  - une personne âgée de moins de 60 ans peut être déclarée invalide si elle ne peut plus exercer régulièrement aucune activité véritablement rémunératrice et si son incapacité doit durer indéfiniment;
  - par contre, la personne qui a entre 60 et 65 ans peut être déclarée invalide si elle ne peut plus occuper régulièrement l'emploi habituel rémunéré qu'elle occupait au moment où elle a cessé de travailler en raison de son invalidité.

Comment se traduit-elle en argent sonnant ?

La rente est constituée d'un montant uniforme de 319,85 $ en 1995 et d'un autre montant qui représente 75 % de la rente de retraite que vous auriez reçue si vous aviez atteint 65 ans. La rente maximale se monte à 854,74 $ par mois en 1995.

Comment faire une demande ?

Procurez-vous le formulaire intitulé « Demande de prestations d'invalidité », disponible dans tous les bureaux de la Régie des rentes du Québec et dans les caisses Desjardins. Vous devez remettre la formule de rapport médical à votre médecin traitant, qui enverra votre rapport médical directement à la Régie. Ce rapport atteste qu'il vous est impossible, à cause de votre invalidité, d'occuper votre emploi actuel ou une autre occupation véritablement rémunératrice. Sur réception de votre demande, la Régie l'examine, l'accepte ou la refuse et vous avise par écrit de la décision rendue.

Pouvez-vous contester la décision de la Régie ?

Si vous n'êtes pas satisfait de la décision rendue, vous pouvez, dans l'année qui suit la date de cette décision, demander à la Régie de la réviser. Si cette nouvelle décision ne vous convient pas, vous pouvez, dans les 90 jours qui suivent la date de cette décision, avoir recours à la Commission des affaires sociales, dont le jugement est final et sans appel.

Pour tout renseignement, communiquez avec la Régie des rentes du Québec dont vous trouverez les numéros de téléphone dans les pages précédentes de ce chapitre.

La rente du conjoint survivant : un p'tit coup de pouce appréciable

La rente du conjoint survivant, y aviez-vous pensé ?

Vous pouvez bénéficier d'une rente de conjoint survivant si votre conjoint avait cotisé au régime pendant au moins le tiers du nombre d'années de sa période cotisable, sous réserve d'un minimum de trois années. Le droit à la prestation est également acquis après dix ans de cotisation.

Quel sera le montant de votre prestation ?

Le conjoint est âgé de moins de 45 ans

- Il n'a pas d'enfant à sa charge ni n'est invalide. Le montant maximum de la rente payable en 1995 au conjoint survivant âgé de moins de 45 ans qui n'a pas d'enfant à sa charge ni n'est invalide est de 348,97 $ par mois. Il est constitué d'une tranche uniforme de 81,52 $ et d'une somme qui varie en fonction des gains de travail inscrits au nom de la personne décédée. Cette dernière somme, qui peut atteindre 267,45 $ par mois en 1995, représente 37,5 % de la rente de la retraite qu'aurait pu recevoir la personne décédée.
- Il a un ou des enfants à sa charge, mais n'est pas invalide.
  Le montant maximum de la rente payable en 1995 au conjoint survivant âgé de moins de 45 ans qui a un ou des enfants à sa charge, mais n'est pas invalide est de 562,96 $ par mois. Il est constitué d'une tranche uniforme de 295,51 $ par mois et d'une somme maximale de 267,45 $, qui peut varier en fonction des gains de travail inscrits au nom de la personne décédée.
- Il est invalide avec ou sans enfant à sa charge.
  Le montant maximum de la rente payable en 1995 au conjoint survivant âgé de moins de 45 ans qui est invalide, même s'il n'a pas d'enfant, est de 585,71 $ par mois. Il est constitué d'une tranche uniforme de 318,26 $ par mois et d'une somme maximale de 267,45 $, qui peut varier en fonction des gains de travail inscrits au nom de la personne décédée.

Le conjoint a entre 45 et 55 ans

Le montant maximum de la rente payable en 1995 au conjoint survivant âgé entre 45 et 55 ans est de 585,71 $ par mois. Il est constitué d'une tranche uniforme de 318,26 $ et d'une somme maximale de 267,45 $, qui peut varier en fonction des gains de travail inscrits au nom de la personne décédée.

Le conjoint a entre 55 et 65 ans

Le montant maximum de la rente payable en 1995 au conjoint survivant qui a entre 55 et 65 ans est de 667,04 $ par mois. Il est constitué d'une tranche uniforme de 399,59 $ et d'une somme maximale de 267,45 $, qui peut varier en fonction des gains de travail inscrits au nom de la personne décédée.

Il est important de noter que le conjoint survivant subira une réduction du montant de sa rente lorsqu'il atteindra l'âge de 65 ans. Cette réduction pourrait toutefois être compensée par la pension de la Sécurité de la vieillesse du gouvernement fédéral canadien.

Le conjoint a 65 ans ou plus

Le montant maximum de la rente payable au conjoint survivant âgé de 65 ans ou plus est de 427,91 $ par mois. Cette somme représente 60 % de la rente de retraite qu'aurait pu recevoir le cotisant décédé.

Si vous avez vous-même cotisé au régime, pouvez-vous recevoir la somme des deux rentes ?

Non, pas nécessairement. Vous recevrez, en un seul versement, une rente combinée, calculée selon les dispositions du régime, mais qui n'équivaut pas toujours à la somme des deux rentes.

Quelque chose vous inquiète ? Vous et votre partenaire n'étiez pas mariés ?

Dans certains cas, la rente de conjoint survivant peut être versée à la personne qui, sans avoir été mariée avec le cotisant décédé, a vécu maritalement avec lui pendant un certain nombre d'années. C'est la loi qui détermine qui sera le conjoint survivant.

Qu'arrive-t-il si vous rencontrez une seconde fois « l'être idéal » ?

Laissez libre cours à votre amour, car, depuis janvier 1984, les bénéficiaires de la rente de conjoint survivant peuvent se remarier sans être pénalisés.

Qu'est-ce que la prestation de décès ?

Au décès du cotisant, une prestation est payable à la personne qui a payé les frais funéraires ou à ses héritiers. Il faut en faire la demande à la Régie des rentes du Québec dans les cinq ans suivant la date du décès. En 1995, cette prestation maximale est de 3490 $.

Pour information :

Régie des rentes du Québec
2600, boul. Laurier
Sainte-Foy (Québec)
G1K 7S9

Tél. : (418) 643-5185
Sans frais : 1 800 463-5185

Les cas spéciaux

Avez-vous travaillé ailleurs au Canada ?

Si vous avez travaillé hors du Québec, mais au Canada, vous avez cotisé au Régime de pensions du Canada (RPC), qui est l'équivalent du Régime des rentes du Québec (RRQ) pour les autres provinces canadiennes.

Si vous demandez votre relevé de participation, vous constaterez qu'il indique vos gains de travail inscrits au RRQ et au RPC. Dans le calcul des prestations qui seront un jour payables, il sera tenu compte des cotisations que vous aurez versées aux deux régimes. Toutefois, un seul organisme vous versera vos prestations.

Si vous avez cotisé aux deux régimes, il vous faudra faire votre demande de rente à la Régie des rentes du Québec, si vous demeurez au Québec, et à Développement des Ressources humaines Canada, si vous habitez au Canada, mais à l'extérieur du Québec.

Pouvez-vous recevoir votre rente hors du Canada ?

Si vous allez résider hors du Canada, vous gardez tous vos droits acquis en vertu du régime. Vous pouvez obtenir le paiement d'une rente si vous répondez aux conditions d'attribution.

Qu'arrive-t-il si vous avez cotisé au Régime de rentes du Québec de même qu'à un régime d'un autre pays ?

Il existe des ententes de réciprocité en matière de sécurité sociale entre le Québec et certains pays. Cette entente vous permet de bénéficier des deux régimes. Pour connaître la liste des pays participants ou pour faire une demande de prestation, communiquez avec :

Secrétariat de l'administration des ententes de sécurité sociale
Ministère des Affaires internationales, des Communautés culturelles et de l'Immigration
355, rue Sainte-Catherine Ouest
6e étage
Montréal (Québec)
H3B 1A4

Tél. : (514) 873-5030
Sans frais : 1 800 565-7878

Est-ce que les gains peuvent être partagés en cas de divorce ?

Oui, les gains admissibles des deux conjoints peuvent être partagés. Le partage permet de répartir entre les ex-conjoints les gains sur lesquels des cotisations ont été versées au Régime, par suite d'un divorce, d'une séparation légale ou d'une annulation civile de mariage.

Le partage est effectué pour toutes les années du mariage, sauf si le jugement indique une autre période de partage. Le partage peut ouvrir droit à des prestations ou modifier une prestation à venir ou déjà en paiement. Si le jugement de divorce, d'annulation ou de séparation légale a été prononcé à l'extérieur du Québec, une demande doit être présentée à la Régie.

La pension de Sécurité de la vieillesse pour tous ou presque!

Qu'est-ce que la pension de Sécurité de la vieillesse ?

La pension de Sécurité de la vieillesse est une prestation canadienne, mensuelle, versée à toute personne de 65 ans ou plus qui remplit certaines conditions de résidence.

Quelles sont les conditions d'admissibilité ?

Pour en bénéficier, vous devez être âgé de 65 ans ou plus, être citoyen canadien ou résident légal et satisfaire aux conditions de résidence de la Loi de la sécurité de la vieillesse (S.R.C., c. 0-6).

Qu'arrive-t-il si vous n'avez pas toujours résidé au Canada ?

Selon le nombre d'années que vous avez vécu au Canada, vous aurez droit soit à la pleine pension, soit à une pension partielle.

Qu'est-ce que cette histoire de pleine pension ?

C'est simple. Vous pouvez percevoir une pleine pension, soit 387,74 $ par mois, si vous avez vécu au Canada pendant une période totalisant 40 ans depuis votre 18e anniversaire de naissance, ou si vous avez vécu au Canada pendant les dix années précédant immédiatement la date à laquelle vous présentez votre demande. Il peut arriver que vous répondiez à d'autres conditions et qu'on vous accorde une pleine pension de Sécurité de la vieillesse. Étant donné que la Loi de la sécurité de la vieillesse (S.R.C., c. 0-6) est très complexe, nous vous suggérons, si vous ne répondez pas aux critères ci-dessus mentionné, de communiquer avec le bureau des Programmes de la sécurité du revenu le plus près de chez vous; le personnel pourra examiner vos antécédents en matière de résidence et vous expliquer votre situation.

Et *la pension partielle, pour qui est-ce* ?

Vous ne remplissez pas les conditions de résidence exigées ? Vous avez peut-être droit à une pension partielle. Pour y être admissible, vous devez compter un minimum de dix ans de résidence au Canada après votre 18e anniversaire de naissance. Chaque année complète de résidence au Canada après l'âge de 18 ans vous donne droit à 1/40e de la pleine pension, jusqu'à un maximum de 40 ans. Le montant de la pension partielle que vous recevrez est calculé en tenant compte du nombre d'années de résidence au Canada avant la présentation de votre demande. Le montant n'augmentera donc pas, même si vous continuez à demeurer au Canada. Si vous avez accumulé au moins 20 années de résidence au Canada après l'âge de 18 ans, vous pouvez, même si vous vivez à l'étranger, toucher une pension partielle.

Centres de service aux clients des Programmes de la sécurité du revenu

100, rue Lafontaine
Bureau 101
Chicoutimi (Québec)
G7H 6X2

Tél. : (418) 698-5522
Sans frais : 1 800 463-9154

85, rue Bellehumeur
Bureau 150
Gatineau (Québec)
J8T 8B7

Tél. : (819) 994-1004
Sans frais : 1 800 567-6839

2500, boul. Lapinière
Brossard (Québec)
J4Z 3P1

Tél. : (514) 283-5750

4660, rue Jarry Est
Saint-Léonard (Québec)
H1R 1X3

Tél. : (514) 283-5750

330, de la Gare-du-Palais
Québec (Québec)
G1K 7L5

Tél. : (418) 648-3332
Sans frais : 1 800 463-5081

189, avenue Cathédrale
Rimouski (Québec)
G5L 5J1

Tél. : (418) 722-3025
Sans frais : 1 800 463-9072

402, avenue Brochu
Édifice Fédéral
Sept-Îles (Québec)
G4R 2W8

Tél. : (418) 962-7116
Sans frais : 1 800 463-1724

Le Bourg du Fleuve
55, rue des Forges
Bureau 013
Trois-Rivières (Québec)
G9A 6A9

Tél. : (819) 371-5242
Sans frais : 1 800 567-9475

400, rue Saint-Georges
Édifice Surprenant
Bureau 105
Drummondville (Québec)
J2C 4H4

Tél. : (819) 478-4611
Sans frais : 1 800 567-0970

124, Wellington Nord
Sherbrooke (Québec)
J1H 5X8

Tél. : (819) 564-5545
Sans frais : 1 800 567-6965

1315, 3e Avenue
Val d'Or (Québec)
J9P 1V4

Tél. : (819) 825-2867
Sans frais : 1 800 567-6460

151, avenue du Lac
Rouyn-Noranda (Québec)
J9X 6C3

Tél. : (819) 764-6461

4110, rue Wellington
2e étage
Verdun (Québec)
H4G 1V7

Tél. : (514) 283-5750

Complexe Guy-Favreau
200, boul. René-Lévesque Ouest
Bureau 10, Niveau 00
Montréal (Québec)
H2Z 1X4

Tél. : (514) 283-5750
Sans frais : 1 800 361-3755

1772, Le Corbusier
Chomedey-Laval (Québec)
H7S 2K1

Tél. : (514) 283-5750

Devez-vous être à la retraite pour recevoir votre prestation ?

Non, vous pouvez continuer à travailler et recevoir, sans être pénalisé, votre pension de Sécurité de la vieillesse. La première condition d'admissibilité est l'âge (65 ans) et non l'occupation.

Quand et comment devez-vous demander votre pension ?

Vous devez en faire la demande, six mois avant votre 65e anniversaire, sur la formule officielle qui est disponible dans tous les bureaux de Développement des Ressources humaines Canada ou dans les centres de service aux clients des Programmes de la sécurité du revenu. Répondez à toutes les questions posées sur la formule et joignez-y une preuve d'âge (certificat de naissance ou extrait de baptême) et les documents pouvant confirmer votre statut au pays. Si, lors de votre demande, vous n'avez pas tous ces documents, envoyez quand même votre formule immédiatement. Vous pourrez obtenir ces preuves plus tard et les faire suivre.

La liste des adresses des centres de service aux clients des Programmes de la sécurité du revenu est inscrite à la page précédente.

Pouvez-vous obtenir de l'aide pour remplir le formulaire ?

Mais, bien sûr. Si vous êtes incapable de présenter une demande en raison d'une maladie ou d'une infirmité, une autre personne peut le faire en votre nom. Vous pouvez vous adresser au bureau des Programmes de la sécurité du revenu le plus près de chez vous et, s'il y a lieu, des agents de ces organismes se rendront à votre domicile pour vous aider. Le Centre local de services communautaires (CLSC) de votre localité fournit également une aide pour remplir ces formulaires.

Quand recevrez-vous votre premier versement ?

Habituellement, la pension commence à être versée le mois suivant celui au cours duquel vous remplissez les conditions d'âge et de résidence. Si vous faites votre demande en retard, des arrérages peuvent être accordés et, dans ce cas, les prestations vous seront versées rétroactivement, selon les règlements en vigueur au moment de la demande.

À quoi sert la carte d'identité ?

Peu de temps après la réception de votre premier chèque de pension, vous recevrez une carte d'identité portant votre nom et votre numéro de Sécurité de la vieillesse. Cette carte permettra d'établir que vous êtes pensionné de la Sécurité de la vieillesse et vous servira pour négocier vos chèques de pension ainsi que pour demander d'autres bénéfices et avantages offerts aux personnes âgées.

Est-ce qu'une autre personne que vous peut recevoir votre pension de Sécurité de la vieillesse ?

Peu importe si vous résidez dans votre propre demeure ou que vous soyez dans un établissement, vous avez droit à votre pension. Le gouvernement du Canada versera les prestations à votre nom. Cependant, si vous êtes incapable de gérer vos affaires par suite d'infirmité, de maladie ou pour toute autre raison, le bureau des Programmes de la sécurité du revenu peut verser votre pension à une autre personne ou à un organisme qui sera désigné pour agir en votre nom. Cette personne ou cet organisme devra, une fois l'an, puis à la fin de son mandat, rendre compte de la façon dont les prestations reçues ont été employées en votre faveur.

Est-ce que vous pouvez contester l'avis du bureau des Programmes de la sécurité du revenu concernant une décision à l'égard de votre dossier ?

Oui, si vous jugez, même après avoir reçu des explications, qu'une décision ne vous rend pas justice, vous pouvez aller en appel. Dans ce cas, un bureau des Programmes de la sécurité du revenu vous fournira tous les renseignements nécessaires sur les procédures à suivre.

Quoi faire si vous déménagez ?

Vous devez avertir immédiatement, par écrit ou par téléphone, le bureau des Programmes de la sécurité du revenu si vous voulez continuer à recevoir vos chèques régulièrement.

Qu'est-ce qui arrive si vous décidez de résider à l'étranger ?

Aucun problème. Lorsque votre demande aura été approuvée, vous pourrez recevoir votre pension à l'étranger aussi longtemps que vous le désirez, pourvu que vous ayez résidé au Canada pendant 20 ans après l'âge de 18 ans. Si vous ne répondez pas à cette exigence de résidence, vous avez peut-être quand même le droit de recevoir votre pension à l'étranger. Contactez le bureau des Programmes de la sécurité du revenu. Prenez note que, lorsqu'une pension de la Sécurité de la vieillesse est reçue à l'étranger, les versements sont toujours faits en argent canadien.

Le supplément de revenu garanti : pour vous aider à joindre les deux bouts

Qu'est-ce que le supplément de revenu garanti ?

Le supplément de revenu garanti est une prestation mensuelle qui s'ajoute à votre pension de Sécurité de la vieillesse si vous avez peu de revenu ou si vous n'en avez pas du tout. Si le coût de la vie augmente, selon l'indice des prix à la consommation, le supplément de revenu garanti, tout comme la pension de Sécurité de la vieillesse, est indexé en janvier, avril, juillet et octobre de chaque année. Si l'indice des prix à la consommation est stable ou enregistre une baisse, la prestation demeure la même.

Pouvez-vous recevoir un supplément de revenu garanti ?

Cela dépend de... votre âge et de vos revenus. Vous devez être âgé de 65 ans et plus, et vos revenus ne doivent pas dépasser le maximum permis par les règlements. Veuillez contacter le bureau des Programmes de la sécurité du revenu le plus près de votre localité pour connaître ces montants maximums.

Qu'est-ce qu'on entend par revenu ?

Il s'agit des sommes considérées comme revenu aux fins de l'impôt sur le revenu, c'est-à-dire : revenus d'intérêts, de placement, de travail, prestations du Régime de rentes du Québec, revenus provenant d'un régime privé de pension, prestations d'assurance-chômage, etc.

Comment faire une demande de supplément de revenu garanti ?

Si vous ne touchez pas actuellement le supplément et que vous croyez y avoir droit, vous devez remplir le formulaire conçu à cette fin et le poster. Il est disponible dans les centres de service aux clients des Programmes de la sécurité du revenu dont la liste apparaît précédemment. Il est disponible dans les bureaux de poste ou dans les bureaux des Programmes de la sécurité du revenu. Si vous recevez pour l'année en cours un supplément de revenu garanti, un nouveau formulaire de demande vous parviendra en janvier. Remplissez-le le plus tôt possible. Vous recevrez par la suite un avis vous indiquant si vous êtes toujours admissible au supplément et de quel montant sera votre nouvelle prestation.

Comment calcule-t-on le montant de la prestation du supplément de revenu garanti ?

Pour déterminer s'il y a lieu de vous verser un supplément et quel doit en être le montant, le gouvernement fédéral évaluera votre revenu et celui de votre conjoint, s'il y a lieu, au cours de l'année précédant votre demande. Si vous faites une demande en 1995, on tiendra compte de vos revenus de 1994. Pour déterminer le supplément de revenu, on calcule le revenu en se basant sur la Loi de l'impôt sur le revenu (S.R.C., c. 1-5).

Qu'arrive-t-il si l'un des conjoints meurt ?

Si vous et votre conjoint recevez une pension et un supplément, et que l'un de vous deux disparaît, seul le revenu du conjoint survivant sera pris en considération.

En cas de séparation, que fait-on ?

Si vous êtes séparé de votre conjoint depuis plus de six mois, vous serez considéré comme une personne seule pour le calcul de votre supplément. Cependant, si vous êtes séparé depuis moins de six mois, vous devez faire compléter par votre conjoint la partie de votre formulaire intitulée « Revenu du conjoint » et lui faire signer à l'endroit indiqué. Si c'est impossible, expliquez pourquoi et, si votre conjoint ne demande pas le supplément, on pourra alors vous considérer comme une personne seule.

Qu'arrive-t-il si vous et votre conjoint n'habitez pas dans le même logis ?

Certaines circonstances peuvent vous empêcher de vivre sous le même toit que votre conjoint : par exemple, si l'un ou l'autre devait habiter dans un foyer d'hébergement. Lorsque ce genre de séparation semble se prolonger indéfiniment, il peut être possible de vous considérer comme une personne seule aux fins du supplément, si cela est à votre avantage. Vous devez l'indiquer au moment où vous complétez votre demande ou plus tard, selon le cas. Si vous et votre conjoint reprenez la vie commune, vous devez avertir immédiatement le bureau de la Sécurité de la vieillesse.

Dans quelles autres circonstances devez-vous contacter le bureau de la Sécurité de la vieillesse ?

Si vous changez d'adresse, si vous désirez recevoir vos prestations à l'étranger ou si vous n'êtes pas d'accord avec une décision rendue à votre égard, contactez le bureau de la Sécurité de la vieillesse de votre localité; le personnel vous informera des diverses procédures à suivre.

La liste des adresses des bureaux régionaux des Programmes de la sécurité du revenu apparaît précédemment.

L'allocation au conjoint : pourquoi pas ?

Qui peut bénéficier d'une allocation au conjoint ?

Pour être admissible à cette allocation, votre conjoint doit être un pensionné de la Sécurité de la vieillesse, vous devez être âgé de 60 à 65 ans, vous devez résider au Canada depuis au moins dix ans et vous devez être citoyen canadien ou résident légal au Canada. Si vous répondez à ces exigences, vous pouvez faire une demande d'allocation au conjoint n'importe quand entre 60 et 65 ans, pourvu que le revenu combiné de votre couple, excluant la pension de la Sécurité de la vieillesse, permette à votre conjoint de recevoir le supplément de revenu garanti et soit inférieur au montant maximum permis.

On a rejeté votre demande ? Ne perdez pas espoir, car le montant maximum est ajusté tous les trois mois selon l'indice des prix à la consommation, et il est possible que vous ne soyez pas admissible pour le moment, mais que vous le soyez dans trois mois. Votre demande sera donc comparée au nouveau maximum chaque fois qu'un réajustement se produit au cours de l'année. Si vous présentez votre demande en retard, vous aurez droit à un paiement rétroactif, mais il ne le sera que pour une période maximale de douze mois.

Quel sera le montant de la prestation ?

Il est difficile de prévoir longtemps à l'avance, car le montant varie en fonction du total des revenus du couple. Par exemple, le maximum accordé est de 687,88 $ en avril 1995, soit une allocation égale à la pension de Sécurité de la vieillesse et au supplément de revenu garanti.

Le supplément de revenu garanti de votre conjoint diminuera-t-il si vous recevez une allocation au conjoint ?

Oui, le supplément de votre conjoint subira une baisse lorsque vous commencerez à recevoir une allocation au conjoint. En effet, le supplément d'un conjoint retraité, si l'autre n'a pas encore 60 ans, est versé selon les mêmes critères que pour une personne seule. Pour avril 1995, le maximum est de 460,79 $. Dès que le conjoint atteint 60 ans, le supplément du pensionné est révisé et payé selon le taux accordé aux couples mariés, soit au maximum 300,14 $.

Qu'arrive-t-il au décès du pensionné ?

Si vous receviez une allocation au conjoint et que votre conjoint meurt, vous pourrez continuer à la recevoir jusqu'à 65 ans ou jusqu'à votre remariage. L'admissibilité est alors fondée sur votre revenu personnel. Il n'est pas nécessaire de fournir une nouvelle demande pour l'année de versement en cours au moment du décès. Cependant, vous devez soumettre une demande pour chaque année financière suivante; un formulaire vous sera envoyé à cette fin.

De plus, même si vous n'êtes pas conjoint d'un pensionné, vous pouvez avoir droit à une allocation au conjoint si vous êtes veuf ou veuve. Vous devez être âgé entre 60 et 65 ans, devez résider au Canada depuis au moins dix ans et être citoyen canadien ou résident légal au Canada. Vous pouvez avoir droit à cette allocation, peu importe l'âge de votre conjoint au moment de son décès, à condition que vous ne vous soyiez pas remarié ou ne viviez pas en union libre depuis son décès. Le montant de l'allocation est basé sur vos revenus de l'année précédant l'année du début de paiement. Vous devrez donc faire une déclaration de revenus à chaque année. Le montant maximum payable en avril 1995 est de 759,42 $; l'allocation est indexée tous les trois mois.

Quand le paiement de l'allocation au conjoint cesse-t-il ?

Le versement de l'allocation au conjoint cesse lorsque le conjoint qui retire l'allocation meurt, si vous divorcez ou vous vous séparez, si l'un de vous deux s'absente du Canada pendant plus de six mois, ou encore lorsque le conjoint qui touche l'allocation atteint 65 ans. Dans ce dernier cas, six mois avant son 65e anniversaire de naissance, il recevra un formulaire de demande pour la pension de la Sécurité de la vieillesse. De plus, dans le cas de l'allocation au conjoint veuf ou veuve, l'allocation cesse si vous vous remariez ou vivez en union libre.

Quoi faire si vous changez d'état civil ou d'adresse ?

Il est d'une extrême importance d'informer sans délai le bureau des Programmes de la sécurité du revenu de tout changement civil survenu après l'envoi d'une demande. Pour signaler un changement d'adresse ou pour toute information supplémentaire, vous pouvez contacter un des centres de service aux clients de Développement des Ressources humaines Canada.

Calcul de l'allocation au conjoint d'après les maximums de revenus fixes

UN PENSIONNÉ ET SON CONJOINT ÂGÉ DE 60 À 65 ANS	
Autres revenus du couple	0,00 $
Supplément du pensionné	300,14 $
Pension de Sécurité de la vieillesse	387,14 $
Allocation au conjoint	687,88 $
Total	**1375,16 $**

N.B. Dans ce cas, le conjoint pensionné recevra un chèque à son nom au montant de 687,88 $, et l'autre recevra un chèque de 687,88 $. Dans ce cas également, pour avoir droit à une partie du supplément et à une partie de l'allocation au conjoint, le revenu du couple, excluant la pension de la Sécurité de la vieillesse, doit être supérieur à 48 $.

L'assurance-chômage : ce qu'elle peut faire pour vous

L'assurance-chomâge vous protège lorsque vous perdez votre emploi. Elle vous procure un revenu temporaire pendant que vous cherchez un autre emploi, durant une maladie ou une grossesse et pendant que vous prenez soin d'un nouveau-né ou d'un enfant nouvellement adopté. La plupart des Canadiens occupent des emplois couverts par l'assurance-chômage. Cela signifie qu'ils versent des cotisations et qu'ils reçoivent des prestations lorsqu'ils sont en chômage.

Si vous désirez des renseignements au sujet de l'assurance-chômage, c'est au Centre d'emploi du Canada (CEC) le plus près de chez vous que vous les obtiendrez. La liste est inscrite dans les pages bleues de votre annuaire téléphonique à la section Gouvernement du Canada, sous la rubrique « Développement des Ressources humaines Canada - Centres d'emploi ».

Vous pouvez également consulter, dans les centres d'emploi du Canada, les offres d'emploi qui y sont affichées et y obtenir de l'information sur la formation professionnelle, ainsi que des consultations en matière d'emploi. N'hésitez pas à demander des renseignements ou des services, car ils sont là pour vous aider!

L'aide de dernier recours : un droit pour tous les Québécois

Qu'est-ce que le programme d'aide de dernier recours ?

Administrée par le ministère de la Sécurité du revenu du Québec, l'aide de dernier recours (appelée auparavant aide sociale) est une mesure destinée à tout citoyen québécois privé de moyens de subsistance.

Pouvez-vous avoir recours à l'aide de dernier recours ?

Depuis le 1er août 1989, la Loi sur la sécurité du revenu (L.R.Q., c. S-3.1.1) a remplacé la loi sur l'aide sociale.

Cette nouvelle loi a institué deux programmes d'aide de dernier recours, le programme APTE et le programme de Soutien financier.

Pour avoir droit à l'aide financière du programme APTE, il faut être une famille ou une personne seule considérée employable et ne pas avoir d'autres moyens de subsistance.

Pour ce qui est du programme de Soutien financier, il assure une aide financière de dernier recours aux familles et aux personnes seules ayant des contraintes sévères à l'emploi et qui n'ont pas d'autres moyens de subsistance. On entend par cette désignation toute personne dont l'état physique ou mental est, de façon significative, déficient ou altéré, pour une durée vrai semblablement permanente ou indéfinie.

Quelles sont vos obligations ?

- vous devez fournir tous les renseignements et documents requis pour l'étude de votre demande;
- vous devez aviser sans délai votre bureau local de tout changement dans votre situation pouvant affecter le montant de l'aide qui vous est accordée;
- vous devez compléter la « déclaration du bénéficiaire » jointe à votre chèque mensuel. L'oubli ou la négligence de vous soumettre à ces formalités pourrait entraîner la retenue de votre chèque d'aide de dernier recours;
- vous devez, si vous êtes apte au travail, vous chercher un emploi.

Quel montant vous est accordé ?

Le montant de vos prestations est établi à partir de vos revenus et de vos avoirs (biens immobiliers et mobiliers).

Quels autres types d'aide vous accorde le programme d'aide de dernier recours ?

Outre vos prestations, le programme d'aide de dernier recours couvre certains besoins spéciaux tels que : les médicaments, les services dentaires, les lunettes, les prothèses et orthèses qui ne sont pas payées par la Régie de l'assurance-maladie, les chaussures orthopédiques, les orthèses plantaires, etc.

Toutefois, vous devez être bénéficiaire d'aide de dernier recours depuis au moins six mois pour avoir droit notamment aux services dentaires, aux lunettes, aux dentiers, aux appareils auditifs. Pour connaître l'ensemble du programme d'aide de dernier recours, ce qu'il couvre et les procédures à suivre, adressez-vous au bureau local le plus près de chez vous. Vous trouverez la liste dans les pages bleues de votre annuaire téléphonique dans la section Gouvernement du Québec, sous la rubrique « Sécurité du revenu-Centre Travail-Québec ». Un agent de l'aide de dernier recours vous informera et, s'il y a lieu, vous donnera rapidement un rendez-vous et vous indiquera les formalités à remplir.

Que faire si vous n'êtes pas d'accord avec la décision rendue ?

- si vous n'êtes pas satisfait de la réponse donnée à votre demande d'aide, vous pouvez formuler une demande de révision, dans les 90 jours suivant cette réponse, à votre bureau local ou au bureau régional dont ce bureau dépend;
- si la révision ne vous satisfait pas, vous pouvez en appeler auprès de la Commission des affaires sociales, dans les 90 jours qui suivent. La décision de la Commission des affaires sociales sera alors définitive.

Les formulaires appropriés sont disponibles à votre bureau local du programme de l'aide de dernier recours. Vous trouverez la liste dans les pages bleues de votre annuaire téléphonique dans la section Gouvernement du Québec, sous la rubrique « Sécurité du revenu-Travail-Québec ».

Le Régime de pension du Canada : partout sauf au Québec

Le Régime de pension du Canada s'applique partout au Canada sauf chez nous, puisqu'il existe au Québec un programme comparable : le Régime de rentes du Québec. Mais ne vous inquiétez pas! Si vous avez travaillé au Québec et dans une autre province canadienne, vous êtes protégé, puisque les prestations sont transférables.

Le Régime du Canada. Pour qui est-ce ?

Si vous avez travaillé dans une autre province du Canada, vous avez probablement cotisé au Régime de pension du Canada. Par ailleurs, si vous avez travaillé au Québec, mais avez demandé de verser vos cotisations à ce régime plutôt qu'au Régime de rentes du Québec, vous êtes admissible. Cependant, selon les cas, on exige un certain nombre d'années de cotisation.

De quels types de rente pouvez-vous bénéficier ?

Comme le Régime de rentes du Québec, le Régime de pension du Canada comprend :

- une prestation de retraite;
- une prestation d'invalidité;
- une prestation de décès et de survivant.

Pour information :

Programme de la sécurité du revenu
Développement des Ressources humaines Canada
330, de la Gare du Palais
Québec (Québec)
G1K 7L5
Tél. : (418) 648-3332
Sans frais : 1 800 463-5081

L'allocation aux anciens combattants et l'allocation de guerre pour les civils

Ces allocations vous concernent-elles ?

Si vous êtes un ancien combattant des Forces armées du Canada, du Commonwealth et des pays alliés ou un civil ayant secondé étroitement les Forces armées, vous êtes admissible à ces allocations, pourvu que votre service en temps de guerre et votre lieu de résidence soient conformes aux exigences de la loi et qu'en raison de votre âge ou d'une invalidité, vous soyez incapable de travailler et que vos revenus, selon un examen du revenu modifié, ne vous permettent pas de subvenir à vos besoins.

Comment est établi le montant de votre allocation ?

Le montant de votre allocation dépend de vos revenus non exemptés, si des allocations supplémentaires vous sont versées pour des enfants à charge et si vous êtes célibataire ou marié.

Où s'adresser ?

Si vous désirez obtenir d'autres renseignements et les formulaires de demande, veuillez vous adresser au bureau de district du ministère des Anciens combattants du Canada qui dessert votre localité. Voici la liste d'adresses de ces bureaux :

Gatineau

460, boul. Gréber
Gatineau (Québec)
J8P 6C7

Tél. : (819) 953-6133
Sans frais : 1 800 567-1274

Sherbrooke

1650, rue King Ouest
Bureau 201
Sherbrooke (Québec)
J1J 2C3

Tél. : (819) 564-5525
Sans frais : 1 800 567-7324

Montréal
4545, chemin de la
Reine-Marie
Montréal (Québec)
H3W 1W4

Tél. : (514) 496-2121
Sans frais : 1 800 361-7705

Québec
Place Laurier
Bureau 6010, 6e étage
2700, boul. Laurier
Sainte-Foy (Québec)
G1V 4K5

Tél. : (418) 648-3102
Sans frais : 1 800 463-2140

Vos épargnes d'hier ont porté fruit

Il y a 10 ou 20 ans, lorsque vous avez décidé d'investir dans un régime de retraite, vous vouliez vous assurer un revenu pour l'avenir. Mais une fois venue cette divine période de la retraite, que faites-vous avec cet argent ? Vous le retirez ? Vous le faites fructifier ?

Magasinez auprès des assureurs-vie et des compagnies de fiducie pour profiter au maximum de cette épargne si durement accumulée.

Pour information :

Bureau des assureurs du Canada
425, boul. De Maisonneuve Ouest
Bureau 900
Montréal (Québec)
H3A 3G5

Tél. : (514) 288-6015
Sans frais : 1 800 361-5131

N'oubliez pas les autres sources de revenu

À titre de source de revenu, vous avez, certes, les prestations des gouvernements. Pour certains d'entre vous, « revenu » signifie aussi :

- action de compagnie;
- certificat de dépôt à terme;
- compte d'épargne;

- gain en capital lors de la vente d'une propriété;
- obligation d'épargne;
- régime d'épargne-actions;
- régime enregistré d'épargne-retraite;
- revenu de location;
- revenu de placements;
- fonds mutuel;
- et bien d'autres encore.

Toutefois, soyez aux aguets, car ces revenus ont des répercussions sur votre budget :

- ils sont imposables à divers degrés selon leur nature (ex. : intérêts imposables à 100 % et gains en capital imposables à 75 %), ne l'oubliez pas, car le fisc se chargera de vous le rappeler en temps et lieu;
- dans le cas des régimes de pension où l'ensemble de vos revenus est considéré, ils peuvent modifier vos prestations; par exemple, les suppléments de revenu garanti des deux ordres de gouvernement.

Puisque chaque cas est particulier, il est préférable de communiquer avec les organismes qui offrent les régimes de retraite pour connaître l'influence de ces « petits détails ».

Revenu Québec

Montréal

Direction des renseignements

3, complexe Desjardins
C.P. 3000, succ. Desjardins
Montréal (Québec)
H5B 1A4

Tél. : (514) 873-2611
Sans frais : 1 800 363-9011

Québec

Direction des renseignements

3800, rue de Marly
Sainte-Foy (Québec)
G1X 4A5

Tél. : (418) 659-6500
Sans frais : 1 800 463-2397

Revenu Canada

Montréal

305, boul. René-Lévesque Ouest
Montréal (Québec)
H2Z 1A6

Tél. : (514) 283-5300
Sans frais : 1 800 361-2808

Québec

165, de la Pointe-aux-Lièvres Sud
Québec (Québec)
G1K 7L3

Tél. : (418) 648-3180
Sans frais : 1 800 463-4421

Bureau d'assurance du Canada (BAC)

425, boul. De Maisonneuve Ouest
Bureau 900
Montréal (Québec)
H3A 3G5

Tél. : (514) 288-6015
Sans frais : 1 800 361-5131

Association canadienne des compagnies d'assurances de personnes inc. (ACCAP)

1001, boul. De Maisonneuve Ouest
Bureau 630
Montréal (Québec)
H3A 3C8

Tél. : (514) 845-6173
Sans frais : 1 800 361-8070

Ordre des comptables agréés du Québec

680, rue Sherbrooke Ouest
7e étage
Montréal (Québec)
H3A 2S3

Tél. : (514) 288-3256
Sans frais : 1 800 363-4688

Vous êtes privilégié...

Votre âge vous permet de bénéficier de nombreux avantages, notamment dans les institutions bancaires. La plupart d'entre elles ont prévu une foule de petites attentions qui peuvent vous faire économiser de l'argent ou faire fructifier vos épargnes.

Peu importe votre revenu, on a pensé à vous :

- compte d'épargne avec taux d'intérêt plus élevés;
- une réduction dans la location d'un coffret de sûreté;
- aucuns frais pour l'administration des chèques personnels;
- réduction des frais pour les chèques de voyage;
- aucuns frais supplémentaires sur le paiement des comptes publics.

Informez-vous! C'est à votre avantage. Votre gérant de banque, votre courtier en fiducie, votre notaire, votre comptable se feront un plaisir de vous renseigner.

Les régimes de retraite privés

Fonds de pension avec employeur

Vous souvenez-vous du fonds de pension auquel vous aviez cotisé chez tel ou tel employeur ? Savez-vous au moins à combien se montent vos cotisations ?

Il est de votre droit de connaître ces renseignements, car il s'agit de votre argent. Lorsque vous étiez au service de cet employeur, le comité de retraite devait vous fournir automatiquement, sans que vous en fassiez la demande, un relevé annuel de vos gains et lors d'événements particuliers, soit en cas d'invalidité, de cessation de participation, de décès, etc. Mais il est de votre droit, même si vous n'êtes plus en fonction, de demander un relevé de vos cotisations dans les 30 jours suivant votre demande écrite. Vous devez, lors de votre demande écrite, préciser les documents dont vous voulez prendre connaissance. L'administrateur de votre régime doit y donner suite dans les 30 jours suivant sa réception. Par contre, si votre demande survient pendant la période où l'administrateur doit fournir le relevé annuel de tous ses employés, il peut attendre la fin de cette période.

Quels documents vous fera-t-on parvenir ?

Il s'agit de documents qui concernent l'administration et la situation financière de votre régime dans son ensemble :

- toute disposition faisant partie d'un document prévoyant des conditions de travail relatives au régime de retraite;
- la politique de placement du comité de retraite;
- les actes de délégation des pouvoirs du comité de retraite;
- toute entente-cadre permettant aux participants de transférer des droits ou des actifs dans un autre régime;
- les déclarations annuelles et les rapports financiers;
- les rapports qui, transmis à la Régie, sont relatifs aux évaluations actuarielles du régime;
- la correspondance échangée entre la Régie et le comité de retraite au cours des 60 mois qui précèdent la date de la demande de consultation, à l'exception de celle portant sur un autre travailleur, participant ou bénéficiaire.

À noter, cependant, que vous ne pouvez demander ces documents qu'une seule fois par période de douze mois.

Pour information :

Direction des régimes de retraite
Régie des rentes du Québec
C.P. 5200
Québec (Québec)
G1K 7S9

Tél. : (418) 643-8282

Si vous quittez votre emploi ou si vous êtes âgé de 65 ans, êtes-vous contraint de retirer votre fonds de pension ?

Non, vous pouvez laisser fructifier votre petit magot jusqu'à l'âge de 71 ans, ce qui vous permettra d'obtenir, au moment opportun, une rente plus intéressante. Vous pouvez exiger le versement de votre pension lorsque bon vous semble entre 65 et 71 ans.

Existe-t-il d'autres recours pour abriter fiscalement cet argent ?

Transférer cet argent dans un régime enregistré d'épargne-retraite (REER) peut constituer l'une des solutions si vous n'en avez pas besoin à cette période précise. Cette option est permise jusqu'à l'âge de 71 ans et vous évitera l'imposition de ce montant. Lorsque, à 71 ans, vous retirerez votre capital, le taux d'imposition sera moindre puisque vos revenus auront diminué. La même règle s'applique aux pensions de Sécurité de la vieillesse du Canada et aux rentes du Québec.

Quel type de rente devez-vous choisir ?

Une rente « sur mesure », adaptée à vos besoins. Il existe cinq types de rente dont voici les caractéristiques principales :

1. *Une rente viagère*

Cette rente est versée mensuellement ou annuellement durant toute votre vie. Les versements cessent à votre décès. Cette forme de rente vous permet d'obtenir le plus fort revenu par dollar de prime que vous avez payé. C'est la modalité de service qui vous conviendra le mieux si vous n'avez pas de personnes à charge ou si vous avez pourvu à vos besoins grâce à une assurance-vie.

2. *Une rente viagère comportant une période garantie*

Ce type de rente vous assure une rente durant toute votre vie, mais elle garantit, de plus, un revenu de rente à votre bénéficiaire, si vous mourez avant une certaine date, soit 5, 10 ou 15 ans après qu'on a commencé à vous la verser. Plus cette période sera longue, moins ces paiements seront élevés. Ainsi, si vous commencez à percevoir votre rente à 60 ans et que vous disparaissez à 75 ans, cet arrangement en viager permettra à votre bénéficiaire de recevoir une rente jusqu'à la fin de la période garantie.

3. U*ne rente viagère à remboursement par versements*

Cette rente prévoit que, si vous mourez avant d'avoir reçu le même montant en capital que les sommes que vous avez versées pour le constituer, votre bénéficiaire continuera de recevoir votre revenu de retraite jusqu'à ce que le total des versements ait atteint l'équivalent dudit capital.

4. U*ne rente viagère à remboursement comptant*

Celle-ci offre la même garantie que la rente viagère à remboursement par garantie, sauf que votre bénéficiaire recevra, à votre décès, la somme due en un seul paiement.

5. U*ne rente réversible*

Cette dernière permet à votre conjoint de recevoir une rente durant toute sa vie après votre décès.

Le régime enregistré d'épargne-retraite (REER) : un bas de laine à l'ancienne... servi à la moderne

À l'âge de 60 ans, pouvez-vous continuer à contribuer à votre régime enregistré d'épargne-retraite ?

Certainement, si vous avez des revenus suffisants, vous pouvez contribuer à votre régime jusqu'à la fin de l'année où vous atteindrez l'âge de 71 ans. C'est aussi l'âge limite pour acquérir un régime enregistré d'épargne-retraite.

Devez-vous limiter vos contributions ?

Oui et peu importe votre âge, cela fait partie des règles du jeu. Vous pouvez verser une contribution équivalente à 18 % de votre revenu gagné jusqu'à concurrence de 13 500 $ moins vos contributions au régime de retraite de votre employeur et du régime de participation différée aux bénéficiaires (RPDB).

De plus, vous pouvez excéder de 8000 $ vos cotisations permises à un REER à vie. Par contre, si vous excédez 8000 $, il vous en coûtera une pénalité de 1 % par mois. Cependant, l'excédent cotisé (maximum permis de 8000 $) dans un REER une année donnée ne peut être déduit de vos impôts pendant l'année de contribution, mais vous pouvez utiliser la déduction une année subséquente en vertu des dispositions relatives au report prospectif.

Quelles sont les options qui s'offrent à vous lorsque sonne l'heure de la retraite ?

En premier lieu, sachez que vous pouvez mettre fin à votre régime enregistré d'épargne-retraite n'importe quand entre votre 60e et 71e anniversaire. À ce dernier anniversaire, vous devez y mettre fin obligatoirement.

Choisissez ce qui vous convient le mieux entre :

- retirer d'un seul coup les fonds accumulés dans votre régime. Toutefois, rappelez-vous que toutes ces sommes sont imposables... Gare au fisc;
- acheter une rente viagère (jusqu'à votre décès) auprès d'une institution financière autorisée. Il s'agit d'un contrat de rente pouvant s'étaler sur une période minimale garantie. Toutefois, celle-ci ne doit pas être supérieure au nombre d'années comprises entre votre âge actuel et 90 ans. Par exemple, si vous avez 71 ans lorsque vous achetez votre rente, cette période peut être de 19 ans;

- constituer une rente à terme auprès d'une compagnie d'assurance-vie, d'une société de fiducie ou des divers autres organismes offrant un régime enregistré d'épargne-retraite. Ce contrat de rente peut comporter une clause de réversion en faveur de votre conjoint survivant. La rente s'étale jusqu'à ce que vous atteigniez 90 ans, ou jusqu'à ce que votre conjoint atteigne cet âge;
- acheter un (ou plusieurs) fonds enregistré de revenu de retraite (FEER) auprès d'une compagnie de fiducie, d'une compagnie d'assurance-vie, d'une coopérative d'épargne et de crédit ou de la majorité des institutions financières. Les dispositions qui régissent ce régime sont identiques à celles régissant les régimes enregistrés d'épargne-retraite. Les prestations offertes au fonds enregistré de revenu de retraite augmentent au fil des années et constituent un rempart intéressant contre l'inflation.

Est-ce que les fonds de votre régime de retraite peuvent être légués à votre décès ?

Certainement, il s'agit de votre argent. Mais prenez vos précautions, car ce bel héritage peut enrichir le trésor de la province. Il ne faut jamais oublier que les sommes accumulées dans un régime enregistré d'épargne-retraite sont imposables dès qu'on les retire. Si vous léguez cette épargne à votre conjoint, conseillez-lui fortement de la verser automatiquement dans son propre régime d'épargne-retraite personnel, sinon l'impôt effectuera une visite de courtoisie chez elle.

Pour information :

Revenu Québec

Sainte-Foy
3800, rue de Marly
Sainte-Foy (Québec)
G1X 4A5
Tél. : (418) 659-6299
Sans frais : 1 800 267-6299

Hull
Place-du-Centre
200, promenade du Portage
2e étage
Hull (Québec)
J8X 4B7
Tél. : (819) 770-1768
Sans frais : 1 800 567-9634

Jonquière
2154, rue Deschênes
Jonquière (Québec)
G7S 2A9
Tél. : (418) 548-4322
Sans frais : 1 800 463-6513

Laval
705, chemin du Trait-Carré
Laval (Québec)
H7N 1B3
Tél. : (514) 873-2611
Sans frais : 1 800 363-9011

Québec
265 A, rue de la Couronne
Québec (Québec)
G1K 6E1
Tél. : (418) 659-6299
Sans frais : 1 800 267-6299

Montréal
Complexe Desjardins
C.P. 3000, succ. Desjardins
Montréal (Québec)
H5B 1A4
Tél. : (514) 864-6299
Sans frais : 1 800 267-6299

Rimouski
212, avenue Belzile
Rimouski (Québec)
G5L 3C3
Tél. : (418) 722-3572
Sans frais : 1 800 463-0715

Rouyn-Noranda
75, rue Mgr-Tessier Ouest
Rouyn-Noranda (Québec)
J9X 2S5
Tél. : (819) 764-6761
Sans frais : 1 800 567-6941

Sept-Îles
456, rue Arnaud
Sept-Îles (Québec)
G4R 3B1
Tél. : (418) 968-0203
Sans frais : 1 800 463-1703

Sherbrooke
2665, rue King Ouest
Sherbrooke (Québec)
J1L 2H5
Tél. : (819) 563-3034
Sans frais : 1 800 567-3531

Sorel – Saint-Hyacinthe
101, rue du Roi
Sorel (Québec)
J3P 4N1

Sans frais : 1 800 267-6299

Trois-Rivières
225, rue des Forges
Trois-Rivières (Québec)
G9A 2G7

Tél. : (819) 379-5360
Sans frais : 1 800 567-9385

Service offert aux sourds

Les personnes sourdes qui ont à leur disposition un appareil de télécommunications pour sourds peuvent communiquer directement avec le ministère du Revenu. Il leur suffit de composer : à Montréal, le 873-4455; à l'extérieur de Montréal, le 1 800 361-3795 (sans frais).

R*evenu Canada* :

Laval
3131, boul. Saint-Martin Ouest
Laval (Québec)
H7T 2A7

Pour des demandes de formules :	(514) 956-9115
Pour des renseignements généraux :	(514) 956-9101
Sans frais :	1 800 363-2218

Montréal
305, boul. René-Lévesque Ouest
Montréal (Québec)
H2Z 1A6

Pour des demandes de formules :	(514) 283-5623
Pour des renseignements généraux :	(514) 283-5300
Sans frais :	1 800 361-2808

Québec
165, rue de la Pointe-aux-Lièvres Sud
Québec (Québec)
G1K 7L3

Pour des demandes de formules :	(418) 648-4083
Pour des renseignements généraux :	(418) 648-3180
Sans frais :	1 800 463-4421

Chicoutimi
100, avenue Lafontaine
Bureau 211
Chicoutimi (Québec)
G7H 6X2

Pour des demandes de formules :	(418) 698-5580
Pour des renseignements généraux :	(418) 698-5580
Sans frais :	1 800 463-4421

Rimouski
320, Saint-Germain Est
4e étage
Rimouski (Québec)
G5L 1C2

Pour des demandes de formules :	1 800 463-4421
Pour des renseignements généraux :	(418) 722-3111
Sans frais :	1 800 463-4421

Trois-Rivières
25, boul. des Forges
Bureau 111
Trois-Rivières (Québec)
G9A 2G4

Pour des demandes de formules :	(819) 373-2723
Pour des renseignements généraux :	(819) 373-2723
Sans frais :	1 800 567-9325

Rouyn-Noranda
44, avenue du Lac
Rouyn-Noranda (Québec)
J9X 6Z9

Pour des demandes de formules :	(819) 764-5171
Pour des renseignements généraux :	(819) 764-5171
Sans frais :	1 800 567-6403

Saint-Hubert
5245, boul. Cousineau
Saint-Hubert (Québec)
J3Y 7Z7

Pour des demandes de formules :	(514) 445-5264
Pour des renseignements généraux :	(514) 283-5300
Sans frais :	1 800 361-2808

Sherbrooke
50, place de la Cité
Sherbrooke (Québec)
J1H 5L8

Pour des demandes de formules :	(819) 821-8565
Pour des renseignements généraux :	(819) 564-5888
Sans frais :	1 800 567-6403

Association canadienne des compagnies d'assurances de personnes (ACCAP) inc.
1001, boul. De Maisonneuve Ouest
Bureau 630
Montréal (Québec)
H3A 3C8

Tél. : (514) 845-6173
Sans frais : 1 800 361-8070

Bureau d'assurance du Canada (BAC)
425, boul. De Maisonneuve Ouest
Bureau 900
Montréal (Québec)
H3A 3G5

Tél. : (514) 288-6015
Sans frais : 1 800 361-5131

ou avec votre assureur-vie.

EN RÉSUMÉ : SI VOUS DÉSIREZ AUGMENTER VOS REVENUS À LA RETRAITE...

- révisez vos besoins d'assurance et de sécurité de toute nature :
  - modifiez votre police d'assurance feu-vol en incluant la clause de « valeur à neuf » sur les biens meubles;
  - protégez vos biens et valeurs en souscrivant à une assurance-voyage temporaire en cas de maladie-accident lors de voyages en dehors du pays;

 - révisez vos polices d'assurance-vie pour vérifier si elles correspondent encore à vos besoins (police acquittée, valeur de rachat);
- rembourssez en priorité vos prêts hypothécaires à taux d'intérêt élevés une fois que vous aurez atteint le niveau annuel de 1000 $ de revenus de placements servant de déductions admissibles sur vos déclarations d'impôts;
- réduisez et reportez les paiements de votre impôt par le biais d'achats d'abris fiscaux : REER, REAQ;
- étudiez et évaluez dès maintenant l'éventualité où vous devrez vendre votre maison, des biens immeubles, ainsi que les répercussions sur la situation de vos revenus, votre nouveau style de vie et les conséquences financières et fiscales de ces ventes;
- analysez et considérez sous tous ses aspects l'achat d'une autre habitation plus petite, ou autre genre de résidence principale;
- favorisez la formation financière et fiscale de votre conjoint et de vous-même en tenant compte du fait que votre salaire disparaîtra à la retraite, des occasions présentes d'augmenter vos revenus de placement, de l'existence des abris fiscaux et autres dispositions législatives favorisant les crédits et déductions d'impôt sur le revenu, surtout au moment de la retraite.

Le budget

Un outil de mieux-être

Prévoir, voir les choses avant qu'elles n'arrivent, voilà la raison d'être d'un budget.

FAITES UN BILAN DE VOS REVENUS MENSUELS	REVENUS
Pension de la Sécurité de la vieillesse	$
Régime des rentes du Québec ou Pension du Canada	$
Assurance-vie (si elle procure une rente)	$
Pension de l'employeur, du syndicat ou de la caisse de retraite	$
Rentes personnelles	$
Comptes d'épargne	$
Comptes de chèques	$
Actions, obligations, fonds mutuels	$
Hypothèques à recevoir	$
Comptes à recevoir	$
Autres revenus	$
Total de vos revenus mensuels	$

Le budget (suite)

FAITES UN BILAN DE VOS DÉPENSES MENSUELLES	REVENUS
Loyer ou remboursement de l'hypothèque	$
Autres dépenses de la maison (taxes, assurances, réparations, etc.)	$
Électricité, eau, gaz, mazout, chauffage, téléphone	$
Assurance-vie	$
Assurance-maladie	$
Autres assurances (feu, vol, auto, voyages, etc.)	$
Cotisations	$
Impôts sur le revenu	$
Taxes foncières et locales	$
Nourriture	$
Vêtements	$
Diverses dépenses ménagères (buanderie, nettoyage, etc.)	$
Journaux, revues, loisirs, sorties	$
Transport et frais de travail, s'il y a lieu	$
Médicaments, dentistes, optométristes	$
Divers (loisirs, coiffeur, journaux, cadeaux, etc.)	$
Total de vos dépenses mensuelles	$

CHAPITRE 6

VOS IMPÔTS

À LA RETRAITE, N'OUBLIEZ PAS VOS IMPÔTS

À sa retraite depuis maintenant un an, Mme Beloeil perçoit ses revenus des rentes gouvernementales. Ainsi, au mois de décembre dernier, elle fut très surprise de recevoir, par le courrier, une enveloppe du ministère du Revenu contenant tous les formulaires nécessaires pour produire une déclaration de revenus. Mme Beloeil ne possède ni fonds de pension ni autres revenus substantiels. Alors pourquoi préparer une déclaration de revenus ?

Il s'agit d'une simple question de formalité; l'impôt préfère recevoir de vos nouvelles même si vos revenus sont faibles. Aucune loi ne vous y oblige, mais il demeure avantageux de le faire.

Avantageux en quoi ?

Si vous voulez recevoir votre remboursement d'impôt foncier

Lorsque vous payez votre loyer, une partie de ce montant couvre les taxes foncières de la bâtisse que vous habitez. Naturellement, vous ne payez que pour la surface que vous occupez. La loi prévoit un remboursement d'impôt foncier qui peut représenter un montant maximum de 514 $ par année.

Si vous voulez bénéficier du programme Logirente

Pour être admissible à ce programme d'allocation-logement du gouvernement du Québec, vous devez être âgé de 57 ans et plus, et le coût de votre logement doit représenter plus de 30 % de votre revenu annuel, y compris le revenu de votre conjoint ou de tout autre personne habitant votre logement à l'exception d'un chambreur. De plus, vous et votre conjoint ne devez pas avoir plus de 50 000 $ en biens, sans tenir compte de la valeur de votre résidence, du terrain sur lequel elle est érigée, de vos meubles et de votre automobile personnelle. Le 31 décembre 1994, vous et votre conjoint devez résider au Québec et être au Canada depuis au moins un an à cette date.

Pour connaître votre revenu annuel, vous devez produire une déclaration de revenus qui, de plus, sert de pièce justificative lors de votre demande au programme Logirente.

Pour information :

Ministère du Revenu

Hull
Tél. : (819) 770-1768
Sans frais : 1 800 567-9634

Laval
Tél. : (514) 864-6299
Sans frais : 1 800 267-6299

Québec
Tél. : (418) 659-6299
Sans frais : 1 800 267-6299

Rouyn-Noranda
Tél. : (819) 764-6761
Sans frais : 1 800 567-6491

Sept-Îles
Tél. : (418) 968-0203
Sans frais : 1 800 463-1703

Sorel
Tél. : (514) 742-9435
Sans frais : 1 800 363-0093

Nouveau-Québec
Sans frais : 1 800 463-2397

Jonquière
Tél. : (418) 548-4322
Sans frais : 1 800 463-6513

Montréal
(514) 864-6299
Sans frais : 1 800 267-6299

Rimouski
Tél. : (418) 722-3572
Sans frais : 1 800 463-0715

Sainte-Foy
Tél. : (418) 659-6299
Sans frais : 1 800 267-6299

Sherbrooke
Tél. : (819) 563-3034
Sans frais : 1 800 567-3531

Trois-Rivières
Tél. : (819) 379-5360
Sans frais : 1 800 567-9385

Vous pouvez aussi obtenir des renseignements d'ordre général sur le programme Logirente auprès de la Société d'habitation du Québec aux numéros suivants :

Québec : 643-7675

Sans frais : 1 800 463-4315

Si vous voulez recevoir le crédit de TPS *du Fédéral*

Cochez la case « oui » ou la case « non » à la page 1 de votre déclaration de revenus afin d'indiquer si vous demandez le crédit. Le montant du crédit sera le même, peu importe qui en fait la demande. N'oubliez pas d'inscrire le revenu net de votre conjoint.

Vous ne pouvez pas demander le crédit pour la TPS si, à la fin de 1994, vous étiez détenu dans une prison ou dans un établissement semblable et vous y êtes resté pendant plus de six mois.

Vous ne recevrez pas le crédit pour la TPS en même temps que votre remboursement d'impôt. Vous recevrez un avis en juillet du montant du crédit auquel vous avez droit et de la façon dont il est calculé.

Si vous désirez calculer vous-même le montant auquel vous avez droit, comptez 199 $ pour vous-même et 199 $ pour votre conjoint. Si vous n'avez pas de conjoint et si votre revenu net dépasse 6456 $, vous pouvez avoir droit à un crédit supplémentaire. Le montant de ce crédit est le moins élevé des montants suivants : 105 $ ou 2 % de la partie de votre revenu net qui dépasse 6456 $.

Crédits accordés en raison de l'âge

Étant donné que vous étiez âgé de 65 ans ou plus le 31 décembre 1994, vous avez droit à un montant de 2200 $ au Québec et jusqu'à 3482 $ au Canada.

Crédits relatifs au revenu de pensions

Vous pouvez également recevoir un montant maximal de 1000 $ pour certains revenus de retraite tant au provincial qu'au fédéral. À titre d'exemple :

- les paiements de retraite reçus d'un régime de pension à titre de rente viagère;
- les paiements de rente d'un régime enregistré d'épargne-retraite (REER);
- les paiements d'un fonds enregistré de revenu de retraite (FERR);
- les paiements de rente d'un régime de participation différée aux bénéfices;
- les paiements de rente ordinaires et paiements reçus d'un contrat de rente à versements invariables; etc.

À noter que la pension de Sécurité de la vieillesse et les rentes versées en vertu du Régime de rentes du Québec ou du Régime de pensions du Canada ne donnent pas droit à ce montant.

Frais médicaux

Pour donner droit à un crédit d'impôt, les frais médicaux doivent excéder le plus petit des montants qui suivent : 1614 $ ou 3 % du revenu net. Naturellement, ces frais doivent être prescrits par un médecin ou un dentiste.

Voici quelques exemples :

- la fabrication, la réparation et la mise en place de dentiers;
- les lunettes ou autres appareils de traitement ou de correction des troubles visuels;
- le transport par ambulance à destination ou en provenance d'un centre hospitalier public ou privé;
- une tente à oxygène;
- un membre artificiel;
- un poumon d'acier;

- un lit à bascule;
- un fauteuil roulant;
- des béquilles;
- un corset dorsal;
- des chaussures orthopédiques;
- et plusieurs autres frais.

Crédits pour personnes handicapées

Au Québec

Vous avez droit à un montant de 2200 $ si vous avez une déficience physique ou mentale grave et prolongée et si un médecin ou un optométriste, selon le cas, a attesté que celle-ci limitait de façon marquée votre capacité d'accomplir une activité courante de la vie quotidienne. Votre déficience peut être considérée comme prolongée si elle a duré au moins 12 mois consécutifs, ou qu'il est ou était raisonnable de s'attendre, si elle s'est manifestée en 1994, à ce qu'elle se poursuive sans interruption pendant au moins 12 mois.

De même, elle peut être réputée avoir limité de façon marquée votre capacité d'accomplir une activité courante de la vie quotidienne si, même avec des soins thérapeutiques et des appareils ainsi que des médicaments appropriés, vous étiez aveugle ou incapable d'accomplir cette activité, ou s'il vous fallait un temps excessif pour l'accomplir.

Au Canada

Pour les mêmes conditions, vous pouvez déduire le montant de 4233 $ pour personnes handicapées.

Une collection de timbres ou une aquarelle pourrait vous donner droit à un crédit d'impôt

M. Bellefeuille possède une aquarelle qu'il aimerait donner à une galerie d'art. Ce don, comme certains autres, pourrait bien avoir des incidences fiscales...

Comment donner un bien ?

Il existe une façon de faire un don de ces biens :

- en premier lieu, M. Bellefeuille devra décider à qui il fera don de son aquarelle. Cette décision est importante, car la façon dont un don est accordé modifie les avantages fiscaux qui en découlent;
- par la suite, il s'agit de faire évaluer l'aquarelle. Une ou plusieurs évaluations sont nécessaires afin d'établir la juste valeur marchande du don et de permettre ainsi de calculer le gain en capital de M. Bellefeuille. Naturellement, l'évaluateur doit être indépendant, c'est-à-dire qu'il ne doit pas être lié ni avec M. Bellefeuille ni avec l'établissement bénéficiaire;
- une fois l'aquarelle évaluée, l'établissement émet un reçu indiquant sa juste valeur marchande. Si le don de M. Bellefeuille entre dans le champ d'application de la Loi sur l'exportation et l'importation de biens culturels (1974-75-75, c. 50) et a été certifié par la Commission canadienne d'examen des exportations de biens culturels, il recevra un certificat de la Commission;
- M. Bellefeuille devra annexer à sa déclaration d'impôt sur le revenu ce certificat et le reçu officiel de l'établissement bénéficiaire de son don. À noter que la déduction d'impôt s'applique l'année où le don est fait, quelle que soit la date d'émission du « Certificat fiscal visant des biens culturels » ou de quelque reçu.

Tout cela vous donne l'envie de donner ?
Contactez votre bureau de district de l'impôt pour de plus amples renseignements.

Les autres types de dons

Dons à des œuvres de charité

M. Bellefeuille peut offrir un don à une œuvre de charité. Cependant, lors du calcul de son revenu imposable de l'année, sa déduction ne pourra pas dépasser 20 % de son revenu net. Les dons de charité ouvrant droit à un crédit d'impôt sont ceux que vous avez faits notamment à :

- un organisme de charité enregistré;
- une association canadienne de sport amateur prescrite;
- un organisme artistique reconnu par le ministre du Revenu du Québec;
- une municipalité canadienne;
- l'Organisation des Nations Unies ou ses organismes;
- une université étrangère prescrite.

Dons au gouvernement

Le montant que M. Bellefeuille peut déduire pour un don consenti à un établissement du gouvernement provincial ou du gouvernement fédéral constitue un don au gouvernement. Il pourra inscrire toute la juste valeur marchande du don.

Dons de biens culturels

Si M. Bellefeuille fait un don à un établissement ou à une administration désignée des biens qui ont été certifiés par la Commission canadienne d'examen des exportations de biens culturels, il pourra inscrire la pleine valeur de son don.

Report des dons

Toute portion de la valeur du don, qui n'est pas absorbée par le revenu imposable d'une année d'imposition, peut être reportée sur les cinq années suivantes et déduite ces années-là. De plus, les gains en capital résultant de la cession de biens culturels certifiés ne sont pas imposables.

Il existe d'autres crédits d'impôt tels que :

- montant pour conjoint;
- montant pour enfants à charge;
- cotisation d'assurance-chômage;
- cotisations au Régime de rentes du Québec et au Régime de pensions du Canada;
- cotisation au fonds des services de santé;
- montant pour un membre d'un ordre religieux;
- montants transférés d'un conjoint à l'autre, etc.

Vous trouverez tous les détails de ces crédits d'impôt non remboursables dans votre guide de déclaration de revenus. Si vous avez des problèmes ou des questions à ce sujet, communiquez avec Revenu Québec ou Revenu Canada qui peuvent vous aider.

IMPOSABLE OU PAS ?

Vous devez déclarer la plupart des revenus que vous avez reçus en 1994, car ils sont imposables :

- revenus d'emploi;
- revenus de pension (ex. : Sécurité de la vieillesse);
- revenus d'intérêts;
- revenus de location;
- indemnités pour accident de travail;
- prestations de sécurité du revenu;
- revenus d'entreprise et de profession;
- pension alimentaire reçue;
- gains en capital;
- autres sources de revenu.

Gains en capital imposables

Au Québec

Si vous avez aliéné des immobilisations (action, obligation, créance, terrain, bien immeuble, etc.), il se peut que vous ayez à inclure dans votre revenu une partie du gain réalisé. Si vous avez subi des pertes dans l'année, vous pouvez, à certaines conditions, les déduire de vos gains en capital de la même année. Si vos gains excèdent vos pertes, les trois quarts de cet excédent doivent être inscrit dans la partie revenu total de votre déclaration de revenus à titre de gain en capital imposable. Par contre, si vos pertes excèdent vos gains, les trois quarts de cet excédent constituent une perte nette en capital, qui ne peut être déduite dans l'année.

Exemption sur les gains en capital imposables

Depuis le 23 février 1994, l'exemption sur les gains en capital imposables est abolie, sauf à l'égard des gains en capital réalisés lors de l'aliénation de biens agricoles admissibles, d'actions admissibles de petite entreprise ou de certains biens relatifs aux ressources. L'exemption maximale est de 375 000 $ ou 75 000 $, selon la nature du bien aliéné. Cependant, vous pouvez demander une exemption sur les gains en capital imposables réputés réalisés avant le 23 février 1994 dans le cas de revenus d'entreprise.

Au Canada

Vous ne pouvez plus demander la déduction pour gains en capital pour des gains réalisés après le 22 février 1994 sur des dispositions de biens autres que des actions admissibles de petite entreprise ou des biens agricoles admissibles (déductions de 500 000 $ pour ces derniers).

Gains en capital imposables relatifs à un choix

Vous pouvez faire un choix dans votre déclaration de revenus à l'égard d'un bien dont vous disposiez le 22 février et dont la disposition aurait résulté alors en un gain en capital imposable. Ce choix vous permettra de déclarer une partie ou la totalité de vos gains accumulés avant le 23 février 1994 et de bénéficier ainsi de toute partie inutilisée de votre exonération pour gains en capital de 100 000 $. Vous pouvez aussi faire ce choix pour déclarer les gains en capital accumulés avant le 23 février 1994 pour les biens immobiliers non utilisés dans le cadre d'une entreprise, ce qui vous permettra de bénéficier de toute partie inutilisée de votre déduction pour gains en capital sur la partie du gain qui s'applique à la période avant mars 1992.

Si vous ne faites pas ce choix, vous serez imposé sur le plein montant du gain en capital imposable dans l'année où vous disposerez du bien. Mais si vous faites ce choix, votre revenu net augmentera. Pour plus de renseignements, procurez-vous la trousse de choix intitulée « Trousse pour exercer un choix sur les gains en capital » à votre bureau d'impôt. Cette trousse comprend le formulaire TG64, « Choix de déclarer un gain en capital sur un bien possédé en fin de journée le 22 février 1994 ». Si vous voulez plus de renseignements après avoir reçu la trousse de choix, composez sans frais le 1 800 959-7383.

Certains revenus ne sont toutefois pas imposables

Vous n'avez pas à déclarer les revenus suivants :

- le crédit pour la TPS et la prestation fiscale pour enfants;
- les gains de loterie et les biens reçus en héritage;
- les indemnités d'invalidité et les allocations d'anciens combattants, ainsi que les pensions de personnes à charge;
- l'allocation à la naissance reçue de la Régie des rentes du Québec;
- les allocations familiales du Québec;
- les indemnités reçues de la Société de l'assurance automobile du Québec en vertu de la Loi sur l'assurance automobile.

Remarque

Les revenus que vous tirez de ces montants sont imposables, par exemple les revenus d'intérêt sur vos gains de loterie.

COMMENT RÉDUIRE OU REPORTER VOTRE IMPÔT ?

Il n'est jamais trop tard pour bien faire. Cette année, M. Bellefeuille a décidé, à 63 ans, de prendre sa retraite et de profiter pleinement de la vie. Mais la retraite n'existe pas pour les questions fiscales, et M. Bellefeuille doit prendre certaines précautions. Sa retraite lui permettra de toucher divers revenus qui alourdiront ses charges fiscales. La prudence est de mise... Il existe des solutions :

- le report de l'impôt par le biais d'un régime enregistré d'épargne-retraite (REER);
- crédit d'impôt pour la TVQ et la TPS;
- réduction d'impôt à l'égard de la famille;
- certaines déductions et exemptions pouvant être transférées entre conjoints;
- le régime d'épargne-actions;
- le remboursement d'impôt foncier.

Remarque :

À noter qu'il faut bien magasiner les REER, car une différence importante peut varier d'un à l'autre.

Ce qu'il faut savoir au sujet du régime d'épargne-actions (REA)

Le principe du régime d'épargne-actions (REA) est simple. Un montant d'argent est investi dans certaines actions d'entreprises québécoises, ce qui permet d'obtenir une économie d'impôt, puisqu'on peut déduire de son revenu imposable le coût rajusté des actions. Mais prenez garde! ce petit bijou de mesure fiscale est propre au Québec et ne s'applique qu'à l'impôt québécois.

À la retraite, le régime d'épargne-actions (REA) constitue un abri fiscal valable lorsqu'il y a un revenu imposable. Ainsi, dans le cas de M. Bellefeuille, si à la retraite ses revenus sont moindres et que les questions d'impôt ne sont plus une source de tracas, le régime d'épargne-actions (REA) perd beaucoup de sa valeur. Par contre, s'il doit toujours surveiller son revenu total et s'il se méfie de cette impopulaire (mais indispensable) entité administrative qu'est le fisc, il peut être avantageux d'investir dans un régime d'épargne-actions (REA).

Si vous désirez des renseignements supplémentaires, vous pouvez vous adresser à l'un des bureaux de Revenu Québec.

Ce qu'il faut savoir au sujet du remboursement d'impôt foncier

Puisque cette année M. Bellefeuille a habité un logement, il pourra peut-être se prévaloir du remboursement d'impôt foncier. Ce remboursement est égal à 40 % des impôts fonciers diminués de 420 $ par conjoint moins 3 % du revenu imposable du ménage sans toutefois dépasser 514 $. Et, par surcroît, ce remboursement n'est pas imposable. Par contre, si M. Bellefeuille avait habité un logement administré par un office municipal d'habitation ou une chambre qui n'est pas dans un établissement spécialisé dans la location de chambres, il n'aurait pu bénéficier de ce remboursement.

Si M. Bellefeuille décidait d'aller habiter en Ontario, au Manitoba ou en Alberta, il pourrait obtenir un crédit d'impôt particulier à ces provinces. Dans ce cas, il suffit de s'informer auprès de Revenu Canada pour connaître toutes les modalités.

L'IMPÔT À LA RETRAITE : DES CHANGEMENTS S'IMPOSENT

Payer son impôt par acomptes provisionnels, cela vous dit-il quelque chose? Puisque M. Bellefeuille est à sa première année de retraite, ses revenus ont beaucoup changé, et ces modifications peuvent avoir des conséquences sur la façon de payer ses impôts.

M. Bellefeuille devra payer ses impôts par acomptes provisionnels si :

- la différence entre le total de l'impôt du Québec et la surtaxe que vous estimez devoir payer pour l'année 1995 et le montant estimatif de votre impôt retenu à la source pour l'année 1995 est supérieure à 1200 $, et si vous êtes dans l'une des deux situations suivantes :
  - la différence entre le total de l'impôt et de la surtaxe que vous devez payer pour l'année 1994 et votre impôt retenu à la source pour l'année 1994 est supérieure à 1200 $;
  - la différence entre le total de l'impôt et de la surtaxe pour l'année 1993 et votre impôt retenu à la source pour l'année 1993 est supérieure à 1200 $.

Comment calculer les acomptes à payer ?

Il existe quatre façons pour connaître le montant de vos versements trimestriels.

1. La détermination de vos versements par le ministère. Si vous désirez ne pas calculer le montant à verser pour vos acomptes provisionnels, le ministère vous informera chaque semestre. Il vous fera parvenir deux formulaires Versement d'acomptes provisionnels par un particulier (TPZ-1026) pour effectuer vos paiements. Le ministère déterminera les montants de vos acomptes provisionnels selon la méthode de calcul suivante :

- le montant des deux premiers versements (ceux du 15 mars et du 15 juin 1995) est calculé en fonction de l'avant-dernière année, soit en fonction de l'impôt et des cotisations au RRQ et au FSS de la déclaration de revenus de 1993;
- les troisième et quatrième versements (15 septembre et 15 décembre 1995) seront calculés en fonction des renseignements contenus dans votre déclaration de revenus de 1994.

Pour utiliser cette méthode de paiement, il vous suffit d'effectuer aux dates prévues les versements des montants inscrits à la partie 1 du formulaire. Vous pourrez payer le solde, sans intérêt, au plus tard le 30 avril 1996, lorsque vous produirez votre déclaration de revenus de 1995.

2. La méthode de l'avant-dernière année. Par cette méthode, vous déterminerez vous-même le montant annuel de vos versements d'après la méthode de calcul que nous venons de décrire.

3. La méthode de calcul de l'année en cours. Par cette méthode, vous déterminerez le montant annuel de vos versements d'après les montants prévus de votre impôt, de vos cotisations au RRQ et au FSS, et, s'il y a lieu, de vos retenues à la source de l'année courante (1995). Par la suite, vous divisez ce montant par quatre, le résultat correspondant à chacun de vos versements trimestriels.

4. La méthode de calcul de l'année dernière. Par cette méthode, vous déterminez le montant annuel de vos versements d'après les montants de votre impôt et de vos cotisations au RRQ et au FSS, pour l'année 1994, et, s'il y a lieu, de vos retenues à la source de l'année courante (1995). Par la suite, vous divisez ce montant par quatre, le résultat correspondant à chacun de vos versements trimestriels.

Vous avez surestimé ou sous-estimé vos paiements

Pas de problème!

Lorsque M. Bellefeuille enverra sa déclaration d'impôt, soit au plus tard le 30 avril, il pourra débourser toute insuffisance entre le total des acomptes versés et l'impôt qu'il aurait dû payer pour l'année. Bien sûr, si M. Bellefeuille a payé de l'impôt en trop, il aura droit à un remboursement.

Cette situation vous embête ?

Çette façon de procéder déplaît à M. Bellefeuille. Il peut demander que l'impôt soit retenu sur certains de ses revenus tels les prestations de la Régie des rentes du Québec, celles du Régime de pension du Canada et les paiements de pension de Sécurité de la vieillesse.

Les pays chauds à la retraite, pourquoi pas!

C'est le temps ou jamais de se payer du bon temps. M. Bellefeuille, pour sa part, envisage de s'établir hors du Canada, ce qui entraîne certaines mesures fiscales spéciales. M. Bellefeuille sera assujetti à une retenue d'impôt sur la plupart de ses revenus de provenance canadienne. Cette retenue se chiffre à 25 % du montant brut du paiement. Cependant, si le Canada a conclu une convention fiscale avec le pays dans lequel habitera M. Bellefeuille, il bénéficiera d'un taux d'imposition réduit.

Certains revenus échappent à cette règle :

- les prestations du Régime de rentes du Québec ou du Régime de pension du Canada;
- la pension de la Sécurité de la vieillesse;
- le supplément de revenu garanti;
- l'allocation de conjoint.

Pour toute information concernant les retenues d'impôt des non-résidents, contactez votre bureau de district d'impôt dont la liste paraît à la fin du chapitre.

EN RÉSUMÉ : LA PLANIFICATION FISCALE EN VUE DE LA RETRAITE

Il est tout à fait légal de « s'arranger » pour réduire ses impôts au minimum. Toutefois, deux règles sont prescrites :

- ne pas excéder les limites de la planification fiscale légitime;
- ne pas chercher à enfreindre ou à contourner la loi.

Si vous songez à votre retraite, vous devez aussi penser à sa planification fiscale.

En quoi consiste la planification fiscale en fonction de votre retraite ?

- prévoir comment minimiser légalement votre impôt, compte tenu de vos objectifs financiers;
- payer le moins d'impôt possible, tout en poursuivant vos objectifs.

Pourquoi une planification fiscale en fonction de votre retraite ?

- pour vous permettre de reporter le paiement de votre impôt à plus tard pour jouir de taux d'imposition moins élevés;
- pour réduire annuellement le montant de votre impôt;
- pour augmenter vos revenus à la retraite.

Quels moyens de portée fiscale pouvez-vous utiliser ?

- contribuer à des régimes enregistrés de pension et d'épargne-retraite (RER - REER);
- contribuer au régime enregistré d'épargne-retraite de votre conjoint;
- racheter le fonds de pension d'un travail antérieur, si cela est avantageux;

- souscrire à une rente viagère;
- utiliser tous les crédits d'impôt auxquels vous avez droit;
- préparer vos déclarations de revenus le plus tôt possible, au début de l'année suivant l'année d'imposition et se tenir toujours informé des nouvelles mesures de nature fiscale;
- transférer dans votre déclaration de revenus les crédits non remboursables de votre conjoint ainsi que les frais de scolarité et le montant relatif aux études de vos enfants.

POUR RÉPONDRE À VOS QUESTIONS SUR...

L'impôt provincial

Pour toute demande de renseignements, de dépliants ou de brochures ainsi que pour les formulaires spéciaux, communiquez par écrit ou par téléphone à l'un des bureaux de Revenu Québec :

Sainte-Foy
3800, rue de Marly
Sainte-Foy (Québec)
G1X 4A5
Tél. : (418) 659-6500
Sans frais : 1 800 463-2397

Hull
Place-du-Centre
200, promenade du Portage
2e étage
Hull (Québec)
J8X 4B7
Tél. : (819) 770-1768
Sans frais : 1 800 567-9634

Montréal
Complexe Desjardins
C.P. 3000, succ. Desjardins
Montréal (Québec)
H5B 1A4
Tél. : (514) 873-2611
Sans frais : 1 800 363-9011

Rimouski
212, avenue Belzile
Rimouski (Québec)
G5L 3C3
Tél. : (418) 722-3572
Sans frais : 1 800 463-0715

Jonquière
2154, rue Deschênes
Jonquière (Québec)
G7S 2A9
Tél. : (418) 548-4322
Sans frais : 1 800 463-6513

Laval
705, chemin du Trait-Carré
Laval (Québec)
H7N 1B3
Tél. : (514) 873-2611
Sans frais : 1 800 363-9011

Québec
265 A, rue de la Couronne
Québec (Québec)
G1K 6E1
Tél. : (418) 659-6299
Sans frais : 1 800 267-6299

Sorel-Saint-Hyacinthe
101, rue du Roi
Sorel (Québec)
J3P 4N1
Sans frais : 1 800 267-6299

Rouyn-Noranda
75, rue Mgr-Tessier Ouest
Rouyn-Noranda (Québec)
J9X 2S5
Tél. : (819) 764-6761
Sans frais : 1 800 567-6941

Sept-Îles
456, rue Arnaud
Sept-Îles (Québec)
G4R 3B1
Tél. : (418) 968-0203
Sans frais : 1 800 463-1703

Sherbrooke
2665, rue King Ouest
Sherbrooke (Québec)
J1L 2H5
Tél. : (819) 563-3034
Sans frais : 1 800 567-3531

Trois-Rivières
225, rue des Forges
Trois-Rivières (Québec)
G9A 2G7
Tél. : (819) 379-5360
Sans frais : 1 800 567-9385

Vous avez de la difficulté avec toutes ces adresses ? Contactez l'un des bureaux de « Communication-Québec ». Vous trouverez la liste des bureaux à l'annexe I du *Guide*.

L'impôt fédéral

Selon le sujet de votre demande, vous devez communiquer avec votre bureau de district (par téléphone) ou avec votre centre fiscal (par écrit).

Bureau de district :

- demande générale de renseignements;
- demande initiale de certificat de décharge;
- demande de renseignements sur le calcul des intérêts et des pénalités;
- demande de renseignements ou de corrections concernant les versements;
- demande d'ouverture, de fermeture ou de modification aux comptes de retenues à la source;
- paiement des comptes d'impôt et versement des acomptes provisionnels.

Centre fiscal :

- demande de renseignements sur un avis de cotisation ou de nouvelle cotisation;
- demande de redressements;
- demande d'état de compte;
- avis de changement de nom ou d'adresse;
- demande de photocopies de déclarations, d'états financiers ou d'autres confirmations;
- paiement des comptes d'impôt et versement des acomptes provisionnels;
- toute réponse écrite à une demande provenant du Centre fiscal;
- demande d'ouverture, de fermeture ou de modification aux comptes de retenues à la source.

Laval

3131, boul. Saint-Martin Ouest
Laval (Québec)
H7T 2A7

Pour des demandes de formules : (514) 956-9115
Pour des renseignements généraux : (514) 956-9101
Sans frais : 1 800 363-2218

Montréal
305, boul. René-Lévesque Ouest
Montréal (Québec)
H2Z 1A6

Pour des demandes de formules :	(514) 283-5623
Pour des renseignements généraux :	(514) 283-5300
Sans frais :	1 800 361-2808

Québec
165, rue de la Pointe-aux-Lièvres Sud
Québec (Québec)
G1K 7L3

Pour des demandes de formules :	(418) 648-4083
Pour des renseignements généraux :	(418) 648-3180
Sans frais :	1 800 463-4421

Chicoutimi
100, avenue Lafontaine
Bureau 211
Chicoutimi (Québec)
G7H 6X2

Pour des demandes de formules :	(418) 698-5580
Pour des renseignements généraux :	(418) 698-5580
Sans frais :	1 800 463-4421

Rimouski
320, Saint-Germain Est
4e étage
Rimouski (Québec)
G5L 1C2

Pour des demandes de formules :	1 800 463-4421
Pour des renseignements généraux :	(418) 722-3111
Sans frais :	1 800 463-4421

Trois-Rivières
25, boul. des Forges
Bureau 111
Trois-Rivières (Québec)
G9A 2G4

Pour des demandes de formules : (819) 373-2723
Pour des renseignements généraux : (819) 373-2723
Sans frais : 1 800 567-9325

Rouyn-Noranda
44, avenue du Lac
Rouyn-Noranda (Québec)
J9X 6Z9

Pour des demandes de formules : (819) 764-5171
Pour des renseignements généraux : (819) 764-5171
Sans frais : 1 800 567-6403

Saint-Hubert
5245, boul. Cousineau
Saint-Hubert (Québec)
J3Y 7Z7

Pour des demandes de formules : (514) 445-5264
Pour des renseignements généraux : (514) 283-5300
Sans frais : 1 800 361-2808

Sherbrooke
50, place de la Cité
Sherbrooke (Québec)
J1H 5L8
Pour des demandes de formules : (819) 821-8565
Pour des renseignements généraux : (819) 564-5888
Sans frais : 1 800 567-6403

Centres fiscaux

Revenu Canada, Impôt
Centre fiscal de Jonquière
Jonquière (Québec)

Revenu Canada, Impôt
Centre fiscal de Shawinigan
4695, 12e Avenue
C.P. 3000
Shawinigan (Québec)
G9N 7S6

VOUS AVEZ BESOIN D'AIDE POUR PRODUIRE VOTRE DÉCLARATION DE REVENUS ?

Pour une consultation ou pour la rédaction de votre déclaration, adressez-vous à :

Services bénévoles

- les associations coopératives d'économie familiale;
- les bureaux spéciaux temporaires de l'impôt du Québec et du Canada;
- les cégeps et universités (quelquefois, les étudiants réclament des frais minimes);
- certains centres locaux de services communautaires (CLSC);
- certains clubs de l'âge d'or;
- ou encore mieux, profitez du programme des bénévoles mis en place par le ministère du Revenu du Québec et de Revenu Canada.

Le programme des bénévoles mis en place par le ministère du Revenu du Québec et de Revenu Canada fait appel à des centaines de personnes recrutées au sein d'associations ou de groupes communautaires. Ces personnes offrent gratuitement leur aide à des contribuables qui éprouvent de la difficulté à remplir leurs déclarations et qui n'ont pas les moyens d'avoir recours à des professionnels. Ces contribuables peuvent être des salariés, des prestataires de la sécurité du revenu, des personnes âgées, des personnes handicapées ou des immigrants.

Pour bénéficier de l'aide fiscale offerte gratuitement dans le cadre du programme des bénévoles, adressez-vous à l'un des bureaux du ministère du Revenu du Québec.

Autres services

Si vous avez des revenus plus élevés, il est préférable de consulter un fiscaliste professionnel pour qui l'impôt n'a plus de secret. Consultez :

- un fiscaliste;
- un comptable;
- un courtier en assurance;
- un courtier en immeuble;
- un courtier en placement;
- un directeur d'institution financière.

VOUS ÊTES INSATISFAIT, PLUSIEURS RECOURS S'OFFRENT À VOUS

Au Québec

Le recours administratif

Vous pouvez vous adresser en personne ou par téléphone au bureau du ministère du Revenu de votre région (consultez la liste des adresses et des numéros de téléphone à la dernière section de ce programme). Il s'agit de la première étape du recours administratif. La grande majorité des cas se règlent à cette étape.

La révision de votre dossier

Vous pouvez demander, en expliquant les raisons, la révision complète de votre dossier. C'est la deuxième étape du recours administratif. Cette démarche peut être faite en téléphonant à l'un des bureaux du ministère, en vous y rendant ou en écrivant à la Direction de l'analyse et du règlement des dossiers du ministère du Revenu, à l'une des adresses suivantes :

3800, rue de Marly
Sainte-Foy (Québec)
G1X 4A5

Complexe Desjardins
C.P. 3000, succ. Desjardins
Montréal (Québec)
H5B 1A4

Si vous vous estimez toujours lésé après avoir franchi sans succès les deux premières étapes du recours administratif, vous pouvez vous adresser au Bureau des plaintes. Vous devez soumettre votre problème par écrit à l'adresse suivante :

Le coordonnateur des plaintes
Bureau des plaintes
Ministère du Revenu du Québec
3800, rue de Marly
Sainte-Foy (Québec)
G1X 4A5

Après avoir reçu votre demande, le personnel du Bureau des plaintes vous en informe. Il analyse attentivement votre plainte et confie votre dossier au personnel qu'il juge apte à examiner votre problème. Un membre du personnel du Bureau des plaintes vous informera ensuite de la décision qui a été rendue.

Le recours légal

Si les démarches que vous avez entreprises auprès du ministère du Revenu ne vous donnent pas satisfaction, un recours légal s'offre à vous; celui de faire opposition. Si vous décidez d'utiliser ce recours, vous devez le faire dans les 90 jours de la date d'expiration par la poste de l'avis auquel vous vous opposez.

Pour faire opposition en bonne et due forme auprès du ministre du Revenu, vous devez remplir le formulaire TP-1057, intitulé Avis d'opposition. Vous devez l'expédier en deux exemplaires, par poste certifiée ou courrier recommandé, à l'adresse suivante :

Sous-ministre du Revenu
Ministère du Revenu
3800, rue de Marly
Sainte-Foy (Québec)
G1X 4A5

Après avoir franchi l'étape de l'opposition, si vous jugez nécessaire de poursuivre vos démarches, vous pouvez interjeter appel devant la Cour du Québec ou devant la Division des petites créances de la Cour du Québec.

Si vous désirez un supplément d'information à ce sujet, adressez-vous au bureau du ministère du Revenu du Québec.

Au Canada

Les procédures sont sensiblement les mêmes. Il est conseillé de résoudre tout désaccord avec votre bureau de district d'impôt avant de produire un avis d'opposition en bonne et due forme.

L'*avis d'opposition*

Vous pouvez produire une lettre, mais on vous recommande le formulaire T400A en guise de contestation et ensuite, expédier les documents par courrier au chef des appels d'un bureau de district ou d'un centre fiscal. Un avis d'opposition doit être soumis un an après la date d'échéance de production de la déclaration d'impôt pour l'année et 90 jours suivant la mise à la poste de la cotisation. Dans la plupart des cas, le problème est résolu à ce niveau. Si vous n'obtenez pas satisfaction, vous pouvez vous adresser à la Cour canadienne de l'impôt.

La Cour canadienne de l'impôt

La Cour canadienne de l'impôt est indépendante du gouvernement fédéral et siège régulièrement dans les grandes villes du pays. Vous devez exposer, par écrit, les faits et les raisons qui, selon vous, justifient votre appel. Aucune formule particulière n'est requise. Envoyez le tout au :

Registraire
Cour canadienne de l'impôt
200, rue Kent
Ottawa, Ontario
K1A 0M1

Tél. : (613) 995-9405

La Cour fédérale

Si la Cour canadienne de l'impôt rejette votre appel, vous pouvez vous adresser à la Cour fédérale et même à la Cour suprême du Canada.

Cour fédérale
1, rue Notre-Dame Est
Chambre 11.10
Montréal (Québec)
H2Y 1B6
Tél. : (514) 283-4820

300, boul. Jean-Lesage
Chambre 4.27
Québec (Québec)
G1K 8K6
Tél. : (418) 648-4920

Édifice de la Cour suprême
475, rue Wellington
Ottawa, Ontario
K1A 0H9
Tél. : (613) 992-4238

Si vous déménagez, n'oubliez pas d'aviser, par écrit, votre centre fiscal de votre nouvelle adresse.

ÊTES-VOUS PHILOSOPHE ?

En vous servant de votre mémoire ou en faisant appel à votre jugement, pouvez-vous reconstituer les proverbes suivants ? Dans le carré de droite, inscrivez le numéro de gauche correspondant.

1. L'optimiste est celui	☐ il y a critiquer
2. Mieux vaut user des souliers	☐ pour être capable d'en distribuer aux autres
3. Tout le monde est ignorant	☐ ne sait pas voir
4. Nul ne garde mieux un secret	☐ on ne le regarde plus
5. Tout marche bien mieux	☐ mais le bonheur repose sur la réalité
6. Les enfants ont toujours besoin de notre affection	☐ que celui qui ignore
7. Le rire est	☐ mais pas des mêmes choses
8. Qui vit sans folie	☐ plus on en perd
9. Plus on pense au temps	☐ peuvent guérir
10. Si un arc-en-ciel dure un quart d'heure	☐ lui-même
11. Le plaisir peut s'appuyer sur l'illusion	☐ que des draps
12. La liberté finit	☐ quand on n'a pas ceux des autres
13. Celui qui cherche des miracles	☐ quand nous marchons davantage
14. L'éloge des absents	☐ le jogging du corps et de l'esprit
15. L'homme s'agitera dans tous les sens tant qu'il n'aura pas trouvé ce qu'il cherche :	☐ où commence le droit des autres
16. Il y a encore moins que rien faire	☐ se fait sans flatterie
17. Il n'y a pas de gens plus vides	☐ surtout quand ils ne la méritent pas
18. Le rêve et le rire	☐ n'est pas si sage qu'il croit
19. On se croit toujours sans vice	☐ que ceux qui sont pleins d'eux-mêmes
20. Il faut d'abord se donner de l'amour à soi-même	☐ qui fait ses mots croisés directement à l'encre

Solutions

1 - 20	6 - 17	11 - 5	16 - 1
2 - 11	7 - 14	12 - 15	17 - 19
3 - 7	8 - 18	13 - 3	18 - 9
4 - 6	9 - 9	14 - 16	19 - 12
5 - 13	10 - 4	15 - 10	20 - 2

CHAPITRE 7

VOS ASSURANCES

« LES ASSURANCES, ÇA NE VAUT PLUS LA PEINE », VOUS DIREZ-VOUS...

Les assurances ne sont certes pas chose nouvelle pour vous. À une période où à l'autre de votre vie, vous avez sûrement contracté une assurance-vie, une assurance-incendie, une assurance-automobile et laquelle encore...

La période de la retraite n'est pas propice à l'achat d'une assurance-vie. Par contre, vous pouvez vérifier s'il est possible de commencer à bénéficier de ces assurances qui vous ont coûté si cher durant votre vie active.

Peut-être aviez-vous prévu un fonds de retraite ou aviez-vous préféré une rente viagère de survivant pour votre conjoint ?

Peu importe le type d'assurance-vie que vous aviez privilégié, il est temps d'en vérifier toutes les modalités.

Pour information :

votre courtier d'assurances ou votre agent d'assurances constitue la personne-ressource première;

si vous n'êtes pas satisfait ou si vous avez besoin de renseignements, communiquez avec :

Bureau d'assurance du Canada
425, boul. De Maisonneuve Ouest
Bureau 900
Montréal (Québec)
H3A 3G5

Tél. : (514) 288-6015
Sans frais : 1 800 361-5131

Association canadienne des compagnies d'assurances des personnes inc. (l'ACCAP)
1001, boul. De Maisonneuve Ouest
Bureau 630
Montréal (Québec)
H3A 3C8
Tél. : (514) 845-6173
Sans frais : 1 800 361-8070

LES ASSURANCES GÉNÉRALES

Il est difficile de s'en passer. Peu importe votre situation ou votre âge, vous pouvez toujours assurer vos biens contre les incendies, le vol, etc. Le type d'assurance requis diffère selon que vous êtes propriétaire ou locataire. Dépendamment de votre situation, il est recommandé de contracter une assurance appropriée.

Si vous êtes propriétaire

- une assurance contre les incendies;
- une assurance contre le vol;
- une assurance responsabilité civile;
- une assurance hypothécaire si, au moment de votre retraite, votre maison est grevée d'une hypothèque.

À noter qu'il existe des types de police combinant, à coût raisonnable, l'ensemble de ces risques.

Si vous êtes locataire

- une assurance contre les incendies et le vol pour vos biens et meubles;
- une assurance responsabilité civile.

Ces dispositions s'appliquent également si vous habitez un HLM.

Si vous êtes locataire d'une chambre

- une assurance contre les incendies et le vol pour vos biens;
- une assurance responsabilité civile.

Si vous habitez un centre d'accueil

Il est recommandé d'assurer vos biens personnels.

Pour information :

Bureau d'assurance du Canada
425, boul. De Maisonneuve Ouest
Bureau 900
Montréal (Québec)
H3A 3G5

Tél. : (514) 288-6015
Sans frais : 1 800 361-5131

Association canadienne des compagnies d'assurances des personnes inc. (l'ACCAP)
1001, boul. De Maisonneuve Ouest
Bureau 630
Montréal (Québec)
H3A 3C8

Tél. : (514) 845-6173
Sans frais : 1 800 361-8070

Fédération des associations coopératives d'économie familiale du Québec
5225, Berry
Bureau 305
Montréal (Québec)
H2J 2S4

Tél. : (514) 271-7004

Pour connaître la liste des organismes qui peuvent vous aider, consultez le chapitre 12.

UN PROGRAMME D'ASSURANCE À UN TARIF AVANTAGEUX, POURQUOI PAS ?

Les membres des clubs de l'âge d'or affiliés à la Fédération de l'âge d'or du Québec peuvent bénéficier, à un tarif avantageux, d'un programme d'assurance sur la vie. Aucun examen médical n'est requis. De plus, ils se verront octroyer une réduction substantielle sur la prime régulière de l'assurance automobile, de l'assurance contre les incendies et le vol, et l'assurance responsabilité civile.

Pour information :

Fédération de l'âge d'or du Québec
4545, avenue Pierre-de-Coubertin
C.P. 1000, succursale M
Montréal (Québec)
H1V 3R2
Tél. : (514) 252-3017

ou l'un des conseils régionaux de la Fédération dont vous trouverez la liste au chapitre 12.

Inventaire des biens meubles et effets personnels

SALON

Nombre d'articles	Article	Date d'achat $	Prix d'achat $	Valeur actuelle $
	Bahuts et contenu			
	Bibelots			
	Bibliothèques			
	Bureau			
	Climatiseur			
	Contenu de placards			
	Disques			
	Divans			
	Draperies et stores			
	Électrophone ou stéréo			
	Étagères			
	Fauteuils et chaises			
	Garniture de cheminée			
	Instruments de musique			
	Lampes			
	Livres			
	Miroirs			
	Orgue de salon, piano			
	Pendules			
	Radio			
	Rideaux			
	Tableaux			
	Tables			
	Tapis			
	Téléviseur			
	Total			

SALLE À MANGER

Nombre d'articles	Article	Date d'achat $	Prix d'achat $	Valeur actuelle $
	Argenterie			
	Bahuts et contenu			
	Bibelots			
	Buffet			
	Chaises			
	Climatiseur			
	Contenu de placards			
	Cristal			
	Draperies et stores			
	Étagères			
	Lampes			
	Linge de table			
	Miroirs			
	Pendules			
	Porcelaine			
	Rideaux			
	Tableaux			
	Tables			
	Tapis			
	Autres articles			
	Total			

CUISINE

Nombre d'articles	Article	Date d'achat $	Prix d'achat $	Valeur actuelle $
	Aliments			
	Appareils électriques			
	Bahuts et contenu			
	Chaises			
	Contenu de placards			
	Pendule			
	Batterie de cuisine			
	Congélateur			
	Cristal			
	Cuisinière			
	Laveuse à vaisselle			
	Machine à laver			
	Radio			
	Réfrigérateur			
	Revêtement de sol			
	Sécheuse			
	Tables			
	Téléviseur			
	Ustensiles de ménage			
	Autres articles			
	Total			

SALLE DE BAIN

Nombre d'articles	Article	Date d'achat $	Prix d'achat $	Valeur actuelle $
	Appareils électriques			
	Articles de toilette			
	Contenu de placards			
	Lingerie			
	Pèse-personne			
	Séchoir à cheveux			
	Serviettes, etc.			
	Total			

VESTIBULE

Nombre d'articles	Article	Date d'achat $	Prix d'achat $	Valeur actuelle $
	Bahuts et contenu			
	Bibelots			
	Chaises			
	Contenu de placards			
	Draperies et stores			
	Lampes			
	Miroirs			
	Pendules			
	Rideaux			
	Tableaux			
	Tables			
	Tapis			
	Total			

CHAMBRES

Nombre d'articles	Article	Date d'achat $	Prix d'achat $	Valeur actuelle $
	Armoires et contenu			
	Bibelots			
	Bibliothèques			
	Chiffonniers et contenu			
	Climatiseur			
	Coiffeuse			
	Commode et contenu			
	Contenu de placards			
	Draperies			
	Étagères			
	Fauteuils et chaises			
	Lampes			
	Literie			
	Lits			
	Machine à coudre			
	Matelas			
	Miroirs			
	Pendules			
	Radio et stéréo			
	Rideaux			
	Sommier			
	Tableaux			
	Tables			
	Tapis			
	Téléviseur			
	Total			

SOUS-SOL

Nombre d'articles	Article	Date d'achat $	Prix d'achat $	Valeur actuelle $
	Réserve de vivres			
	Essoreuse			
	Machine à laver			
	Sécheuse			
	Autre équipement de lavage			
	Ventilateur aspirant			
	Établi			
	Fournitures			
	Outils à main			
	Outils électriques			
	Autre équipement			
	Fauteuils et chaises			
	Piano			
	Radio			
	Tables			
	Tapis			
	Appareils de chauffage			
	Huile à chauffage			
	Malles et contenus			
	Autres biens entreposés			
	Total			

GRENIER

Nombre d'articles	Article	Date d'achat $	Prix d'achat $	Valeur actuelle $
	Malles et contenu			
	Meubles			
	Autres biens entreposés			
	Total			

GARAGE

Nombre d'articles	Article	Date d'achat $	Prix d'achat $	Valeur actuelle $
	Accessoires d'auto			
	Biens entreposés			
	Meubles de jardin			
	Outils de jardinage			
	Autres outils			
	Total			

DIVERS

Nombre d'articles	Article	Date d'achat $	Prix d'achat $	Valeur actuelle $
	Total			

RÉCAPITULATION	Coût $	Valeur $
Salon		
Salle à manger		
Cuisine		
Vestibules		
Chambre principale		
Chambre nº 2		
Chambre nº 3		
Salle de bain		
Sous-sol		
Grenier		
Salle de détente ou de jeu		
Garage		
Divers		
Total		

TYPE D'ASSURANCE	Montant actuel $	Montant suffisant $
Type d'assurance		
Habitation et garage		
Biens meubles et personnels		
Frais suppl. de subsistance		
Resp. civile des particuliers		
Frais médicaux		
Autres assurances		

Liste des polices d'assurance

Type d'assurance	Montant assuré	Numéro de la police	Date d'expiration	Remarques

CHAPITRE

LE TRANSPORT

LE TRANSPORT EN COMMUN 242

VOTRE PERMIS DE CONDUIRE, UNE MISE AU POINT S'IMPOSE!

L'état de vos facultés

Votre âge ne justifie nullement votre habileté à conduire. Vous pouvez être âgé de 65 ans et manier le volant comme un as. Cependant, pour votre sécurité, la Société de l'assurance automobile du Québec peut, dans certaines circonstances, vous soumettre à une évaluation médicale ou optométrique.

Vous recevrez un formulaire d'évaluation médicale :

- si vous demandez un premier permis de la classe 4A, 4B ou 4C;
- si vous demandez un permis d'apprenti conducteur de la classe 1, 2 ou 3.

Vous aurez également à vous soumettre à une évaluation médicale selon les fréquences indiquées ci-dessous. Le formulaire vous sera alors transmis par la poste.

Titulaire d'un permis des classes 1-2-3-4A-4B-4C

Au renouvellement du permis de conduire lorsque la personne atteint 45, 55, 60, 65 et aux deux ans par la suite.

Titulaires de la classe 5

Au renouvellement du permis de conduire lorsque la personne atteint l'âge de 75 et 80 ans et aux deux ans par la suite.

La Société peut également vous demander de vous soumettre à un examen médical ou de la vue :

- si vous avez atteint l'âge de 75 ans;
- si votre comportement sur la route ou votre état de santé laisse croire que votre compétence à conduire doit être vérifiée;
- si vous n'avez pas subi d'examen depuis dix ans et que la Société juge opportun que vous le fassiez;

- si vous êtes titulaire d'un permis de classe 1, 2, 3, 4A, 4B ou 4C.

La Société vous fera alors parvenir le formulaire d'examen médical accompagné d'une lettre donnant les raisons de la requête.

Ce formulaire doit ensuite être retourné à la Société dans les 90 jours par vous ou par votre médecin.

Environ dix jours à partir du moment où la Société reçoit le rapport rempli par votre médecin vous recevrez :

- un permis qui peut être assorti de certaines conditions;
- une lettre indiquant qu'aucune condition additionnelle ne s'ajoute à votre permis actuel;
- une lettre de refus ou de suspension de votre permis ou de l'une de ses classes précisant les raisons de cette décision;
- une lettre indiquant que vous devez faire remplir un autre formulaire d'examen à une date précise.

Les conditions médicales

- la Société peut assortir votre permis de certaines conditions si votre déclaration signale une maladie ou une incapacité ou lorsqu'un médecin le fait à la suite d'un examen médical. Elles sont indiquées par des lettres sur votre permis de conduire et leur signification est précisée au verso du permis;
- vous devez absolument respecter les conditions apparaissant sur votre permis lorsque vous conduisez un véhicule.

Remarque

En cas de refus de soumettre un rapport médical, la Société peut suspendre votre permis ou refuser de vous en délivrer un.

Un permis de conduire valide

Nul besoin de vous rappeler qu'il est obligatoire d'avoir en votre possession votre permis de conduire et les documents relatifs au véhicule lorsque vous conduisez sur un chemin public.

Ils pourraient vous épargner certains embêtements, notamment une amende allant de 30 $ à 60 $ par document manquant si un agent de la paix désire les examiner.

Pour éviter les ennuis, pour ne pas dire les amendes, assurez-vous :

- que votre permis de conduire est signé;
- que l'adresse de votre domicile au Québec ou de votre résidence habituelle au Québec est inscrite sur votre permis de conduire. Vous devez informer la Société de tout changement d'adresse dans les 30 jours qui suivent votre déménagement. Sinon, vous serez passible d'une amende de 60 $ à 100 $ pour chaque infraction. Votre permis de conduire comporte d'ailleurs une partie détachable qui doit être utilisée à cette fin :
  - que vous n'êtes pas titulaire de plus d'un permis de la même classe;
  - que vous n'avez pas prêté votre permis;
  - que vous n'avez pas donné volontairement un renseignement faux ou trompeur pour obtenir un permis, ce qui pourrait entraîner une amende variant entre 300 $ et 600 $.

Quand devez-vous renouveler votre permis ?

La validité d'un permis de conduire est de deux ans. Environ 45 jours avant la date d'expiration de votre permis, la Société de l'assurance automobile du Québec vous fera parvenir un avis de paiement de votre permis de conduire que vous pourrez acquitter de l'une des façons suivantes :

- dans les institutions financières qui acceptent le paiement du permis de conduire;
- par la poste;
- dans les centres de service de la Société ou chez l'un de ses mandataires.

Pouvez-vous bénéficier d'un remboursement sur votre prime d'assurance ?

Une partie du montant que vous avez payé pour votre permis de conduire peut être remboursée dans certaines circonstances, comme par exemple à la suite d'une annulation de permis ou d'un décès.

L'IMMATRICULATION, CHACUN SON NUMÉRO

Si vous êtes propriétaire d'un véhicule routier, vous devez posséder un certificat d'immatriculation délivré par la Société de l'assurance automobile du Québec. De plus, votre véhicule doit afficher une plaque d'immatriculation conforme à sa catégorie. L'immatriculation de votre véhicule est renouvelée chaque année.

Depuis le 1er avril 1983, l'immatriculation des véhicules est étalée sur toute l'année. Dans le cas d'un véhicule de promenade, c'est la première lettre de votre nom de famille qui détermine la date du renouvellement. Si vous vous appelez M. Beaupré, vous devrez effectuer votre renouvellement en janvier; par contre, Mme Zellers effectuera sa démarche en novembre.

Paiement

Depuis janvier 1992, la Société de l'assurance automobile du Québec offre aux conducteurs et aux automobilistes la possibilité d'acquitter leur avis de paiement du permis de conduire et de l'immatriculation dans l'une des 2200 succursales des quatre institutions financières suivantes :

- Caisses Desjardins;
- Banque Nationale;
- Banque de Montréal;
- Banque Laurentienne.

Vous pouvez également payer par la poste ou en vous rendant dans un centre de service de la Société ou chez l'un de ses mandataires.

Les coûts de l'immatriculation versés annuellement comprennent les droits d'immatriculation, la contribution au régime d'assurance automobile, la contribution spéciale pour le transport en commun (s'il y a lieu) et des frais d'administration.

Vous devez effectuer votre paiement avant la date limite indiquée sur l'avis que vous avez reçu de la Société, sinon vous risquez d'encourir des frais supplémentaires.

Votre voiture hiverne

Vous avez décidé de laisser votre voiture au chaud pour l'hiver ? Vous faites d'une pierre deux coups : elle durera plus longtemps, et vous pourrez obtenir le remboursement d'une partie des sommes que vous avez versées pour l'immatriculation. Pour aviser du remisage de votre véhicule, vous pouvez communiquer à l'avance avec la Société en composant :

à Québec : (418) 643-7620
à Montréal : (514) 873-7620
sans frais : 1 800 361-7620

Vous pouvez également vous rendre dans l'un des centres de service de la Société ou chez l'un de ses mandataires.

Grands principes de l'immatriculation

VOUS ACHETEZ UN VÉHICULE NEUF D'UN COMMERÇANT

Procédures à suivre

- le commerçant remplit un formulaire de demande d'immatriculation;
- vous devez le signer et vous présenter à un point de service de la Société de l'assurance automobile du Québec;
- vous devez payer vos droits d'immatriculation, la prime d'assurance et la contribution spéciale pour le transport en commun s'il y a lieu;
- on vous remettra une plaque ainsi qu'un certificat d'immatriculation;
- le commerçant peut vous remettre un certificat d'immatriculation temporaire, valide pour 10 jours consécutifs et non renouvelable;
- ce document, accompagné du formulaire de demande d'immatriculation, vous permet de circuler avec le véhicule que vous venez d'acheter et de demander l'immatriculation à votre nom dans le délai prévu.

VOUS CÉDEZ VOTRE VÉHICULE AU COMMERÇANT SANS EN ACQUÉRIR UN NOUVEAU

Procédures à suivre

- vous devez endosser votre certificat d'immatriculation et le remettre au commerçant;
- le commerçant vous remettra un formulaire de demande d'immatriculation et vous devrez vous présenter à un point de service de la Société avec votre plaque et le formulaire de demande d'immatriculation au nom du commerçant;
- on vous accordera un remboursement s'il y a lieu.

VOUS FAITES UN ÉCHANGE DE VÉHICULE AVEC UN COMMERÇANT

Procédures à suivre

- vous devez conserver votre plaque d'immatriculation;
- vous remettez votre certificat d'immatriculation endossé au commerçant;
- vous vous présentez à un point de service de la Société avec le formulaire de demande d'immatriculation, remis par le commerçant, pour demander à la Société de délivrer un nouveau certificat correspondant à votre nouveau véhicule;
- ne pas apposer la plaque sur le véhicule avant de s'être présenté dans un point de service.

VOUS ACHETEZ UN VÉHICULE D'UN AUTOMOBILISTE

Procédures à suivre

- vous devez vous présenter avec le vendeur à un point de service de la Société de l'assurance automobile du Québec;
- le vendeur recevra un crédit s'il y a lieu.

VOUS ÉCHANGEZ VOTRE VÉHICULE AVEC CELUI D'UN AUTRE AUTOMOBILISTE

Procédures à suivre

- vous devez tous les deux demander une nouvelle immatriculation en vous présentant ensemble dans un point de service.

VOUS DEVENEZ PROPRIÉTAIRE D'UN VÉHICULE PAR SUITE D'UN DÉCÈS, D'UNE DONATION, D'UN PARTAGE, D'UNE LIQUIDATION, D'UNE FAILLITE, DE L'EXERCICE D'UN DROIT DE REPRISE, D'UNE CESSION COMPLÈTE D'UNE ENTREPRISE OU D'UNE VENTE DE JUSTICE

Procédures à suivre

- vous devez remettre à la Société le certificat d'immatriculation;
- vous devez en demander un nouveau en acquittant les droits prescrits par le règlement.

Note :

Pour faire une demande d'immatriculation, vous devez fournir une pièce d'identité (permis de conduire, carte d'assurance-maladie, etc.).

L'ASSURANCE AUTOMOBILE OBLIGATOIRE OU PAS ?

Une assurance corporelle ?

C'est auto...matique!

Que vous soyez conducteur, passager d'une automobile, cycliste, piéton, covoitureur, ou tout autre usager de la route et que vous soyez ou non responsable de l'accident, vous bénéficiez de la protection offerte par le régime public d'assurance automobile. Ainsi, depuis le 1er mars 1978, tout Québécois est indemnisé pour les dommages corporels résultant d'un accident d'automobile.

Ce régime d'indemnisation, sans égard à la responsabilité, implique qu'il n'est plus nécessaire de déterminer le responsable de l'accident pour indemniser les victimes de dommages corporels. Le droit de recours aux tribunaux civils est donc aboli et remplacé par le droit à l'indemnisation. Bien entendu, les personnes qui conduisent dangereusement ou qui commettent des infractions au Code de la sécurité routière et au Code criminel peuvent être poursuivies.

Les indemnités versées par la Société

Si vous êtes blessé dans un accident d'automobile, la Société de l'assurance automobile vous versera une indemnité. S'il y a décès par suite de blessures subies lors de l'accident, l'indemnité sera accordée à la famille.

Ces indemnités ne sont ni saisissables (sauf dans le cas d'une pension alimentaire), ni imposables. Certaines prennent la forme d'une rente payée à intervalles réguliers; les autres, la forme d'une indemnité forfaitaire, c'est-à-dire d'un montant global.

La Société peut, selon le cas, vous verser une ou plusieurs des indemnités suivantes :

- une indemnité de remplacement du revenu;
- une indemnité forfaitaire pour la perte d'une année scolaire ou, au niveau post-secondaire, d'une session d'études;
- le remboursement de certains frais occasionnés par l'accident (ex : remplacement des vêtements endommagés portés au moment de l'accident, remboursement des frais médicaux, achat de prothèses, etc.);
- le remboursement des frais de garde ou des frais d'aide personnelle à domicile;
- le remboursement des frais de remplacement de main-d'œuvre pour les personnes travaillant sans rémunération dans une entreprise familiale;
- une indemnité forfaitaire pour séquelles;
- une indemnité pour favoriser la réadaptation;
- une indemnité de décès;
- une indemnité forfaitaire pour couvrir les frais funéraires.

Vous n'êtes pas satisfait ?

Vous jugez que la décision rendue par la Société ne vous rend pas justice ? Vous pouvez demander que votre dossier soit révisé. La demande de révision doit être faite, par écrit, dans les 60 jours suivant la date de mise à la poste de la décision rendue par la Société. Cette demande doit contenir un exposé des motifs invoqués et être accompagnée, autant que possible, des pièces justificatives appropriées. N'oubliez pas de signer votre demande. Si, après révision de votre dossier, vous êtes insatisfait de la deuxième décision rendue par la Société, vous pouvez en appeler auprès de la Commission des affaires sociales. La décision de la Commission est considérée comme finale.

Vous adressez votre demande à :

Commission des affaires sociales

440, boul. René-Lévesque Ouest
6e étage
Montréal (Québec)
H2Z 1V7

Tél. : (514) 873-5643

1020, route de l'Église
2e étage
Sainte-Foy (Québec)
G1V 3V9

Tél. : (418) 643-3400

Les frais d'appel sont acceptés.

Le régime d'assurance automobile

Certains types d'accidents ne sont pas couverts par le régime d'assurance automobile et les personnes qui les subissent n'ont donc droit à aucune indemnité.

C'est le cas des victimes :

- d'un accident survenu lors d'une compétition, d'une course ou d'un spectacle d'automobiles sur un chemin fermé à la circulation, que les victimes soient conducteurs, passagers ou spectateurs;
- d'un accident de motoneige ou de véhicule destiné à être utilisé en dehors d'un chemin public (ex. : véhicule tout terrain); ces véhicules sont exclus du régime d'assurance automobile, tant sur la voie publique qu'en dehors de la voie publique, sauf s'ils entrent en collision avec une automobile en mouvement qui n'est pas exclue du régime;
- d'un accident de véhicule d'équipement (ex. : un véhicule de déneigement) ou de tracteur de ferme et survenant en dehors d'un chemin public, sauf s'ils entrent en collision avec une automobile en mouvement qui n'est pas exclue du régime;
- d'un dommage corporel causé par un appareil pouvant fonctionner indépendamment du véhicule auquel il est incorporé, quand ce véhicule est immobilisé dans un chemin public (ex. : dommage corporel causé par une échelle de pompier équipant un camion d'incendie immobilisé dans une rue), ou

lorsqu'il est immobilisé ou en mouvement dans un chemin privé.

Dans les trois derniers cas, les propriétaires des véhicules et des équipements concernés doivent, pour être protégés, contracter une assurance appropriée d'une compagnie privée pour couvrir les dommages corporels et matériels pouvant être causés par ces véhicules et ces équipements.

Une assurance pour les dommages matériels d'autrui

Vous êtes obligé, selon la loi, de vous procurer une assurance de responsabilité civile garantissant l'indemnisation des dommages matériels causés par votre automobile. Le minimum obligatoire est de 50 000 $.

Vous ne pourrez obtenir votre immatriculation si vous n'êtes pas en mesure de démontrer que vous souscrivez à une assurance de responsabilité civile. Vous n'êtes toutefois pas obligé de vous assurer pour les dommages matériels que pourrait subir votre propre automobile.

Le régime d'assurance pour dommages matériels est administré par l'entreprise privée. Il est recommandé de comparer les prix et les conditions de quelques compagnies avant de signer le contrat d'assurance. Le montant de la prime à payer dépendra, bien sûr, du montant pour lequel vous souhaitez être assuré. Les autres facteurs qui entrent en ligne de compte sont votre âge, votre dossier antérieur, l'âge et le modèle de votre voiture, le nombre de personnes qui conduiront votre véhicule, etc.

Dans le cas d'un accident mettant en cause au moins deux véhicules dont les propriétaires sont connus, chacun doit recourir à son propre assureur pour être indemnisé.

Pour information :

Bureau d'assurance du Canada
Centre d'information
425, boul. De Maisonneuve Ouest
Bureau 900
Montréal (Québec)
H3A 3G5
Tél. : (514) 288-6015
Sans frais : 1 800 361-5131

Que faire en cas d'accident ?

Si vous êtes blessé dans un accident d'automobile :

- appelez la police afin de faire produire un rapport d'accident;
- communiquez sans tarder avec un service d'accueil des réclamants de la Société de l'assurance automobile en composant un des numéros suivants :
  - pour la région de Montréal : 873-7620;
  - pour la région de Québec : 643-7620;
  - pour toutes les autres régions, sans frais : 1 800 361-7620;
- communiquez avec votre assureur ou votre courtier d'assurances si l'accident a causé des dommages matériels;
- assurez-vous que le médecin qui vous traite, à la suite de l'accident, fasse parvenir le rapport médical à la Société.

Comment faire une demande d'indemnisation à la Société

Dès que possible, à la suite de l'accident, vous ou votre représentant devez communiquer avec la Société de l'assurance automobile.

La Société vous fera parvenir des formulaires et la documentation nécessaires pour vous permettre de présenter votre demande. Les formulaires sont également disponibles dans les centres de service de la Société.

En cas de besoin, vous pouvez obtenir gratuitement l'aide de la Société et tous les renseignements qu'il vous faut pour bien préparer votre demande. Un représentant de la Société pourra même se rendre chez vous ou à l'hôpital, si vous êtes hospitalisé, pour vous aider à remplir vos documents.

Vous avez trois ans, à la suite de l'accident ou de la manifestation de dommages corporels causés par l'accident, pour présenter une demande d'indemnité à la Société. Cependant, moins vous tardez, plus il sera facile pour vous de fournir les informations requises, comme il sera plus facile pour la Société de traiter votre demande d'indemnité.

Le constat amiable, pour gagner du temps

Vous avez un rendez-vous urgent...

Vous faites les dernières courses avant de partir en voyage...

Vous prenez l'avion dans 2 heures...

C'est souvent dans ces circonstances, soit lorsque vous n'avez pas le temps et que vous êtes nerveux, que se produisent les accidents.

Vous savez combien il est important de se souvenir de tous les détails qui ont entouré la collision. Pour vous aider à faire un relevé des identités et des faits, le Groupement des assureurs automobiles a mis au point un formulaire intitulé : « Constat amiable d'accident automobile ».

Le constat amiable ne constitue pas une reconnaissance de responsabilité, mais un relevé des identités et des faits servant à l'accélération du règlement des conséquences de l'accident. Les deux conducteurs se mettent d'accord pour remplir le formulaire en suivant précisément les règles qui y sont données au verso. L'utilisation du constat amiable est facultative; rien ne vous y oblige.

Si vous voulez obtenir des renseignements à ce sujet ou si vous voulez recevoir un formulaire, communiquez avec votre représentant ou courtier d'assurances.

Délit de fuite et insolvabilité

Certaines victimes d'accident n'ayant pas d'assurance de responsabilité se trouvent sans protection lorsque le responsable de l'accident est insolvable ou a commis un délit de fuite. À certaines conditions, la Société indemnise ces victimes pour les dommages matériels et corporels qu'elles ont subis.

Quelles sont ces conditions ?

1. s'il s'agit d'un accident avec dommages matériels causés à votre véhicule ou à un autre bien, vous devez répondre à l'une des exigences suivantes :
   - vous avez obtenu un jugement en votre faveur d'une cour de justice québécoise, et ce jugement n'a pas été satisfait parce que le responsable de l'accident est insolvable ou insuffisamment protégé par une police d'assurance de responsabilité civile;
   - il est impossible de découvrir l'identité du propriétaire ou du conducteur du véhicule qui a causé l'accident (ex. : délit de fuite).

2. s'il s'agit d'un accident avec dommages corporels et matériels survenu hors d'un chemin public et causé par un tracteur de ferme, une motoneige, un véhicule d'équipement ou tout autre véhicule destiné à être utilisé en dehors d'un chemin public, vous devez répondre à l'une des exigences suivantes :
   - vous avez obtenu en votre faveur un jugement qui n'a pas été satisfait parce que le responsable de l'accident est insolvable ou insuffisamment protégé par une police d'assurance de responsabilité civile;

- il est impossible de découvrir l'identité du propriétaire ou du conducteur du véhicule qui a causé l'accident.

Dans le cas de responsables inconnus ou insolvables, les demandes d'indemnité doivent être adressées à :

Société de l'assurance automobile du Québec
C.P. 19 900
Québec (Québec)
G1K 8Y8

À l'extérieur du Québec, la Société veille sur vous

Lors de votre dernier voyage aux États-Unis, vous avez subi des blessures dans un accident d'automobile. Vous vous inquiétez à propos des frais à payer ?

Dormez en paix, car, même à l'extérieur de la province, le Régime d'assurance automobile du Québec vous protège. Que vous soyez ou non responsable de l'accident, vous avez droit aux mêmes indemnités qui vous auraient été versées si la collision avait eu lieu au Québec.

Toutefois, si vous êtes responsable de l'accident, vous êtes susceptible d'être poursuivi devant les tribunaux du lieu de l'accident pour les dommages corporels et matériels que vous avez causés. C'est votre assurance de responsabilité, obligatoire pour circuler en territoire canadien et américain, qui, dans ce cas, va vous protéger. Cependant, celle-ci devrait avoir une couverture suffisante pour compenser tous les dommages.

Donc, avant de circuler dans une autre province canadienne ou un État américain, vous devrez vérifier auprès de votre assureur privé si la couverture de votre assurance de responsabilité est assez élevée pour compenser à la fois les dommages matériels et corporels causés à autrui. De même, si vous prévoyez conduire un véhicule ailleurs dans le monde, vous devrez vous renseigner de la couverture à prendre pour avoir une protection suffisante.

Par ailleurs, si vous n'êtes pas responsable de cet accident, vous conserverez vos droits de poursuite en vertu des lois en vigueur à l'endroit où a eu lieu l'accident et vous pouvez exercer ce droit si vous estimez pouvoir obtenir un excédent à l'indemnité que peut vous verser la Société.

L'ÉTAT DES ROUTES

Les chemins sont-ils beaux ? C'est le secret de la météo.

Il arrive que notre bel hiver québécois vous cause des soucis, notamment lorsque vous aviez prévu utiliser votre automobile pour rendre visite à quelqu'un qui habite loin de la ville et que la température vous semble incertaine ?

Ne partez pas à l'aveuglette et ne soyez pas victime de l'appréhension; vous savez qu'il peut être dangereux de s'aventurer sur nos routes en hiver. Un simple coup de fil au Service de renseignements sur l'état des routes vous précisera la situation. Si quelque chose ne va pas quelque part, ils vous le feront savoir!

Le Service de renseignements sur l'état des routes du ministère des Transports du Québec fonctionne du début novembre à la mi-avril, 24 heures par jour, pour Québec et Montréal; ailleurs, soit dans 9 autres villes, il est en service du 15 novembre au 15 avril, 24 heures par jour.

Pour information :

Amos
(819) 732-7505

Baie-Comeau
(418) 589-5610

Chicoutimi
(418) 698-3570

Cowansville
(514) 539-1442

Drummondville
(819) 478-4644

Gaspé
(418) 368-2389

Hull
(819) 776-0059

Montréal
(514) 873-4121

Mont-Joli
(418) 775-9283

Québec
(418) 643-6830

Rivière-du-Loup
(418) 862-7244

Sherbrooke
(819) 562-4738

Trois-Rivières
(819) 375-7334

LE TRANSPORT EN COMMUN

En bateau, en avion, en autobus... vous avez l'embarras du choix.

Le covoiturage

Avec la montée du prix de l'essence, le covoiturage, ce mode de transport collectif privé, a connu une popularité croissante.

Certains le pratiquent de façon spontanée, tels M. et Mme Bellerose et M. et Mme Sansoucy qui partagent le même véhicule automobile pour se rendre à leur cours de natation. Cela économise l'essence, donc l'énergie, et votre portefeuille ne s'en porte que mieux.

Certains le pratiquent de façon régulière, en utilisant les services d'une agence qui organise le covoiturage, tel « Covoiturage Allô-Stop ». Il s'agit d'une agence spécialisée de covoiturage. Elle met en relation des automobilistes et des passagers qui veulent partager les frais de route.

Fonctionnement

***Passager* :**

La carte de membre coûte 6 $. Vous devez présenter une pièce d'identité.

***Automobiliste* :**

La carte de membre coûte 7 $. Vous devez présenter votre permis de conduire (une expérience de 2 ans est obligatoire).

Pour information :

Québec	**La Baie**
467, rue Saint-Jean	364, rue Bagot
Tél. : (418) 522-0056	Tél. : (418) 695-2322

Sainte-Foy
2360, chemin Sainte-Foy
Tél. : (418) 522-0056

Montréal
4317, rue Saint-Denis
Tél. : (514) 985-3044

Sherbrooke
819, rue King Ouest
Tél. : (819) 821-3637

Chicoutimi
400, rue Racine Est
Tél. : (418) 695-2322

Jonquière
2013, rue Price
Tél. : (418) 695-2322

Jonquière
2370, rue Saint-Dominique
Tél. : (418) 695-2322

Toronto
609, Bloor Street West
Tél. : (416) 531-7668

Rimouski
31, Évêché Ouest
Tél. : (418) 723-5248

Ottawa
238, Dalhousie
Tél. : (613) 562-8248

Baie-Comeau
708, De Puyjalon
Tél. : (418) 589-4230

Sept-Îles
1005, boul. Laure
Tél. : (418) 962-5035

Edmunston
128, rue de l'Église
Tél. : (506) 739-5457

Saviez-vous que ?

Si vous êtes bénéficiaire d'aide sociale, vous pouvez utiliser gratuitement, pour vous rendre à l'hôpital, le moyen de transport le moins dispendieux de votre localité. On vous remboursera le montant qu'il vous en a coûté, mais il vous faut obtenir auparavant l'accord d'une personne autorisée. Pour plus d'information, communiquez avec le centre Travail-Québec de votre localité, dont vous trouverez les coordonnées dans les pages bleues de votre annuaire téléphonique dans la section Gouvernement du Québec, sous la rubrique « Sécurité du revenu-Centre Travail-Québec ».

TRANSPORT URBAIN PAR AUTOBUS ET LE MÉTRO DE MONTRÉAL

PERSONNES ÂGÉES DE 65 ANS ET PLUS

COMMUNAUTÉ URBAINE DE MONTRÉAL (S.T.C.U.M.)

Réductions accordées 50 % de rabais sur présentation de la carte de la S.T.C.U.M.

Exigences Présenter la carte de la S.T.C.U.M. La carte coûte 5,75 $.

Information Informez-vous à la S.T.C.U.M. (Voir page 245)

COMMUNAUTÉ URBAINE DE QUÉBEC (S.T.C.U.Q.)

Réductions accordées Gratuité totale sauf aux heures de pointe où il y a 50 % de réduction sur le tarif régulier.

Exigences Présenter la carte de la S.T.C.U.Q. qui est en vente à 4,25 $.

Information Informez-vous à la S.T.C.U.Q. (Voir page 245)

SOCIÉTÉ DE TRANSPORT DE LAVAL

Réductions accordées 1 $ au lieu de 2,60 $.

Exigences Présenter la carte de la S.T.L. qui est en vente à 2,50 $.

Information Informez-vous à la S.T.L. (voir page 244).

DIFFÈRE D'UNE COMPAGNIE À UNE AUTRE

Réductions accordées Un minimum de 25 % du prix régulier est accordé.

Exigences Présenter la carte « bleue » ou celle d'un club de l'âge d'or.

Information

Commission intermunicipale de transport des Forges (C.I.T.F.)
2000, rue Bellefeuille
Trois-Rivières (Québec)
G9A 3Y2
Tél. : (819) 373-4533

Société de transport de Laval (S.T.L.)
1333, boul. Chomedey
Laval (Québec)
H3V 3Y7
Tél. : (514) 688-6520

Société de transport de la Communauté urbaine de Montréal (S.T.C.U.M.)
800, De La Gauchetière
Place Bonaventure
Montréal (Québec)
H5A 1J6

Tél. : (514) 280-5100

Société de transport de la Rive-Sud de Montréal (S.T.R.S.M.)
1150, Marie-Victorin
Longueuil (Québec)
J4G 2M4

Tél. : (514) 442-8600

Société de transport de l'Outaouais
Parc Industriel Richelieu
111, rue Jean-Proulx
Hull (Québec)
J8Z 1T4

Tél. : (819) 770-7900

Société de transport de la Communauté urbaine de Québec (S.T.C.U.Q.)
720, rue des Rocailles
Charlesbourg (Québec)
G2J 1A5

Tél. : (418) 627-2351

Corporation intermunicipale de transport de la Rive-Sud de Québec (C.I.T.R.S.Q.)
229, Saint-Omer
Lévis (Québec)
G6V 6N4

Tél. : (418) 837-2401

Commission intermunicipale de transport Saguenay (C.I.T.S.)
1330, rue Bersimis
Chicoutimi(Québec)
G7H 5B7

Tél. : (418) 545-2487

Corporation métropolitaine de transport de Sherbrooke (C.M.T.S.)
895, rue Cabana
Sherbrooke (Québec)
J1K 2M3

Tél. : (819) 564-2687

Transport interurbain par autobus

Personnes âgées de 60 ans et plus

COMPAGNIE ORLÉANS

Réductions accordées Réduction de 25 % sur le tarif normal, en tout temps; l'accompagnateur d'une personne handicapée est admis gratuitement;
pour les groupes de 10 personnes et plus, il faut réserver un jour à l'avance.

Exigences Carte d'identité

Information

Montréal	*Québec*
505, boul. De Maisonneuve Montréal (Québec) H2L 1Y4 Tél. : (514) 842-2281	326, Abraham-Martin Québec (Québec) G1K 8N2 Tél. : (418) 525-3000

Personnes âgées de 55 ans et plus

AUTOBUS GREYHOUND (VERS LES ÉTATS-UNIS)

Réductions accordées Réduction de 15 %.

Exigences Carte d'identité

Information Consultez votre annuaire téléphonique dans les pages jaunes, sous la rubrique « Autobus-Service ».

Personnes âgées de 60 ans et plus

AUTOBUS VOYAGEUR (VERS L'OUEST)

Réductions accordées Réduction de 25 %.

Exigences Carte d'identité

Information Consultez votre annuaire téléphonique dans les pages jaunes, sous la rubrique « Autobus-Service ».

LES AUTRES COMPAGNIES D'AUTOBUS

Réductions accordées	Vous offrent des réductions d'environ 25 %.
Information	Consultez votre annuaire téléphonique dans les pages jaunes, sous la rubrique « Autobus-Service ».

LE TRAIN

PERSONNES ÂGÉES DE 60 ANS ET PLUS.

VIA RAIL

Réductions accordées	Réduction de 10 % sur le tarif normal, 7 jours par semaine; réduction de 50 % si l'on remplit certaines conditions; les groupes de 20 personnes et plus peuvent bénéficier gratuitement d'un accompagnateur; possibilité pour les aînés de monter dans le train avant les autres passagers; endroits aménagés pour les fauteuils roulants; l'accompagnateur d'une personne handicapée est admis gratuitement.
Exigences	Carte d'identité
Information	Communiquez sans frais au 1 800 361-5390 ou à la gare de votre localité dont vous trouverez le numéro de téléphone dans votre annuaire téléphonique sous l'appellation « Via Rail ».

L'avion

Personnes âgées de 60 ans et plus

AIR CANADA	
Réductions accordées	Réduction de 10 % sur les vols en Amérique du Nord et à destination des Antilles et du Royaume-Uni; même réduction pour l'accompagnateur.
Exigences	Carte d'identité
Information	Communiquez à l'un des bureaux de réservation d'Air Canada.

Personnes âgées de 60 ans et plus

INTER CANADIEN	
Réductions accordées	Réduction de 10 % sur le meilleur tarif disponible lors de la réservation; même réduction pour l'accompagnateur.
Exigences	Carte d'identité
Information	Communiquez à l'un des bureaux de réservation d'Inter Canadien.

Le bateau

Personnes âgées de 65 ans et plus

SOREL/SAINT-IGNACE ET QUÉBEC/LÉVIS	
Réductions accordées	Le tarif est de 0,75 $.

Information

Traverse Sorel/ Saint-Ignace de Loyola
9, rue Élisabeth
Sorel (Québec)
J3P 4G1
Tél. : (514) 743-3258

Traverse Québec/Lévis
Société des traversiers du Québec
109, rue Dalhousie
Québec (Québec)
G1K 9A1
Tél. : (418) 643-2019

Gare maritime de Québec
10, des Traversiers
Québec (Québec)
G1K 8L8
Tél. : (418) 643-8420 (jour)

pour horaire seulement :
24 heures par jour
à Québec : (418) 692-0550
à Lévis : (418) 837-2408

PERSONNES ÂGÉES DE 65 ANS ET PLUS
TITULAIRES D'UN LAISSEZ-PASSER DE LA SOCIÉTÉ DE TRANSPORT DE LA COMMUNAUTÉ URBAINE DE QUÉBEC OU DU RÉSEAU TRANS-SUD

Réductions accordées Gratuit

ÎLE AUX COUDRES/SAINT-JOSEPH-DE-LA-RIVE

Réductions accordées Le transport des passagers et des véhicules est gratuit.

Information

Société des traversiers du Québec
3, rue du Port
Saint-Bernard-sur-Mer
Îles aux Coudres (Québec)
G0A 3J0
Tél. : (418) 438-2743

ÎLE AUX GRUES/MONTMAGNY

Réductions accordées Le transport des passagers et des véhicules est gratuit.

Information **Traverse Île aux Grues/Montmagny**
Navigation Lavoie inc.
C.P. 31
Île aux Grues (Québec)
G1R 1P0
Tél. : (418) 248-6869

PERSONNES ÂGÉES DE 65 ANS ET PLUS

MATANE/BAIE-COMEAU ET MATANE/GODBOUT

Réductions accordées Le tarif est de 6,50 $ pour un passage simple

Information **Société des traversiers du Québec**
Division Bas Saint-Laurent
C.P. 520
Matane (Québec)
G4W 3P5
Il est recommandé de réserver (pour un coût minimal) un mois à l'avance si vous voulez faire transporter votre véhicule à la traverse Matane/Baie-Comeau/Godbout
Pour information : (418) 562-4616
Pour réservation : (418) 562-2500

TITULAIRE D'UN LAISSEZ-PASSER

Réductions accordées Ne s'applique pas.

PERSONNES ÂGÉES DE 65 ANS ET PLUS

TADOUSSAC/BAIE-SAINTE-CATHERINE

Réductions accordées Le transport des passagers et des véhicules est gratuit.

Information Société des traversiers du Québec
98, rue du Bateau-Passeur
C.P. 9
Tadoussac (Québec)
G0T 2A0
Tél. : (418) 235-4395

PERSONNES ÂGÉES DE 65 ANS ET PLUS

SOURIS (IPE)/CAP-AUX-MEULES (ÎLES DE LA MADELEINE)

Réductions accordées Le tarif est de 23 $ (au lieu de 30,75 $).

Information C.T.M.A. Traversier
C.P. 245
Cap-aux-Meules (Québec)
G0B 1B0
Tél. : (418) 986-3278

PERSONNES ÂGÉES DE 65 ANS ET PLUS

CAP TOURMENTE (NB)/BORDEN (IPE)

Réductions accordées Le tarif est de 5,50 $ aller-retour.

Information Marine Atlantique Inc.
100, Cameron Street
Moncton, N.B.
E1C 5Y6
Tél. : (902) 794-5700 ou (902) 562-9470

Personnes âgées de 65 ans et plus

Réductions accordées La plupart des traversiers administrés par l'entreprise privée offrent une réduction de 50 % sur les tarifs réguliers.

Information Sur les tarifs des différents traversiers au Québec
Montréal : (514) 873-2015
Sans frais : 1 800 363-7777 partout ailleurs au Québec
ou rendez-vous à l'une des maisons du tourisme du ministère du Tourisme du Québec :

Montréal
2, place Ville-Marie
Montréal (Québec)
H3B 2C9

Québec
12, rue Sainte-Anne
Québec (Québec)
G1R 3X2

3005, boul. Laurier
Québec (Québec)
G1V 2M2

Être heureux simplement, ce n'est pas mal :
savoir qu'on l'est, c'est un petit peu mieux;
mais comprendre son bonheur, en savoir le pourquoi et le comment,
et le sens, connaître la suite d'événements
qui en est la cause, et continuer à être heureux,
heureux de l'être, de se savoir tel, ma foi,
cela bat le bonheur, c'est de la félicité...

Henry Miller

• • • • •

Le transport adapté

Si vous êtes atteint d'une déficience physique ou mentale qui limite votre mobilité, votre capacité ou votre autonomie, et vous empêche d'utiliser le transport en commun régulier, peut-être pouvez-vous bénéficier d'un transport adapté aux personnes handicapées.

Pour présenter une demande de service ou pour obtenir plus d'information, communiquez avec :

- votre municipalité;
- le Centre local de services communautaires (CLSC) de votre localité;
- si vous habitez un grand centre urbain, contactez la Société de transport qui dessert votre ville. Vous trouverez la liste des Sociétés en question dans les pages précédentes.

CHAPITRE 9

LE TRAVAIL

MAINTENANT, À VOUS DE CHOISIR!

L'âge de la retraite

Dorénavant, l'âge de votre retraite est à votre entière discrétion. N'êtes-vous pas la meilleure personne pour juger de l'état de vos capacités au travail ?

Vous êtes âgé de 60 ans et vous désirez profiter de la vie... c'est permis.

Vous êtes âgé de 65 ans et vous jugez avoir encore beaucoup à accomplir dans votre travail... c'est permis.

Vous êtes âgé de 70 ans et vous croyez que la vie c'est le travail, le travail, le travail... c'est permis.

L'abolition de la retraite obligatoire

La Loi sur l'abolition de la retraite obligatoire et modifiant certaines dispositions législatives (L.Q., 1982, c. 12) avait pour objet l'abolition de la retraite obligatoire. Tout en préservant le droit de prendre volontairement votre retraite à l'âge dit « normal de la retraite » (65 ans ou après 35 ans de service, par exemple), cette loi vous permet de demeurer au travail bien que vous ayez atteint cet âge. Ce droit s'applique à tous les travailleurs du Québec, qu'ils participent à un régime de retraite privé ou public ou qu'ils ne participent à aucun régime.

Toutefois, vous ne pouvez retarder l'âge de votre retraite si :

- vous exercez la fonction de pompier (exclusivement);
- vous êtes membre de la Sûreté du Québec;
- vous êtes déjà en préretraite (dans certains cas).

Amis, qu'est-ce qu'une grande vie, sinon une pensée de la jeunesse exécutée par l'âge mûr.

Alfred-V. de Vigny

•••••

Votre rente[1]... vous avez le dernier mot

Pour les questions relatives à votre retraite, vous êtes le maître d'œuvre. Vous choisissez « quand » et « comment ». Il vous revient de déterminer le moment de perception de votre rente de retraite en tenant compte toutefois des modalités inscrites à votre contrat. Si vous cessez de travailler, vous pourrez la percevoir immédiatement, et si vous choisissez de demeurer au travail, le paiement en sera différé. Cette rente sera revalorisée au moment de la prise de votre retraite.

Si vous avez décidé de continuer à travailler, mais que vous avez opté pour le temps partiel ou que vous assumez d'autres fonctions qui entraînent une diminution de salaire, vous pouvez exiger le paiement de votre rente, en tout ou en partie, pour compenser cette réduction de salaire. De plus, si vous vous entendez avec votre employeur (sauf stipulation contraire du régime complémentaire de retraite) et si votre régime supplémentaire de rentes le prévoit, vous pouvez même toucher la totalité de votre rente, peu importe le montant à combler.

---

[1] Nous ne faisons pas référence aux prestations versées en vertu du Régime de rentes du Québec ou aux pensions de vieillesse fédérales (Loi sur la sécurité de la vieillesse, S.R.C., c. 0-6), mais aux rentes versées en vertu d'un régime de rentes auquel contribuent l'employeur et le salarié.

On vous remercie « pour vos bons et loyaux services »... Est-ce légal ?

Nul ne peut vous congédier pour un des motifs suivants : c'est illégal!

En vertu de la Loi sur les normes du travail (L.R.Q., c. N-1.1), vous avez un recours et vous pouvez porter plainte si votre employeur vous a congédié parce que vous avez atteint la date ou l'âge normal de la retraite. Vous pouvez aussi porter plainte si vous êtes congédié pour une des raisons suivantes :

- pour éviter l'application de la Loi sur les normes du travail;
- parce que vous aviez exercé un droit résultant de cette loi;
- parce que vous faisiez l'objet d'une saisie-arrêt;
- parce que vous aviez témoigné dans une poursuite se rapportant à l'application des normes ou parce que vous aviez fourni des renseignements à la Commission des normes du travail.

Savez-vous que vous possédez un autre recours **?**

Il existe un autre recours qui s'applique sans égard à un motif particulier. Si vous avez trois ans de service continu et que vous croyez avoir été congédié sans une cause juste et suffisante, vous pouvez porter plainte à la Commission des normes du travail.

Comment présenter une plainte

Pour vous prévaloir de votre recours, vous devez transmettre votre plainte par écrit au commissaire général du travail ou à la Commission des normes du travail, dans un délai de 90 jours si vous croyez que votre congédiement, suspension ou mise à la retraite a pour motif le fait que vous ayez atteint la date ou l'âge de la retraite.

Cependant, le délai pour soumettre votre plainte n'est que de 45 jours dans les cas suivants :

- si vous croyez avoir été congédié, suspendu, déplacé ou avoir été l'objet de représailles, discrimination ou d'une sanction quelconque pour un des motifs précités;
- si vous croyez avoir été congédié sans cause juste et suffisante et que vous justifiez de plus de trois ans de service continu.

Le fardeau de la preuve

Il appartiendra à votre employeur de prouver que le congédiement ou la mesure a été effectué pour une cause juste et suffisante. Si votre employeur ne réussit pas à faire cette preuve, le commissaire général du travail pourra ordonner votre réintégration et le versement, à titre d'indemnité, d'une somme équivalente au salaire et aux avantages dont vous a privé le congédiement.

Pour tout renseignement supplémentaire concernant la Loi sur les normes du travail, communiquez avec les services à la clientèle de la Commission des normes du travail.

Services à la clientèle

Montréal
Tél. : (514) 873-7061
Sans frais : 1 800 265-1414

Certains ambitionnent sur « votre » pain bénit

En deux mots : trop, c'est trop.

Vous vous êtes « tué à la tâche » et pourtant on refuse, en raison de votre âge, de vous accorder un salaire égal à vos confrères qui assument les mêmes responsabilités que vous. Voilà de la discrimination.

La Commission des droits de la personne peut vous aider

Vous pouvez déposer une plainte à la Commission des droits de la personne. Elle détient les pouvoirs d'enquête dans les cas de discrimination et d'exploitation à l'égard des personnes âgées.

La Commission recherchera les éléments de preuve et, s'il y a lieu, proposera aux parties la négociation d'un règlement ou l'arbitrage. Si un règlement se révèle impossible ou que l'arbitrage est refusé, la Commission peut proposer des mesures de redressement visant à corriger la situation qui a mené à la plainte. Si ces mesures ne sont pas mises en œuvre dans le délai fixé, la Commission peut s'adresser à un tribunal, notamment au Tribunal des droits de la personne, pour obtenir toute mesure appropriée contre la personne en défaut ou pour réclamer, en faveur de la victime, toute mesure de redressement qu'elle juge adéquate.

Pour porter plainte ou pour information :

Commission des droits de la personne

Montréal
Tél. : (514) 873-7618
Sans frais : 1 800 361-6477

Québec
Tél. : (418) 643-4826
Sans frais : 1 800 463-5621

Pour rejoindre les autres services de la Commission (communications, enquêtes, recherche, accès à l'égalité, éducation, bibliothèque) :

Montréal
Tél. : (514) 873-5146
Sans frais : 1 800 361-6477

Québec
Tél. : (418) 643-1872
Sans frais : 1 800 463-5621

Pour information auprès des bureaux régionaux :

Hull
Tél. : (819) 776-8113

Sept-Îles
Tél. : (418) 962-4405

Rouyn-Noranda
Tél. : (819) 797-0915

Sherbrooke
Tél. : (819) 822-6925

Si vous croyez avoir été victime de discrimination de la part d'un ministère ou d'une agence du gouvernement fédéral, ou encore de la part de tout employeur soumis à la compétence fédérale, vous pouvez porter plainte auprès de la Commission canadienne des droits de la personne à l'adresse suivante :

Commission canadienne des droits de la personne
1253, avenue McGill College
Bureau 470
Montréal (Québec)
H3B 2Y5

Tél. : (514) 283-5218
Les frais d'appel sont acceptés.

S'il s'agit de questions salariales, vous pouvez communiquer avec l'un des bureaux de la Commission des normes du travail dont les numéros de téléphone apparaissent plus haut.

LE SERVICE DE PLACEMENT

Vous cherchez un emploi ? Vous ne savez pas par quel bout commencer ? Vous avez besoin d'être orienté ? Les Centres d'emploi du Canada peuvent vous aider.

Développement des ressources humaines Canada (Centres d'emploi du Canada)

Les Centres d'emploi du Canada sont répartis sur tout le territoire québécois. Parmi les nombreux services offerts par le Centre d'emploi du Canada, mentionnons :

- les Services de placement : aident les employeurs à trouver des travailleurs, et les travailleurs à trouver des emplois;
- les Services de counselling : aident les clients à déterminer leurs possibilités en matière d'emploi, à

se fixer des objectifs réalistes, à déterminer les obstacles possibles à leur réemploi et à établir un plan d'action;

- les Services de diagnostic : achat de services de diagnostic pour les clients qui ont des difficultés physiques, sociales ou psychologiques qui compromettent leurs possibilités de se trouver un emploi;
- les Services extension : services de counselling et de placement, fournis par l'entremise d'organismes communautaires sans but lucratif, aux personnes qui sont aux prises avec des obstacles à l'emploi, par exemple celles qui souffrent d'un handicap, celles qui font l'objet de discrimination, dont l'âge pose un problème ou qui manquent de compétences ou d'expérience;
- les Services d'aide à l'adaptation de l'industrie : aident les compagnies, les industries et les collectivités à s'adapter aux changements économiques, technologiques ou autres;
- l'Information sur le marché du travail : fournit des renseignements aux clients travailleurs et employeurs, ainsi qu'à la collectivité, sur les débouchés, la situation du marché du travail, les cours de formation offerts et les programmes et services du Centre d'emploi du Canada.

NOUVEAUX HORIZONS : PARTENAIRES DES AÎNÉS

Le programme de financement fédéral Nouveaux Horizons permet aux aînés et à leurs partenaires de mettre sur pied des projets qui répondent aux besoins particuliers des aînés en situation de risque ou qui aident à prévenir les facteurs de risque.

Les éléments suivants peuvent être considérés comme des facteurs de risque : mauvais état de santé, situations d'abus, vieillesse avancée, faible revenu, manque d'aide, perte ou deuil. La tenue de consultations nationales, provinciales et territoriales avec les principaux intervenants du programme permet d'établir les priorités particulières pour les situations de risque.

En subventionnant divers projets, Nouveaux Horizons tente de trouver des approches et des solutions novatrices pour répondre aux besoins des aînés vulnérables et pour bâtir des partenariats efficaces entre les aînés et les intervenants intéressés à collaborer avec eux.

À compter du 1er avril 1995, le programme d'autonomie des aînés (PAA) et le programme Alliances pour l'autonomie seront intégrés à Nouveaux Horizons en un programme de financement unique. Ce programme intégré permettra de mieux répondre aux besoins des aînés d'aujourd'hui et de demain.

Qui peut faire une demande ?

Les groupes d'aînés, les organismes bénévoles, les maisons d'enseignement, les associations professionnelles, les organismes de services sociaux et de santé, les entreprises, les groupes syndicaux, de même que les gouvernements locaux, provinciaux et territoriaux sont admissibles au programme.

Objectifs

En appuyant financièrement les projets, le programme Nouveaux Horizons vise trois objectifs :

1. Répondre aux besoins des aînés en situation de risque ou prévenir ces situations. C'est l'objectif premier du programme; tous les projets doivent y correspondre.
2. Rechercher des approches et des solutions innovatrices et évaluer les projets et en diffuser les résultats.

3. Encourager la création de nouveaux partenariats entre les aînés et les diverses instances qui s'intéressent aux aînés et aux défis d'une société vieillissante.

Les objectifs 2 et 3 constituent aussi d'importants facteurs dans la sélection des projets admissibles au financement.

Critères de financement

Conditions d'admissibilité

Les groupes énumérés ci-dessous sont tous admissibles au programme :

- groupe d'aînés;
- organismes sans but lucratif;
- associations professionnelles;
- institutions d'enseignement;
- organismes de services sociaux ou de santé;
- entreprises;
- regroupements de travailleurs;
- gouvernements provinciaux, territoriaux et municipaux.

Les particuliers ne sont pas admissibles au programme.

Projets admissibles

Le programme Nouveaux Horizons finance des projets concrets pour une période déterminée. En général, la durée de financement ne dépasse pas 24 mois. Les projets peuvent être d'envergure locale, régionale ou nationale. Les aînés doivent y jouer un rôle au plan de la conception, de la mise en œuvre ou de la gestion. Tous les projets doivent respecter les objectifs et les priorités de financement du programme. Certaines activités ou certains projets ne sont pas admissibles au programme.

Comment faire une demande ?

Pour en savoir plus long sur la pertinence du programme Nouveaux Horizons dans votre milieu ou pour obtenir le guide des requérants, veuillez communiquer avec le Bureau régional de la Promotion de la santé et du Développement social de votre région. Toute demande d'information relative aux projets d'envergure nationale doit être acheminée à la Direction des aînées et aînés, à Ottawa.

Bureau national
Direction des aînés et aînées
Santé Canada
473, rue Albert
Édifice Trebla, 3e étage
Ottawa, Ontario
K1A 0K9
Tél. : (613) 952-7606

Bureau de la promotion de la santé et du développement social
Santé Canada
200, boul. René-Lévesque Ouest
Complexe Guy-Favreau
Tour Est, 2e étage
Montréal (Québec)
H2Z 1X4
Tél. : (514) 283-7306
Sans frais : 1 800 363-9716

VOS TALENTS D'ARTISAN POURRAIENT ÊTRE RECONNUS

Les associations régionales d'artisans

Les associations régionales d'artisans professionnels peuvent devenir des organismes-ressources pour vous si vous désirez œuvrer dans l'artisanat du loisir. Vous y trouverez certainement une source infinie d'informations physiques, techniques et documentaires, quelle que soit la discipline de votre choix.

Pour devenir membre d'une association d'artisans, vous devez faire évaluer votre dossier auprès de l'association concernée, au coût moyen de 50 $ (taxes en sus). On évalue les candidatures à partir des critères suivants : esthétique, créativité, originalité, finition, implication de l'artisan dans son milieu. Chaque membre doit débourser une cotisation annuelle de 100 $ (taxes en sus). Cela lui permet de bénéficier de cours de formation, de centres de documentation, d'une assurance-salaire, de services de mise en marché des produits ainsi que de participer à différents salons tels : le Salon des artisans, Plein-Art.

Association des artisans de ceinture fléchée du Québec
4545, avenue Pierre-de-Coubertin
C.P. 1000, succ. M
Montréal (Québec)
H1V 3R2

Tél. : (514) 252-3188

Corporation des artisans du Platin
451, rue Arnaud
Sept-Îles (Québec)
G4R 3B3

Tél. : (418) 968-6115

Conseil des métiers d'art du Québec
Siège social
378, rue Saint-Paul Ouest
Montréal (Québec)
H2Y 2A6

Tél. : (514) 287-7555

Corporation des métiers du Québec en Estrie
17, rue Belvédère Nord
Sherbrooke(Québec)
J1H 4A7

Tél. : (819) 823-0221

Corporation des métiers d'art du Saguenay – Lac-Saint-Jean
414, rue Collard Ouest
Bureau 101
Alma (Québec)
G8B 1N2

Tél. : (418) 662-9255

Conseil des métiers d'art du Québec
55, rue Saint-Pierre
Québec (Québec)
G1K 4A2

Tél. : (418) 694-0260

UN TRAVAIL QUI PAIE AU CENTUPLE : LE BÉNÉVOLAT

Quelqu'un qui a besoin de vous

De plus en plus, le bénévolat gagne en force et en efficacité. De nos jours, lorsqu'on fait du bénévolat, on n'a plus l'impression de faire la charité. On rend service par besoin d'enrichissement personnel, pour briser son propre isolement, pour sortir de soi, et on y gagne au change.

Le bien qu'on fait la veille fait le bonheur du lendemain.

Proverbe indien

•••••

Comment devenir bénévole

Vous désirez offrir un peu de votre temps ? Vous voulez servir une bonne cause ? Faites du bénévolat!

Pour devenir bénévole, vous pouvez vous adresser :

- au Centre d'action bénévole de votre région. Vous trouverez la liste à l'annexe III du *Guide*;
- à l'Association des centres d'action bénévole;
- aux autres organismes bénévoles de votre localité.

Des Centres d'action bénévole existent dans la plupart des régions du Québec. Ils œuvrent surtout dans le domaine social en fournissant aux personnes dans le besoin divers services tels que : popotes roulantes, dépannage, visites amicales, information et référence. Ils vous renseigneront sur les organismes bénévoles et vous aideront à choisir une activité correspondant à vos goûts et aptitudes.

S'il n'y a pas de centre de bénévolat dans votre localité, vous pouvez communiquer avec :

Fédération des centres d'action bénévole du Québec
4838, rue Papineau
Montréal (Québec)
H2H 1V6
Tél. : (514) 524-7515

Des cours de bénévolat

Il existe même des cours sur le bénévolat! On est de plus en plus conscient de l'importance du travail accompli par les bénévoles et nombre de ceux-ci reçoivent une formation adaptée au type de clientèle de l'institution où ils exercent leur activité. Ces cours sont offerts gratuitement par les centres d'action bénévole et par l'Association des centres d'action bénévole.

L'Institut de formation humaine intégrale de Montréal offre, pour sa part, un cours de bénévolat qui comporte deux sessions se déroulant à raison de trois heures et demie par semaine la première année, de trois heures et demie par mois la deuxième année. L'étudiant est envoyé dans un organisme pour un stage qui comprend trois à quatre heures de bénévolat par semaine pendant un an. Aucun niveau d'étude particulier n'est exigé pour s'inscrire. Pour plus de renseignements, appelez au (514) 331-6861.

Aider les autres et s'aider soi-même,
voilà la raison d'être du bénévolat.

•••••

Le bénévolat s'impose un peu partout

Le bénévolat fait plus que jamais des adeptes. On arrive difficilement à cerner tous les endroits où l'on peut faire du bénévolat. Les possibilités sont aussi multiples que les besoins auxquels elles correspondent. Vous avez décidé de vous unir à la centaine de milliers de bénévoles du Québec ? Voici quelques bonnes adresses parmi tant d'autres.

Si vous désirez travailler dans le domaine de la santé :

Société canadienne de la Croix-Rouge
6, place du Commerce
Île-des-Sœurs (Québec)
H3E 1P4

Tél. : (514) 362-2900

Société canadienne de la Croix-Rouge
1205, boul. Charest Ouest
Québec (Québec)
G1N 2C9

Tél. : (418) 687-5062

Vous trouverez la liste des bureaux locaux de la Société canadienne de la Croix-Rouge dans votre annuaire téléphonique.

Société canadienne du cancer
5151, boul. L'Assomption
Montréal (Québec)
H1T 4A9

Tél. : (514) 255-5151

489, boul. René-Lévesque Ouest
Québec (Québec)
G1S 1S2

Tél. : (418) 683-8666

Association des auxiliaires bénévoles des établissements de santé du Québec
505, boul. De Maisonneuve Ouest
Bureau 400
Montréal (Québec)
H3A 3C2

Tél. : (514) 842-4861

Centraide
493, rue Sherbrooke Ouest
Montréal (Québec)
H3A 1B6

Tél. : (514) 288-1261

3100, Bourg-Royal
Bureau 101
Beauport (Québec)
G1C 5S7

Tél. : (418) 660-2100

Office des personnes handicapées du Québec
309, rue Brock
Drummondville (Québec)
J2B 1C5

Tél. : (819) 475-8585
Sans frais: 1 800 567-1465

Pour connaître l'ensemble des organismes bénévoles du domaine de la santé, communiquez avec votre Centre d'action bénévole, dont vous trouverez la liste à l'annexe III du *Guide*.

Si vous désirez travailler dans le domaine des loisirs et des sports :

- contactez le Club de l'âge d'or de votre localité, ou l'un des conseils régionaux de la Fédération de l'âge d'or du Québec dont vous trouverez la liste au chapitre 12 « Vos droits » du *Guide*;
- communiquez avec le service des loisirs de votre municipalité ou le Conseil régional de loisirs de votre localité.

Fédération québécoise des centres communautaires des loisirs inc.
2301, 1re Avenue
Québec (Québec)
G1L 3M9
Tél. : (418) 647-4536

Regroupement Loisir Québec
4545, avenue Pierre-de-Coubertin
C.P. 1000, succ. M
Montréal (Québec)
H1V 3R2
Tél. : (514) 252-3685

Tous les organismes mentionnés plus haut peuvent vous renseigner et vous orienter dans votre recherche pour travailler bénévolement dans le domaine des sports et des loisirs.

Le Centre d'action bénévole de votre localité constitue un organisme de référence de premier ordre pour faciliter vos recherches. Vous trouverez la liste à l'annexe III du *Guide*.

Si vous désirez travailler pour les prisonniers et faciliter leur réinsertion sociale :

Association des services de réhabilitation sociale du Québec inc.
1657, boul. Saint-Joseph Est
Montréal (Québec)
H2J 1N1

Tél. : (514) 521-3733

C.R.C. La Maison
479, rue Principale
Granby (Québec)
J2G 2W9

Tél. : (514) 378-9924

Maison Painchaud
1415, avenue Saint-Pascal
Québec (Québec)
G1J 4R1

Tél. : (418) 661-0203

Atelier et Maison Radisson inc.
962, rue Sainte-Geneviève
Trois-Rivières (Québec)
G9A 5K4

Tél. : (819) 379-3623

Conseil des églises pour la justice et la criminologie
2715, chemin Côte-Sainte-Catherine
Bureau 602
Montréal (Québec)
H3T 1B6

Tél. : (514) 738-5075

Les Établissements du Gentilhomme inc.
400, rue des Rocheuses
Beauport (Québec)
G1C 4N2

Tél. : (418) 667-0867

Maison Saint-Laurent
6060, rue Renoir
Montréal-Nord (Québec)
H1G 2N8

Tél. : (514) 326-8400

Vous pouvez contacter le Centre d'action bénévole de votre localité pour connaître l'ensemble des organismes qui œuvrent auprès des prisonniers. Vous trouverez la liste à l'annexe III du *Guide*.

Si vous désirez travailler pour les démunis :

Armée du Salut
1620, rue Notre-Dame Ouest
Montréal (Québec)
H3J 1M1

Tél. : (514) 935-7425

Armée du Salut
14, côte du Palais
Québec (Québec)
G1R 4H8

Tél. : (418) 692-3956

Centraide Québec
3100, Bourg-Royal
Beauport (Québec)
G1C 5S7

Tél. : (418) 660-2100

Centraide Montréal
493, rue Sherbrooke Ouest
Montréal (Québec)
H3A 1B6

Tél. : (514) 288-1261

Vous trouverez la liste des bureaux régionaux de Centraide dans votre annuaire téléphonique.

Société de Saint-Vincent-de-Paul inc.

Conseil central de Québec
450, 8e Avenue
Québec (Québec)
G1J 3L7

Tél. : (418) 522-5741

Conseil central de Montréal
1930, rue Champlain
Montréal (Québec)
H2L 2S8

Tél. : (514) 526-5937

Fédération des ACEF du Québec
7500, avenue De Chateaubriand
Montréal (Québec)
H2R 2M1

Tél. : (514) 277-7959

Le Centre d'action bénévole de votre localité peut vous aider dans vos démarches. Vous trouverez la liste à l'annexe III du *Guide*.

Si vous désirez travailler pour l'aide internationale :

Association québécoise des organismes de coopération internationale (AQOCI)
801, rue Sherbrooke Est
Bureau 400
Montréal (Québec)
H2L 1K7
Tél. : (514) 597-2288

Oxfam-Québec
2330, rue Notre-Dame Ouest
Montréal (Québec)
H3J 2Y2
Tél. : (514) 937-1614

Unicef
1048, rue des Érables
Québec (Québec)
G1R 2M9
Tél. : (418) 683-3017

Service administratif canadien aux organismes (SACO)
1980, rue Sherbrooke Ouest
Bureau 350
Montréal (Québec)
H3H 1E8
Tél. : (514) 931-0255

Unicef
4774, rue Saint-Denis
Montréal (Québec)
H2J 2L1
Tél. : (514) 288-1305

Bureaux locaux de la Croix-Rouge. (Page 270)

Pour toute information concernant les organismes qui travaillent pour l'aide internationale, communiquez avec le Centre d'action bénévole de votre région. Vous trouverez la liste à l'annexe III du Guide.

Si vous désirez travailler dans le domaine des arts :

Fédération des harmonies du Québec
4545, avenue Pierre-de-Coubertin
C.P. 1000, succ. M
Montréal (Québec)
H1V 3R2
Tél. : (514) 252-3026

Les jeunesses musicales du Canada
305, rue Mont-Royal Est
Montréal (Québec)
H2T 1P8
Tél. : (514) 845-4108

Regroupement Loisir-Québec
4545, avenue Pierre-
de-Coubertin
C.P. 1000, succ. M
Montréal (Québec)
H1V 3R2
Tél. : (514) 252-3000

Fédération des sociétés d'histoire du Québec
4545, avenue Pierre-
de-Coubertin
C.P. 1000, succ. M
Montréal (Québec)
H1V 3R2
Tél. : (514) 252-3031

Si vous désirez travailler pour vos droits :

Association québécoise pour la défense des droits des retraités et préretraités (AQDR)
1850, rue Bercy
Bureau 113 A
Montréal (Québec)
H2K 2V2
Tél. : (514) 526-3845
(514) 526-7151

Fédération des aînés dynamiques du Québec
845, boul. René-Lévesque Ouest
Bureau 303
Québec (Québec)
G1S 1T5
Tél. : (418) 682-5046

Fédération de l'âge d'or du Québec (FADOQ)
4545, avenue Pierre-
de-Coubertin
C.P. 1000, succ. M
Montréal (Québec)
H1V 3R2
Tél. : (514) 252-3017

Forum des citoyens âgés de Montréal
1030, Saint-Alexandre
Bureau 902
Montréal (Québec)
H2Z 1P3
Tél. : (514) 393-9345

Le Centre d'action bénévole de votre localité peut vous renseigner sur les divers organismes existants. La liste se trouve à l'annexe III du *Guide*.

Si vous désirez travailler pour le soutien moral et personnel :

Centre de prévention du suicide de Québec
141, rue Saint-Jean
Québec (Québec)
G1R 1N4
Tél. : (418) 525-4628

Suicide-Action Montréal inc.
Quartier Rosemont-Villeray
Montréal (Québec)
Tél. : (514) 723-4000

Mouvement Action-Chômage
435, rue du Roi
Québec (Québec)
G1K 2X1
Tél. : (418) 523-7117

Prière-Secours
C.P. 933 Haute-Ville
Québec (Québec)
G1R 4T4
Tél. : (418) 687-3553

865, boul. Saint-Germain Ouest
Rimouski (Québec)
G5L 3T7
Tél. : (418) 724-2446

Mouvement des travailleurs chrétiens
435, rue du Roi
Québec (Québec)
G1K 2X1
Tél. : (418) 525-6187

Sessions populaires pour l'engagement social au Québec enr.
1073, boul. René-Lévesque Ouest
Sillery (Québec)
G1S 4R5
Tél. : (418) 688-1211

Pour connaître l'ensemble des organismes qui œuvrent dans le domaine social, tels les centres de prévention du suicide, les services d'écoute téléphonique, etc., communiquez avec le Centre d'action bénévole de votre localité. Vous trouverez la liste à l'annexe III du *Guide*.

LES SURNOMS CÉLÈBRES

Au cours de l'Histoire, on a donné parfois un surnom à certains personnages célèbres. Dans certains cas, il s'agissait d'un nom familier; dans d'autres cas, le surnom caractérisait leurs qualités ou leurs actions, bonnes ou mauvaises.

Voici une liste de certains de ces surnoms. Saurez-vous retrouver quels sont les personnages célèbres qui les ont portés ?

1.	Le chevalier sans peur et sans reproche
2.	La pucelle d'Orléans
3.	Le petit caporal
4.	L'empereur à la barbe fleurie
5.	Louis le Bien-Aimé
6.	Le brave des braves
7.	L'aigle de Meaux
8.	Le Béarnais
9.	L'Ami du Peuple
10.	Le cygne de Cambrai
11.	Le patriarche de Ferney
12.	L'incorruptible
13.	Le fléau de Dieu
14.	Le roi-citoyen
15.	Le tigre

Solutions

1. Bayard	6. Maréchal Ney	11. Voltaire
2. Jeanne d'Arc	7. Bossuet	12. Robespierre
3. Bonaparte	8. Henri IV	13. Attila
4. Charlemagne	9. Marat	14. Louis-Philippe
5. Louis XV	10. Fénelon	15. Clémenceau

Référence : Devinettes et petits jeux Fleurus.

CHAPITRE 10

L'ÉDUCATION

IL N'Y A PAS D'ÂGE POUR APPRENDRE!

Contrairement à une croyance assez répandue, la capacité d'apprendre ne diminue pas avec l'âge. Il existe sûrement un domaine ou un sujet qui vous intéresse particulièrement, mais vous n'osez pas entreprendre des études. Pourquoi ? Qu'est-ce qui vous en empêche ?

Ce ne sont certes pas les programmes qui manquent.

L'éducation des adultes : de 16 à 99 ans . . . ou plus

- pour compléter votre formation;
- pour vous recycler;
- ou tout simplement pour acquérir de nouvelles connaissances.

Vous avez le choix :

- la formation générale qui vous permet d'acquérir le degré de scolarité désiré. Ces cours sont offerts à temps plein ou à temps partiel aux niveaux présecondaire, secondaire, collégial et universitaire;
- la formation socioculturelle, qui vise à encourager votre participation consciente et active dans votre milieu, peut prendre plusieurs formes : de l'école traditionnelle aux clubs populaires de la culture, en passant par la formation à distance avec Télé-université ou encore d'autres initiatives du genre. Elle vous apportera des connaissances nouvelles, favorisera votre développement et votre épanouissement. On vous propose des sujets aussi variés que l'alimentation, le logement, les arts plastiques, la couture, la décoration intérieure, les droits et devoirs civiques, etc.;
- la formation professionnelle qui vous permet d'améliorer vos compétences dans l'exercice d'un métier ou d'une spécialité. Les programmes sont offerts à temps plein et à temps partiel et, dans la mesure du possible, le jour.

Peu importe le type de formation que vous privilégiez, vous pouvez bénéficier des cours d'éducation des adultes offerts par 79 commissions scolaires, 47 collèges d'enseignement général et professionnel (cégep) et par 649 organismes d'éducation populaire autonome.

Pour information :

- Services de formation professionnelle et d'éducation aux adultes de votre commission scolaire;
- Services d'éducation des adultes des cégeps;
- Direction régionale du ministère de l'Éducation.

Direction régionale du Bas-Saint-Laurent – Gaspésie Îles-de-la-Madeleine
376, avenue de la Cathédrale
Rimouski (Québec)
G5L 5K9
Tél. : (418) 722-3600

Direction régionale du Saguenay – Lac-Saint-Jean
3750, boul. du Royaume
2e étage, bureau 202
Jonquière (Québec)
G7X 0A5
Tél. : (418) 695-7982

Direction régionale de Québec – Chaudière-Appalaches
1020, route de l'Église
3e étage
Sainte-Foy (Québec)
G1V 3V9
Tél. : (418) 643-7934

Direction régionale de la Mauricie – Bois-Francs
Édifice Capitanal
100, rue Laviolette
2e étage
Trois-Rivières (Québec)
G9A 5S9
Tél. : (819) 371-6711

Direction régionale de l'Estrie
200, rue Belvédère Nord
Bureau 3.05
Sherbrooke (Québec)
J1H 4A9
Tél. : (819) 820-3382

Direction régionale de Laval-Laurentides – Lanaudière
300, rue Sicard
2e étage, bureau 200
Sainte-Thérèse (Québec)
J7E 3X5
Tél. : (514) 430-3611

Direction de la formation générale des adultes
Édifice Marie-Guyart, 9e étage
1035, rue De La Chevrotière
Québec (Québec)
G1R 5A5

Tél. : (418) 646-7342

Direction régionale de l'Abitibi-Témiscamingue
180, boul. Rideau
Bureau 2.02
Rouyn-Noranda (Québec)
J9X 1N9

Tél. : (819) 797-1766

Direction régionale de la Côte-Nord
625, boul. Laflèche
Bureau 303
Baie-Comeau (Québec)
G5C 1C5

Tél. : (418) 589-5748

106, rue Napoléon
2e étage
Sept-Îles (Québec)
G4R 3L7

Tél. : (418) 968-6420

Direction régionale de la Montérégie
Édifice Montval, 6e étage
201, place Charles-Lemoyne
Longueuil (Québec)
J4K 2T5

Tél. : (514) 928-7438

Direction régionale de Montréal
600, rue Fullum
6e étage
Montréal (Québec)
H2K 4L1

Tél. : (514) 864-2050

Direction régionale de l'Outaouais
170, rue Hôtel-de-Ville
4e étage
Hull (Québec)
J8X 4C2

Tél. : (819) 772-3382

Centres de renseignements Ministère de l'Éducation
Édifice Marie-Guyart
16e étage
Québec (Québec)
G1R 5A5

Tél. : (418) 643-7095

- Centre Travail-Québec de votre localité
- Centre d'emploi du Canada de votre localité
- Commission de formation professionnelle de votre région
- Service d'accueil, d'information et de référence de la Société québécoise de développement de la main-d'oeuvre (SQDM) de votre région

Saviez-vous que ?

Le service d'accueil, d'information et de référence de la Société québécoise de développement de la main-d'œuvre (SQDM) vous permet d'obtenir toute l'information sur les programmes gouvernementaux et les cours de formation offerts aux adultes dans chaque région.

Pour toute information supplémentaire, communiquez avec la Société québécoise de développement de la main-d'œuvre de votre région.

Vos connaissances antérieures pourraient vous rapporter gros

Vous avez décidé d'entreprendre des cours de formation des adultes, mais à quel niveau devez-vous commencer ? Jadis, vous avez terminé votre 7e année...

Rien n'est perdu! surtout pas les connaissances que vous avez acquises en dehors des « murs scolaires ».

Qui sait ? Votre 7e année ajoutée à votre expérience équivaut peut-être à une 3e année du secondaire.

Avant d'entreprendre des études, vous devriez rencontrer un conseiller du Service de l'éducation des adultes de votre commission scolaire. Celui-ci procédera à la mise à jour de votre dossier :

- il établira les équivalences des cours déjà réussis au Québec ou ailleurs;
- il évaluera ou fera évaluer votre formation acquise en dehors de l'école;
- il indiquera, compte tenu de votre orientation, le nombre de cours que vous devrez suivre;
- il vous fournira tous les renseignements relatifs à l'inscription des cours et aux communications avec le ministère de l'Éducation, etc.

On commence à vieillir lorsqu'on cesse d'apprendre.

Proverbe chinois

•••••

Autodidacte... êtes-vous de cette espèce ?

Comment procéder si vous désirez amorcer une seconde carrière et que l'on exige de vous un certificat de 5e secondaire ? Vous avez quitté l'école depuis belle lurette et...

Peut-être faites-vous partie de cette catégorie de personnes que l'on qualifie d'autodidactes, ces gens qui se sont instruits par eux-mêmes, sans maître ?

Le ministère de l'Éducation pourra, dans certains cas, accorder une attestation d'équivalence à une 5e année du secondaire. Ce document est non valide pour vous inscrire dans une institution collégiale, mais il est reconnu pour fin d'emploi.

P*assez les tests*!

Pour faire reconnaître votre savoir, vous devrez subir une série de tests (6) de diverses disciplines telles que le français, les mathématiques, les sciences, etc. On vous attribuera votre attestation selon les résultats que vous obtiendrez.

Pour information :

Ministère de l'Éducation
Direction de la formation générale des adultes
1035, rue De La Chevrotière
Édifice Marie-Guyart, 10e étage
Québec (Québec)
G1R 5A5
Tél. : (418) 646-8360

- le Service d'éducation des adultes de votre commission scolaire;
- un des bureaux régionaux du ministère de l'Éducation.

L'Université du 3e âge

Il n'y a pas d'âge pour apprendre; l'Université du 3e âge en est une preuve évidente.

L'Université du 3e âge...; à l'Université Laval

- si vous êtes un « jeune » de 50 ans et plus;
- si vous désirez acquérir de nouvelles connaissances;
- si vous voulez trouver réponse à des problèmes contemporains;
- si vous voulez adapter des solutions aux difficultés liées au troisième âge;

Il s'agit d'un programme multidisciplinaire intitulé « Entretiens et ateliers ». On y offre, entre autres, des cours d'informatique, de musique, de littérature, d'écologie, de sciences politiques, de sciences religieuses.

Une formule pédagogique intéressante : des exposés coupés de périodes de questions avec recours aux techniques audiovisuelles. L'intérêt et la motivation constituent les seules conditions nécessaires au préalable pour être admis à l'Université du 3e âge. Vous recevrez une attestation d'étude au terme du trimestre.

La durée, le nombre de participants et le coût d'inscription varient selon la nature du cours.

Pour information :

Direction générale de la formation continue
Pavillon Louis-Jacques Casault
Local 4731
Université Laval
Sainte-Foy (Québec)
G1K 7P4
Tél. : (418) 656-3202

L'Université du Québec à Chicoutimi

Un programme d'étude a spécialement été confectionné pour répondre aux besoins spécifiques des retraités. Son nom : Certificat en expression culturelle des aînés. Au terme de ce programme, une attestation universitaire officielle est accordée à l'étudiant aîné.

Deux conditions sont exigibles pour cheminer avec succès dans ce type de formation :

- avoir atteint l'âge de la retraite;
- avoir acquis une expérience humaine identifiable dans un domaine donné, qu'il s'agisse d'une profession, d'un métier, d'un art ou de toute autre activité sociale ou familiale.

Les cours sont habituellement dispensés durant les sessions d'automne et d'hiver, le jeudi, de 14 h à 17 h. Pour obtenir de la documentation sur la structure et le contenu du programme ou pour toute autre information, adressez-vous à :

Module de théologie
Université du Québec à Chicoutimi
555, boul. de l'Université
Chicoutimi (Québec)
G7H 2B1
Tél. : (418) 545-5286

L'Université de Sherbrooke

Une série de cours spécialement conçus pour les aînés sont offerts dans différentes disciplines telles que l'histoire, les langues, la philosophie, la musique, les arts visuels, l'éducation physique, etc.

Les conditions d'admission sont sensiblement les mêmes :

- avoir 50 ans et plus;
- être intéressé à poursuivre son développement personnel selon ses goûts et ses aptitudes;

- aimer rencontrer d'autres personnes afin de vivre des relations humaines plus enrichissantes.

Les frais d'inscription varient selon la durée du cours. Pour la majorité des cours de 20 heures par exemple, les frais sont de 55 $. Tout étudiant aux « Programmes de formation continue des personnes aînées » doit être membre de l'Association générale des étudiants aînés de l'Université de Sherbrooke (AGEAUS).

Pour information :

Programmes de formation continue des personnes aînées
Centrale d'énergie
Université de Sherbrooke
Sherbrooke (Québec)
J1K 2R1
Tél. : (819) 821-7630

Autres organismes ou institutions qui offrent des cours et des activités éducatives pour les aînés :

Académie de gérontologie de l'Outaouais
331, boul. Cité-des-Jeunes
Hull (Québec)
J8Y 6T3
Tél. : (819) 776-5052

Association des diplômés universitaires aînés
Université du Québec à Trois-Rivières
C.P. 500
Trois-Rivières (Québec)
G9A 5H7
Tél. : (819) 375-2387

Fondation culturelle du 3e âge
Collège Jean-de-Brébeuf
Pavillon Lallemant
5625, avenue Decelles
Montréal (Québec)
H3T 1W4
Tél. : (514) 342-1320 poste 412

Institut du 3e âge inc.
2, rue Drouin
Bureau 207
Victoriaville (Québec)
G6P 8H2
Tél. : (819) 758-1452

Télé-université

Étudier sans vous déplacer toutes les semaines pour aller « suivre un cours », voilà le principe de la Télé-université.

Un tuteur communique rapidement avec vous, par téléphone ou par télématique, pour vous orienter dans votre démarche pédagogique et dans les rouages administratifs. Le lien avec cette personne-ressource est maintenu tout au long du cours.

Selon la nature du cours et les objectifs pédagogiques poursuivis, la matière peut vous être diffusée par divers médias :

- imprimé (manuel de base et guide de l'étudiant);
- audiocassettes;
- disquettes informatiques;
- télévision ou vidéocassettes;
- télématique.

Télé-université dispense divers programmes d'études de 1er cycle dans les quatre grands domaines suivants :

- administration,
- communication,
- sciences humaines et sociales,
- science et technologie.

Ces programmes se divisent en 1 baccalauréat, 13 certificats et 12 programmes courts. Télé-université offre également un diplôme de 2e cycle en formation à distance.

Conditions générales d'admission :

- posséder des connaissances appropriées, une expérience jugée pertinente et être âgé d'au moins 22 ans;
- posséder un diplôme d'études collégiales;
- posséder un diplôme universitaire;

- maîtriser son français pour le baccalauréat et certains certificats (connaissances vérifiées par un test).

Outre les conditions générales d'admission à la Télé-université, vous devez, pour certains cours ou programmes, satisfaire à des conditions particulières.

***La période d'inscription* :**

La Télé-université reçoit et accepte les admissions et les inscriptions en tout temps. Les mois de septembre, janvier et mai sont néanmoins des périodes intensives d'admission et d'inscription. Il s'écoule généralement un mois entre la réception de votre fiche d'inscription et la date officielle du début de votre cours. Vous pouvez vous inscrire seul ou en groupe.

***Les frais* :**

Aucuns frais de matériel pédagogique ne sont exigés. Cependant, vous devez acquitter divers frais tels que : les frais d'admission ou de changement de programme, les frais de scolarité, les frais généraux, etc.

On retrouve la Télé-université partout! de Sept-Îles à Montréal, de Fort-Chimo à Hull et Gaspé.

Pour en savoir davantage sur...

- les conditions d'admission et d'inscription;
- les frais d'inscription;
- la description des cours;
- le système de crédits universitaires.

Pour rencontrer un conseiller et recevoir la brochure des activités, communiquez avec :

Télé-université
1001, rue Sherbrooke Est
4e étage
C.P. 5250, succursale C
Montréal (Québec)
H2X 3M4
Tél. : (514) 522-3540
Sans frais : 1 800 463-4728

Tour de la Cité
2600, boul. Laurier
7e étage
Sainte-Foy (Québec)
G1V 4V9
Tél. : (418) 657-2262
Sans frais : 1 800 463-4728

Il en est de la pointe de l'esprit comme d'un crayon, il faut recommencer à le tailler sans cesse.

Apprendre à la maison avec la formation à distance

Une formation qui répond à vos besoins, qui fait appel à votre responsabilité et à votre motivation. Vous vous inscrivez quand vous voulez. Vous étudiez chez vous, à votre rythme avec un matériel d'étude qui vous permet de travailler seul. Vous êtes soutenu et dirigé par un professeur avec qui vous communiquez périodiquement, par la poste, à l'occasion de l'envoi de travaux pratiques. Vous pouvez aussi recevoir des renseignements par téléphone.

Les cours par correspondance sont produits par le ministère de l'Éducation, et plusieurs conduisent à l'obtention de crédits en vue des diplômes officiels : collégial et secondaire. Chaque cours réussi est sanctionné par une attestation d'études.

Formation à distance : niveau secondaire

Les cours de formation à distance de niveau secondaire sont offerts par une soixantaine de commissions scolaires. Communiquez avec la commission scolaire de votre région pour savoir si elle offre des cours de formation à distance, et pour obtenir la liste des cours offerts et les modalités d'inscription.

Formation à distance : niveau collégial

Le Centre collégial de formation à distance offre des cours de formation à distance de niveau collégial. Vous avez le choix de 75 cours différents regroupés dans les 10 disciplines suivantes :

- Techniques agricoles
- Foresterie urbaine
- Mathématique
- Techniques familiales

- Sciences humaines
- Philosophie
- Administration et techniques administratives
- Techniques de gestion de bureau
- Informatique
- Français

Selon la nature du cours, les frais à débourser varient entre 100 et 240 $. Règle générale, le matériel est inclus dans le montant. Certains cours peuvent toutefois nécessiter l'achat en librairie de documents de consultation.

Pour information :

Centre collégial de formation à distance
6283, Beaubien Est
Montréal (Québec)
H1M 3E6
Tél. : (514) 864-6464
Sans frais : 1 800 665-6400

- la Direction régionale du ministère de l'Éducation de votre région.

UNE RETRAITE, ÇA SE PRÉPARE

En principe, la retraite devrait être envisagée avec sérénité; elle devrait permettre aux gens de vivre heureux, ce qui pourrait fort bien être la plus belle période de leur vie. En réalité, la retraite est souvent envisagée avec appréhension et tristesse.

Faites le test

Comment percevez-vous la retraite ?

A. La retraite désigne la fin d'une carrière, c'est en quelque sorte une amputation.

B. La retraite est la période rêvée pour mettre à exécution un projet particulier ou pour débuter une seconde carrière. C'est une occasion de s'évader du train-train quotidien.

Si vous avez coché la lettre « A », votre façon de penser, votre état d'esprit face à la retraite laisse croire que le « choc opératoire » sera difficile à franchir. Par ailleurs, si vous avez coché la lettre « B », aucun choc psychologique n'est à redouter, vous vous acheminerez vers une vie nouvelle, sûrement meilleure.

La retraite peut être merveilleuse... si elle a été préparée.

Des cours de préparation à la retraite, pourquoi ?

- pour vous aider à développer une attitude positive face à la retraite;
- pour favoriser la prise en charge individuelle de votre retraite pour une planification et une préparation progressive;
- pour vous sensibiliser à la dynamique de la retraite et aux divers aspects de la vie à la retraite;
- pour favoriser une prise de conscience personnelle et sociale de la retraite;
- pour vous donner une information adéquate sur les problèmes de la vie à la retraite;
- pour vous faire prendre conscience que la retraite est tout simplement une phase de la vie.

Dans les cours de préparation à la retraite, on aborde des sujets tels que :

- l'adaptation psychologique;
- les changements;
- la vie affective;
- les questions de santé (le vieillissement, l'alimentation, l'activité physique);
- l'emploi du temps;

- le logement;
- les questions financières;
- les questions juridiques.

S'ADAPTER À LA RETRAITE

Certains organismes vous proposent des cours d'adaptation à la retraite :

- pour vous aider à améliorer vos communications;
- pour faciliter votre adaptation face aux changements à la retraite;
- pour découvrir vos capacités et vos ressources personnelles;
- pour vous outiller en vue de la gestion de vos affaires financières;
- pour vous faciliter la tâche dans la gestion de vos affaires juridiques.

Les organismes suivants peuvent vous offrir des cours de préparation ou d'adaptation à la retraite :

- les cégeps;
- les centres locaux de services communautaires (CLSC);
- les commissions scolaires;
- la Fédération des aînés dynamiques du Québec;
- Télé-université;
- les universités;
- les clubs de l'âge d'or;
- les associations de retraités.

Pour information :

Fédération des aînés dynamiques du Québec
845, boul. René-Lévesque Ouest
Bureau 303
Québec (Québec)
G1S 1T5

Tél. : (418) 682-5046

- l'un des bureaux régionaux du ministère de l'Éducation;
- l'un des conseils régionaux de la Fédération de l'âge d'or du Québec dont vous trouverez la liste au chapitre 12 du *Guide*;
- votre club de l'âge d'or;
- le Centre local de services communautaires (CLSC) de votre localité;

LE PROGRAMME ELDERHOSTEL : DES SÉJOURS CULTURELS POUR LES AÎNÉS

Quand l'éducation, la culture et les voyages s'associent

Une semaine d'hébergement dans une université pour y suivre des cours et pour participer à des visites socioculturelles, voilà le séjour culturel des aînés. Il s'agit d'une formule conçue pour satisfaire vos besoins culturels, pour vous apprendre à vaincre l'isolement et la solitude, pour favoriser des rencontres et pour vous permettre d'échanger sur vos expériences de vie.

Plusieurs cours sont au programme et varient d'une institution à l'autre : l'architecture québécoise, l'activité physique, l'anthropologie, etc. Ils ne comportent pas de travaux ni d'examens; toutefois, certaines lectures peuvent être recommandées.

L'âge pour l'inscription est fixé à 55 ans, le conjoint peut être moins âgé. L'institution assure toute l'assistance nécessaire aux personnes. Elle répond à tous les besoins d'encadrement. De manière générale,

La connaissance est le seul instrument de production qui n'est pas sujet à la dépréciation

John Maurice Clark

•••••

le prix du séjour culturel est de 360 $ par personne. Ce montant comprend le logement, la nourriture et les cours. Le coût du transport est aux frais des participants.

La formule vous intéresse

Chaque année, ELDERHOSTEL Canada produit des répertoires dans lesquels on peut trouver les différents séjours culturels offerts partout au Canada. Vous pouvez consulter ces répertoires dans les bibliothèques, les clubs de l'âge d'or, etc.

Pour obtenir des renseignements supplémentaires sur l'inscription ou les programmes offerts, contactez :

Séjours culturels des aînés du Canada
308, rue Wellington
Kingston, Ontario
K7K 7A7
Tél. : (613) 530-2222

Université Concordia
Leisure Studies Department
7141, rue Sherbrooke Ouest
Montréal (Québec)
H4B 1R6
Tél. : (514) 848-3331

EN GÉRONTOLOGIE... IL Y A FORMATION

Vous désirez entreprendre une deuxième carrière ?

Vous avez un vif intérêt pour la gérontologie... l'art du vieillissement ?

Il existe une formation spécialisée en gérontologie.

Formation en gérontologie

COLLÉGIAL

Institutions Le cégep suivant :

- Beauce-Appalaches

Types de cours Programme de perfectionnement. L'étudiant doit répondre à certaines exigences.

Institutions Les cégeps suivants :

- Abitibi-Témiscamingue
- Alma
- Beauce-Appalaches
- Baie-Comeau
- Bois-de-Boulogne
- Chicoutimi
- Drummondville
- Édouard-Montpetit
- François-Xavier-Garneau
- Gaspésie et des Îles
- Granby Haute-Yamaska
- Joliette-De-Lanaudière
- Jonquière
- La Pocatière
- Lévis-Lauzon
- Marie-Victorin
- Matane
- Région de l'Amiante
- Rimouski
- Saint-Félicien
- Saint-Hyacinthe
- Saint-Jean-sur-Richelieu
- Saint-Jérôme
- Shawinigan
- Sherbrooke
- Sorel-Tracy
- Trois-Rivières
- Victoriaville
- Valleyfield

Types de cours Programme général avec un stage.

UNIVERSITAIRE

Institutions

- Laval
- McGill
- de Montréal
- du Québec en Abitibi-Témiscamingue
- du Québec à Chicoutimi
- du Québec à Hull
- du Québec à Montréal
- du Québec (Télé-université)
- du Québec à Trois-Rivières
- de Sherbrooke

Types de cours

- Certificat de premier cycle
- L'Université du Québec à Hull offre également un certificat de deuxième cycle et l'Université de Sherbrooke offre la maîtrise.

LA GÉNÉRATION DES AÎNÉS D'AUJOURD'HUI... UN SUJET D'OBSERVATION

Plus que jamais, votre génération fait l'objet de diverses recherches. D'ici quelques années, vous constituerez la majorité de la population; il importe donc de connaître vos besoins et vos attentes pour améliorer vos conditions de vie. Vous désirez participer à une recherche en gérontologie ? Contactez l'une des universités suivantes :

Les universités où se fait de la recherche en gérontologie :

- Université de Montréal
- Recherche dans le cadre de diverses facultés et centres hospitaliers affiliés
- Université de Sherbrooke
- Programme de recherche à l'Hôpital d'Youville affilié à l'Université
- Université du Québec à Chicoutimi (recherche dans certains départements)
- Université du Québec à Hull (recherche dans certains départements)
- Université du Québec à Montréal
- Recherche au laboratoire d'écologie humaine et sociale
- Université du Québec à Trois-Rivières
- Laboratoire de gérontologie
- Université Laval
- Laboratoire de gérontologie sociale
- Université McGill
- Committee for Studies on Aging

Pour information :

Association québécoise de gérontologie
1474, rue Fleury Est
Montréal (Québec)
H2C 1S1
Tél. : (514) 387-3612

LE SYSTÈME MÉTRIQUE ET MOI

Je mesure	cm
Mon tour de taille est de	cm
Mon pied mesure	cm
Au point le plus large, l'ongle de mon petit doigt mesure environ	1 cm
Les autres membres de ma famille mesurent :	cm
	cm
	cm
La distance entre mon domicile et le bureau de mon médecin est de	km
La vitesse limite sur la plupart des routes est de	100 km/h
Je pèse à présent environ	kg
Je dois perdre environ	kg
Je voudrais ne peser que	kg
La température normale du corps est	37 °C
Je dois appeler le médecin lorsque j'ai une température de	38 °C
La température la plus saine d'une pièce est	20 °C
Je dois m'habiller chaudement quand il gèle ou quand la température baisse au-dessous de	0 °C
Je dois me protéger contre les gelures lorsque le facteur vent baisse la température atmosphérique à	- 10 °C
Je dois éviter de faire de gros efforts physiques lorsqu'une vague de chaleur fait monter la température atmosphérique à	35 °C
Quand je fais bouillir de l'eau, elle est à	100 °C
Au lieu d'une cuillerée à thé d'un médicament, j'en prendrai	5 ml
Au lieu de boire une pinte de lait, j'en boirai	1 l

LONGUEUR		VOLUME	
m	mètre	l	litre
cm	centimètre	cl	centilitre
km	kilomètre	ml	mililitre

MASSE		SUPERFICIE	
kg	kilogramme	m^2	mètre carré
g	gramme	km^2	kilomètre carré

VITESSE		TEMPÉRATURE	
km/h	kilomètre/heure	°C	degré Celsius

CHAPITRE 11

LOISIRS ET CULTURE

Depuis le jour où vous en parlez, depuis le jour où vous vous dites : « Lorsque j'aurai le temps, je m'adonnerai à tel sport, je ferai du bricolage, je voyagerai... ». Le temps est venu : à vous d'agir!

L'ACTIVITÉ PHYSIQUE

L'éventail sportif offre de nombreuses possibilités. Vous pouvez faire de l'activité physique, enseigner les sports, assister à des événements sportifs, vous spécialiser dans l'étude d'un sport. Évidemment, si vous n'avez jamais tenu une raquette de tennis, mieux vaut oublier le titre d'instructeur en tennis. Cependant, c'est le moment ou jamais de parfaire votre technique au golf, de continuer vos cours de natation...

Une activité physique vous intéresse en particulier ?

Vous désirez vous abonner à une activité physique en particulier, vous avez besoin d'information, il existe des organismes pour vous aider.

Kino-Québec

Kino-Québec est un organisme du gouvernement du Québec qui a la mission de promouvoir un mode de vie physiquement actif pour contribuer au mieux-être de l'ensemble de la population québécoise. Kino-Québec relève directement du ministère des Affaires municipales, du ministère de la Santé et des Services sociaux et des régies régionales de santé et services sociaux.

Depuis 1988, Kino-Québec participe activement à une meilleure santé et au bien-être des personnes âgées par l'implantation du programme VIACTIVE à travers tout le Québec. La Fédération de l'âge d'or du Québec (FADOQ) collabore activement à la promotion et à la distribution du programme VIACTIVE.

VIACTIVE est un programme d'activités physiques qui s'adresse aux divers groupes de personnes âgées qui veulent améliorer leur santé par la pratique de l'activité physique. VIACTIVE contient des guides pratiques, des exercices sur cassettes audio avec de la musique et de la formation pour les aînés qui veulent s'impliquer dans l'animation des séances d'activités physiques.

Pour plus d'information, téléphonez à KINO-QUÉBEC au numéro (418) 644-9546 à Québec ou à la FADOQ au numéro (514) 252-3017 à Montréal.

La Fédération québécoise des centres communautaires de loisirs

La Fédération regroupe des organismes privés dont l'objectif est la création et l'animation « de milieux de vie ». Elle intervient comme outil de développement organisationnel pour ses organismes-membres (dont la clientèle est, entre autres, les personnes âgées) et les activités multidisciplinaires (sportives, culturelles, sociales, de plein air, pastorales, artistiques).

Fédération québécoise des centres communautaires de loisirs
2301, 1re Avenue
Québec (Québec)
G1L 3M9
Tél. : (418) 647-4536

Le Regroupement Loisir Québec

Cet organisme regroupe et représente les organismes nationaux de loisirs œuvrant dans les domaines socioculturel, socioéducatif, de plein air, de tourisme et de sport. Il offre un service d'information-loisir.

Regroupement Loisir Québec
4545, avenue Pierre-de-Coubertin
C.P. 1000, succ. M
Montréal (Québec)
H1V 3R2
Tél. : (514) 252-3000
Sans frais : 1 800 361-3585

Pour partir du bon pied... suivez un cours

Vous désirez suivre un cours ? Peu importe la discipline, adressez-vous à l'un de ces organismes :

- les commissions scolaires;
- les différents cégeps;
- Kino-Québec;
- les organismes privés;
- le Service des loisirs de votre municipalité;
- les universités;
- le YMCA;
- le YWCA.

Une aide financière « sportive »

Vous avez des idées « sportives », des projets qui pourraient intéresser d'autres personnes ? Informez-vous! Il existe différents programmes d'aide financière offerts par le ministère des Affaires municipales. Selon les programmes, ces subventions peuvent être accordées à des individus, à des groupes, à des organismes ou à des municipalités.

Programme d'assistance financière aux centres communautaires de loisirs

But : Soutenir l'existence et l'action d'organismes privés qui œuvrent dans le domaine du loisir en complémentarité avec la municipalité.

Bénéficiaires : Les organismes privés sans but lucratif, de nature locale, qui répondent aux directives émises par le ministère.

Pour information :

Ministère des Affaires municipales
Direction du loisir et des programmes à la jeunesse
150, boul. René-Lévesque Est
16e étage
Québec (Québec)
G1R 4Y1
Tél. : (418) 644-7220

Pour commander par la poste les publications du ministère des Affaires municipales :

Direction des communications
20, rue Chauveau
Tour, 4e étage
Québec (Québec)
G1R 4J3
Tél. : (418) 691-2019

Regroupement Loisir-Québec
4545, avenue Pierre-de-Coubertin
C.P. 1000, succ. M
Montréal (Québec)
H1V 3R2
Tél. : (514) 252-3000
Sans frais : 1 800 361-3585

Le Service des loisirs de votre localité

Tourisme-Québec
C.P. 979
Montréal (Québec)
H3C 2W3
Tél. : (514) 873-2015
Sans frais : 1 800 363-7777

Les publications disponibles **:**

Tourisme-Québec :

- répertoire des terrains de camping du Québec;
- brochures descriptives de chacune des régions du Québec contenant les attraits touristiques et les formules d'hébergement régionales : hôtels, motels, camping, gîtes touristiques, bases de plein air, etc.

Les associations touristiques régionales **:**

- répertoire des terrains de camping;
- brochure régionale.

***Autres* :**

- gîtes du passant au Québec, répertoire produit par la Fédération des agricotours : (514) 252-3138. Ce guide est vendu directement par la Fédération et dans les librairies Ulysse. Il contient : gîtes du passant, auberges du passant, gîtes à la ferme, maisons de campagne, promenades à la ferme, tables champêtres;
- les routes du Québec (carte routière) en vente dans les librairies Ulysse.

Communication-Québec

- brochures gouvernementales.

Le loisir, voilà la plus grande joie
et la plus belle conquête de l'homme.

Rémy de Gourmont

•••••

CHAQUE ÂGE A SES PLAISIRS

La danse, l'artisanat, la peinture, les arts dramatiques, la sculpture, la musique, le bricolage, la céramique, tout ce qu'on qualifie de socioculturel... Oubliez vos appréhensions et dites-vous bien que tous les chefs-d'œuvre, « ça se fait par du monde ». Toutes ces activités exigent un certain degré d'habileté, mais vous ne saurez jamais si vous possédez et pouvez développer cette habileté à moins de tenter l'expérience. À bas la crainte! Il y a peut-être en vous un artiste qui ne demande qu'à se révéler. Et que d'heures exaltantes cela vous procurera.

Programmes d'aide financière pour activités socioculturelles

PROGRAMME D'ASSISTANCE FINANCIÈRE POUR LA TENUE DE MANIFESTATIONS CULTURELLES DE LA JEUNE RELÈVE AMATEUR

Buts

Dans le cadre des manifestations culturelles régionales ou provinciales :

- promouvoir la participation des jeunes;
- favoriser l'accès des jeunes participants à des services techniques et professionnels afin de bonifier et d'améliorer leur performance;
- augmenter le nombre de jeunes qui s'adonnent à la pratique du loisir culturel.

Bénéficiaires

Le programme prévoit des subventions aux organismes à but non lucratif pour la réalisation de manifestations à caractère culturel destinées à mettre en valeur la jeune relève amateur (jeunes de 12 à 30 ans).

Information

Pour les projets d'envergure provinciale, canadienne ou internationale, adressez-vous au :

- **Ministère des Affaires municipales**
  Direction du loisir et des programmes
  à la jeunesse
  150, boul. René-Lévesque Est
  16e étage
  Québec (Québec)
  G1R 4Y1
  Tél. : (418) 644-7265
- **Projets d'envergure régionale :**
  les bureaux régionaux du ministère des Affaires municipales.

PROGRAMME D'ASSISTANCE FINANCIÈRE AUX MANIFESTATIONS DE LA FÊTE NATIONALE DU QUÉBEC (EN COLLABORATION AVEC LE MOUVEMENT NATIONAL DES QUÉBÉCOIS)

Buts

- favoriser l'organisation de réjouissances visant à susciter la participation, la solidarité et la fierté de tous les Québécois;
- apporter un appui à l'implication des divers organismes locaux afin qu'ils assument la responsabilité d'organiser dans leur milieu la Fête nationale;
- accorder un soutien financier favorisant la réalisation de projets locaux.

Bénéficiaires

- un organisme public ou parapublic;
- un organisme privé sans but lucratif légalement constitué ou parrainé par un organisme légalement constitué;
- une fabrique établie conformément à la Loi sur les fabriques (L.R.Q. c. F-1);
- un regroupement d'organismes.

Information

- **Ministère des Affaires municipales**
  150, boul. René-Lévesque Est
  Québec (Québec)
  G1K 4Y1
  Tél. : (418) 644-8440

PROGRAMME EXPLORATIONS

Buts

- encourager la recherche de nouvelles formes d'expression et de participation à la création artistique, l'exploration des diverses facettes du patrimoine culturel du Canada et l'éveil de la conscience publique et de l'intérêt pour l'activité artistique et culturelle.

Bénéficiaires

- citoyens canadiens;
- immigrants reçus comptant cinq années de résidence au Canada;

- organismes canadiens à but non lucratif (le programme s'adresse aux individus, aux groupes et aux organismes ayant un projet sérieux et novateur dans le vaste domaine de la culture. L'accès n'en est pas limité aux artistes professionnels et n'exige pas qu'on ait reçu une formation particulière dans la discipline apparentée).

Information

- **Programme Explorations**
  Conseil des arts du Canada
  C.P. 1047
  Ottawa, Ontario
  K1P 5V8
  Tél. : (613) 566-4338
  Les frais d'appel sont acceptés.

HÉBERGEMENT ET LOISIRS

Vous avez le goût de vivre de nouvelles expériences, de connaître des gens... Voici quelques idées d'activités originales, culturelles, éducatives et intéressantes pour vous plaire!

Des camps de vacances... pour personnes âgées

Pour obtenir « l'Annuaire des camps de vacances du Québec et le répertoire des camps familiaux », communiquez avec les organismes mentionnés ou contactez le Centre local de services communautaires (CLSC) de votre localité ou bien votre association touristique régionale.

Des vacances à la ferme...

Un séjour à la ferme avec de nombreuses activités libres.

Des vacances en famille...

Le *mouvement québécois des camps familiaux* vous soutiendra dans la réalisation de vos projets de vacances. Il vous informera des diverses formules communautaires.

Vacances-Familles vous offre la possibilité de prendre des vacances à bon compte selon vos goûts, vos besoins et vos possibilités. On vous proposera un réseau d'hébergement dans diverses régions du Québec : hôtels, auberges, chalets, centres de vacances, fermes et maisons rurales.

Pour information :

Association des camps du Québec
4545, avenue Pierre-de-Coubertin
C.P. 1000, succ. M
Montréal (Québec)
H1V 3R2
Tél. : (514) 252-3113
Sans frais : 1 800 361-3586

Mouvement québécois des camps familiaux
4545, avenue Pierre-de-Coubertin
C.P. 1000, succ. M
Montréal (Québec)
H1V 3R2
Tél. : (514) 252-3118
Sans frais : 1 800 361-3586

Fédération des agricotours du Québec
4545, avenue Pierre-de-Coubertin
C.P. 1000, succ. M
Montréal (Québec)
H1V 3R2
Tél. : (514) 252-3138

Vacances-Familles

Région de Montréal
5972, Sherbrooke Est
Bureau 201
Montréal (Québec)
H1N 1B8
Tél. : (514) 251-8811

Région de Québec
Centre Innovation
2360, chemin Sainte-Foy
Sainte-Foy (Québec)
G1V 4H2
Tél. : (418) 657-7030

Le Manoir Montmorency

Situé à 10 minutes du centre-ville de Québec, au cœur du Parc de la Chute-Montmorency, une grande maison blanche au toit vert, le Manoir Montmorency domine la falaise des chutes avec une vue imprenable sur le fleuve et l'île d'Orléans. Lieu privilégié pour les réceptions, banquets et réunions, le manoir abrite six magnifiques salons pouvant accueillir jusqu'à 550 personnes. Un restaurant bistro haut de gamme de 130 places, deux boutiques, un centre d'interprétation du site ainsi qu'une terrasse surplombant la falaise et côtoyant les chutes sont également disponibles. L'emplacement est unique, le service attentionné et la nourriture exceptionnelle.

2490, avenue Royale
Courville (Québec)
G1C 1S1
Tél. : (418) 663-3330

Vous voulez organiser une activité

Société québécoise de promotion du tourisme socioculturel
4545, avenue Pierre-de-Coubertin
C.P. 1000, succ. M
Montréal (Québec)
H1V 3R2

Tél. : (514) 252-3139

La société vous propose une aide et des conseils judicieux sur « l'art de voyager ». Elle vous dirigera vers l'organisme qui pourra répondre à vos besoins.

VOUS PARTEZ EN VOYAGE...

Découvrir le monde!

Même avec un budget réduit, il demeure possible de voyager. Toutefois, il faut savoir profiter des tarifs spéciaux et comparer les prix. Ce qu'il y a de merveilleux dans un voyage, c'est qu'il commence en même temps que sa préparation. Il peut donc durer des années. Allez! ne vous privez pas. Faites de beaux projets de voyage; constituez-vous des dossiers sur les endroits que vous rêvez de visiter; étudiez-les et parlez-en. L'Europe, les mers du Sud, le Mexique, l'Amérique du Sud, les Rocheuses, les Maritimes, les Prairies...

Les voyages organisés... sans « se faire organiser »

Un voyage organisé peut vous sembler une formule très intéressante. D'ailleurs, elle l'est. Cependant, avant de signer le contrat, soyez assuré de connaître toutes les modalités de votre voyage.

Le voyage organisé offre une foule d'avantages pratiques :

- il simplifie les formalités de voyage qui sont prises en charge par l'agent de voyages : réservations dans les hôtels, identification aux frontières, transports, etc.;
- il vous permet de prévoir le prix de votre voyage;
- il vous enlève le souci de payer au fur et à mesure toutes les dépenses que vous devez effectuer;
- il peut apporter une certaine sécurité : on vous informera des coutumes du pays, on vous conseillera à propos des transactions bancaires.

Par ailleurs, lors d'un voyage organisé, vous ne pouvez choisir librement vos activités, vous devez respecter un horaire et un itinéraire fixes. Pour certains, ces exigences sont des désagréments. Tout compte fait, c'est une question de goût!

Votre agent de voyages... ses obligations

On ne s'improvise pas agent de voyages. Cette profession est régie par des règlements que tout agent doit suivre et que vous devriez connaître, en partie... Ça pourrait vous éviter des ennuis.

Lorsque vous consultez un agent de voyages, assurez-vous qu'il s'agit d'un agent autorisé, détenteur d'un permis de l'Office de la protection du consommateur.

Un simple coup d'œil vous le dira :

- le permis doit être affiché, bien à la vue, dans le local où l'agent exerce son activité;
- toute forme de publicité doit préciser que l'agent détient un permis du Québec.

Si votre agent ne peut vous montrer son permis, il y a de fortes chances pour qu'il exerce illégalement la fonction d'agent de voyages...

Ce règlement demeure en vigueur si vous vous improvisez agent de voyages. Il arrive que certaines personnes, responsables d'un groupe, décident d'organiser un voyage de quelques jours à l'extérieur du Québec et qu'elles ne se préoccupent nullement de la loi... Attention aux amendes. Une association, une société, une corporation ou un club peut exercer les fonctions d'agent de voyages sans permis si ses opérations se rapportent à des voyages qui s'effectuent de façon occasionnelle, exclusivement au Québec, et dont la durée n'excède pas 72 heures.

Vous voulez organiser, sans problème ni risque d'amende, un voyage pour les membres de votre club ? Communiquez avec l'Office de la protection du consommateur :

Office de la protection du consommateur
400, boul. Jean-Lesage
Bureau 450
Québec (Québec)
G1K 8W4

Tél. : (418) 643-8652
Sans frais : 1 800 663-8652

Toute la publicité écrite ou imprimée que vous remet votre agent de voyages doit comporter :

- l'énumération des services compris dans votre voyage;
- la période au cours de laquelle le prix de votre voyage est celui qui est annoncé;
- les conditions de remboursement ou de non-remboursement des dépôts;
- les modalités d'annulation partielle ou totale de votre voyage.

La Loi sur les agents de voyages (L.R.Q., c. A-10) oblige ces derniers à vous fournir une confirmation écrite des conditions de remboursement ou de non-remboursement. Donc, avant de donner un dépôt ou d'effectuer un règlement complet, réclamez cette confirmation.

Chaque fois que vous remettez une somme d'argent à votre agent de voyages, exigez un reçu. Il doit indiquer la date, votre nom et votre adresse, le montant reçu et le solde à percevoir, le cas échéant, la mention que l'argent a été déposé en fiducie et enfin les conditions de remboursement éventuel.

Votre agent doit vous remettre, au plus tard sept jours avant votre départ, vos billets d'avion ou autre moyen de transport, vos réservations dans les hôtels ou billets d'excursions si vous les avez payés. Naturellement, si vous avez demandé les services de votre agent moins de sept jours avant votre départ, ce délai ne peut être respecté. Dans ce cas, il suffit que vous receviez vos billets avant de partir en voyage.

Si votre agent désire annuler votre voyage, il doit vous adresser un préavis d'au moins sept jours. Le préavis n'est toutefois pas exigé dans un cas de force majeure, tels un tremblement de terre, une guerre civile, etc.

Si votre agent de voyages ne se conforme pas à l'une de ces exigences, vous pouvez déposer une plainte au bureau de l'Office de la protection du consommateur de votre région :

Bas-Saint-Laurent
337, rue Moreault
Rimouski (Québec)
G5L 1P4
Tél. : (418) 727-3775
Sans frais : 1 800 463-3775

Saguenay – Lac-Saint-Jean
3714, boul. Harvey
Jonquière (Québec)
G7X 3A5
Tél. : (418) 695-7938
Sans frais : 1 800 563-5741

Québec
400, boul. Jean-Lesage
Bureau 450
Québec (Québec)
G1K 8W4
Tél. : (418) 643-8652
Sans frais : 1 800 663-8652

Mauricie – Bois-Francs
Édifice Capitanal
100, rue Laviolette, RC 11
Trois-Rivières (Québec)
G9A 5S9
Tél. : (819) 371-6424
Sans frais : 1 800 463-6424

Côte-Nord
456, rue Arnaud
Bureau 1.03
Sept-Îles (Québec)
G4R 3B1
Tél. : (418) 968-8581
Tél. : (418) 968-8581
Sans frais : 1 800 463-3511

Estrie
200, rue Belvédère Nord
B. 1.01
Sherbrooke (Québec)
J1H 4A9
Tél. : (819) 820-3266
Sans frais : 1 800 663-3266

Montréal
Village Olympique
5199, rue Sherbrooke Est
Bureau 3671, Aile A
Montréal (Québec)
H1T 3X2
Tél. : (514) 873-3701

Outaouais
Édifice Jos-Montferrand
170, rue de l'Hôtel-de-Ville
Bureau 3.440
Hull (Québec)
J8X 4C2
Tél. : (819) 772-3041
Sans frais : 1 800 663-3041

Abitibi-Témiscamingue
33A, Gamble Ouest, RC 11
Rouyn-Noranda (Québec)
J9X 2R3
Tél. : (819) 797-8549
Sans frais : 1 800 561-9841

Gaspésie – Îles-de-la-Madeleine
11, rue de la Cathédrale
C.P. 1418
1er étage
Gaspé (Québec)
G0C 1R0
Tél. : (418) 368-4141
Sans frais : 1 800 463-3277

Laurentides-Lanaudière
Édifice Athanase-David
85, de Martigny Ouest
Bureau 1.03
Saint-Jérôme (Québec)
J7Y 3R8

Tél. : (514) 569-3105
Sans frais : 1 800 663-3110

Votre hôtel : le client a-t-il toujours raison ?

Vous avez réservé une chambre dans un hôtel, à quoi devez-vous vous attendre ?

Naturellement, votre chambre doit être propre, le mobilier et l'équipement en état de fonctionnement, les draps, les serviettes et les taies d'oreiller doivent être remplacés chaque jour. Mais où se situe la limite du client exigeant et de l'hôtelier négligent ?

La loi vous le dira

Le seul fait de retenir ou de louer une chambre dans un hôtel constitue un contrat qui relève automatiquement de la loi. Toutefois, les modalités de ce contrat varient selon les pays où vous vous trouvez. Au Canada, le contrat d'hébergement dans un établissement touristique tombe sous la juridiction des provinces. L'Assemblée nationale du Québec, pour sa part, a adopté la Loi sur les établissements touristiques (L.R.Q., c. E-15). Les autres provinces connaissent le même type de loi, mais sous des appellations différentes.

Peu importe votre destination, Québec, Cuba ou les Antilles, il est préférable de vous informer de vos droits concernant l'hébergement et la restauration. Votre agent de voyages demeure la première personne-ressource. Vous pouvez également obtenir des renseignements touristiques concernant le Québec en composant le :

(514) 873-2015
Sans frais : 1 800 363-7777

Pour un pays étranger, communiquez avec :

Ministère des Affaires étrangères
et du Commerce international
Édifice Lester B. Pearson
125, promenade Sussex
Ottawa, Ontario
K1A 0G2
Tél. : (613) 944-4500
Sans frais : 1 800 267-8376

Attention! Rabais!

Des réductions sont accordées aux aînés dans la plupart des hôtels, des motels et des auberges. Renseignez-vous avant de partir.

Informez-vous auprès :

- de votre agent de voyages;
- des associations touristiques régionales;
- des clubs automobiles.

Chacun ses droits

Lorsque vous partez en voyage, il est essentiel de connaître vos droits à titre de voyageur. Il existe un droit qui privilégie l'hôtelier et que vous auriez tout intérêt à connaître... il s'agit du droit de rétention.

Après votre séjour, l'hôtelier doit vous remettre l'original d'une facture détaillée. Si vous n'êtes pas d'accord avec lui au sujet de cette note et que vous refusez d'acquitter celle-ci, l'hôtelier pourra vous poursuivre en justice, bien sûr, mais aussi retenir vos bagages. Il serait donc préférable dans ce cas de payer d'abord et de déposer, par la suite, une plainte à l'Office de la protection du consommateur.

Dans les autres provinces canadiennes et dans la plupart des pays où affluent les touristes, les lois sont similaires. Informez-vous à Tourisme Canada ou au ministère des Affaires étrangères et du Commerce international du Canada avant de partir. Une erreur de votre part ou de votre agent de voyages peut entraîner ce genre de situation plutôt désagréable et dévastatrice pour votre garde-robe.

Perte de bagages… cherchez le coupable

Qu'arrive-t-il si vous logez dans un établissement public et que le maître d'hôtel vous informe que l'on a perdu vos bagages ou que ces derniers ont été endommagés ? Il peut tout simplement y avoir entente entre l'hôtelier et vous pour le partage des responsabilités. Sinon, au Québec, c'est l'article 1815 du Code civil qui déterminera le responsable.

Il y a plusieurs possibilités…

Dans le premier cas, la responsabilité de l'hôtelier est limitée à 40 $, à condition qu'il ait affiché le texte de l'article du Code civil bien en vue dans les bureaux, les salles publiques et les chambres à coucher de son établissement. Il vous est donc facile de vérifier si l'affichage a été fait. Nous soulignons que la responsabilité n'est limitée que si les bagages sont volés ou endommagés par les employés de l'hôtelier ou par des personnes allant et venant dans la maison.

Dans le deuxième cas, l'hôtelier est responsable pour le plein montant. D'abord, si une copie de l'article 1815 n'était pas affichée et, ensuite, si les pertes et dommages ont été causés par la volonté, la faute ou la négligence de l'hôtelier ou celle de ses employés. Si l'hôtelier laisse les bagages dans un endroit accessible à tout le monde et qu'ils sont volés, sa négligence le rendra responsable de leur pleine valeur. Il en est de même dans le cas où des biens ou des effets ont été expressément confiés à sa garde, pourvu que vous acceptiez de les déposer dans un receptacle qu'il fermera lui-même. Si, par la faute de l'hôtelier, vous êtes incapable de déposer vos biens, l'hôtelier sera tenu responsable du plein montant de ces biens.

Dans le troisième cas, l'hôtelier n'est pas responsable du tout! Si les pertes ou dommages résultent d'un vol à main armée ou d'un cas de force majeure. Il n'est pas non plus responsable si le dommage a été causé par une personne ne faisant pas partie de ses employés, par suite d'une négligence de votre part. Si vous laissez la porte de votre chambre ouverte pendant votre absence, l'hôtelier n'aura pas à vous dédommager.

Prenez note que même si vous avez convenu d'un accord avec l'hôtelier au sujet de sa responsabilité envers vos bagages, il ne pourra pas s'exonérer des dommages causés par sa faute.

Il existe des recours

Si vous croyez avoir été lésé par un agent de voyages ou un hôtelier, essayez de vous entendre à l'amiable; sinon, aux grands maux les grands remèdes...

- consultez un avocat afin de déterminer s'il y a matière à poursuite;
- adressez-vous à la Cour des petites créances s'il s'agit d'une réclamation de 3000 $ et moins.

Vous trouverez la liste d'adresses des cours de petites créances dans les pages bleues de votre annuaire téléphonique à la section Gouvernement du Québec, sous la rubrique « Justice ».

PARTIR EN VOYAGE... UN ART!

Malheureusement, il est faux de prétendre que pour partir en voyage, on n'a de besoin que de sa brosse à dent et son bikini. Ces articles sont très utiles, mais il y a aussi...

Vos billets de transport

Primordial, n'est-ce-pas ? Que ce soit pour l'avion, le bateau, le train ou l'autobus, lorsque vous achetez un billet de transport, il est important de connaître vos engagements et vos responsabilités de même que ceux et celles du transporteur.

En avion...

Pour les voyages en avion, au Canada, c'est le gouvernement fédéral qui assure la réglementation de l'aviation civile. Pour entrer en activité et offrir leurs services, les transporteurs aériens doivent obtenir une licence de l'Office national des transports, qui leur impose d'engager leur responsabilité pour dommages à la personne pour un minimum de 300 000 $ multiplié par chaque siège dans l'aéronef affecté au service.

Dans le cas des bagages perdus ou endommagés, la responsabilité est limitée. Elle varie d'une ligne aérienne à l'autre; elle peut varier d'aussi peu que 100 $ jusqu'à 750 $ pour des vols au Canada seulement. Si vous entreprenez un voyage international, la limite de responsabilité pour toute perte, dommage ou retard en ce qui a trait aux bagages enregistrés sera établie à environ 20 $ le kilo.

En bateau...

Si vous êtes un fervent des croisières en bateau, souvenez-vous que les compagnies de transport maritime se portent, jusqu'à un certain point, responsables des voyageurs et des bagages. Vous avez le plein droit d'obtenir ce pour quoi vous avez payé :

- une cabine propre;
- des repas conformes à la description qu'en donnaient les dépliants publicitaires de la compagnie;
- le respect de l'horaire et des escales prévus (du moins dans la limite du possible), etc.

À moins de contretemps techniques majeurs ou de conditions météorologiques dangereuses, la compagnie de transport maritime est obligée de respecter les termes de son contrat.

Par ailleurs, vous devez prendre certaines précautions à l'égard des bagages et des articles de valeur que vous laissez dans votre cabine. Vous devriez donc garder la porte de votre cabine fermée à clé et confier vos objets de valeur au commissaire de bord.

En train...

Dès que vous montez à bord d'un train, la loi considère qu'il s'établit un contrat entre la compagnie ferroviaire et vous. Un contrat est passé même lorsque vous payez votre billet en cours de route, directement au contrôleur.

En vertu de cette règle, vous êtes en droit de vous faire transporter à l'endroit qu'indique votre billet. Le contrôleur a le droit de vous demander de montrer votre billet de train. Si vous ne pouvez le faire, vous devrez en racheter un autre ou descendre à l'arrêt suivant. La perte du billet n'est pas considérée comme une excuse valable. Toutefois, le contrôleur ne peut exercer de façon absolue son droit d'expulser les passagers sans billet ou les indésirables. Il lui faut user de prudence et de tact.

Lorsque vous voyagez par train, vous ne pouvez vous prévaloir d'un droit exclusif sur une place en particulier, sauf si le billet l'indique. Les compagnies vendent des billets garantissant simplement au client qu'il pourra occuper une place dans le train. Mais rassurez-vous, aucune compagnie canadienne ne vend plus de billets qu'il y a de places assises dans les trains, mais « qui va à la chasse perd sa place ». Les compagnies de chemins de fer assument vis-à-vis des passagers et de leurs bagages la même responsabilité qu'un transporteur public, ce qui signifie, entre autres choses, qu'elles se reconnaissent une responsabilité limitée.

En autobus...

Vous avez opté pour l'autobus, ce moyen de transport commode et économique, voici quelques points de la réglementation concernant les services de cette catégorie :

- les véhicules de transport public doivent être conçus de manière à ce que le va-et-vient continu des passagers y soit possible;
- les autobus qui effectuent de longs trajets doivent être équipés de filets à bagages conformes à des normes précises de sécurité;
- les compagnies de transport par autobus sont tenues légalement de souscrire à des assurances couvrant les frais qu'entraîneraient pour leurs passagers les blessures subies au cours d'un accident;
- lors d'une panne, au cours d'un voyage, il incombe à la compagnie propriétaire de fournir dans les plus brefs délais un véhicule de relève;
- dans le but de protéger les usagers, le chauffeur peut refuser à un passager de monter dans son véhicule lorsque celui-ci est rempli (le nombre de passagers debout est strictement déterminé). Il peut de même en refuser l'accès aux personnes qui sont en état d'ébriété.

Si vous avez des plaintes à formuler, communiquez avec :

Office national des transports du Canada
Administration centrale
Terrasses de la Chaudière
Bureau 1910
15, rue Eddy
Hull (Québec)

Adresse postale :
Ottawa, Ontario
K1A 0N9

Tél. : (819) 997-0344

Pour le transport par autobus, communiquez avec :

Commission des transports du Québec
Région de Québec
5500, boul. des Galeries
Bureau 100
Québec (Québec)
G2K 2E1

Tél. : (418) 643-5673

Région de Montréal
505, rue Sherbrooke Est
Montréal (Québec)
H2L 1K2

Tél. : (514) 873-6414

Votre passeport, pour passer partout

Pour passer la frontière d'un pays étranger autre que les États-Unis, le Mexique et certains pays des Antilles, vous devrez obligatoirement présenter votre passeport, c'est-à-dire cette pièce d'identité officielle, émise par le ministère des Affaires étrangères et du Commerce international, qui confirme votre citoyenneté. Personne n'y échappe... pas même les bébés.

On vous conseille de vous munir d'un passeport, même si celui-ci n'est pas exigé par le pays où vous comptez vous rendre. Il constitue la preuve la plus universellement acceptée de votre citoyenneté canadienne et devrait faciliter vos rapports avec les autorités et les citoyens du pays concerné. Pour obtenir le vôtre, il vous suffit de remplir un formulaire de demande que vous pourrez trouver dans :

- les agences de voyages;
- les bureaux de la douane ou de l'immigration;

- les bureaux de poste;
- les bureaux régionaux des passeports;
- les cours de citoyenneté.

Il vous faudra y indiquer le nom d'un répondant qui doit satisfaire aux exigences prescrites par le formulaire et y joindre deux photographies de vous-même, votre certificat de naissance ou de citoyenneté ainsi qu'un chèque visé ou un mandat-poste au montant de 35 $. Le tout doit être envoyé par la poste (délai de 30 jours) au :

Bureau des passeports
Ministère des Affaires étrangères
et du Commerce international
Édifice Lester B. Pearson
125, Promenade Sussex
Ottawa, Ontario
K1A 0G2

ou vous devez vous présenter en personne (délai de 5 jours) à l'une des adresses suivantes :

Bureau régional des passeports
200, boul. René-Lévesque Ouest
Complexe Guy-Favreau
21e étage, bureau 215
Montréal (Québec)
H2Z 1X4
Tél. : (514) 283-2152
Sans frais : 1 800 567-6868

2600, boul. Laurier
Tour Belle-Cour
Bureau 2410
Sainte-Foy (Québec)
G1V 4M6
Sans frais : 1 800 567-6868

Il est préférable d'envoyer votre demande suffisamment à l'avance, en raison du grand nombre de formulaires que doit traiter ce bureau. Sachez que votre passeport est valide durant cinq ans à compter de la date d'émission et qu'il ne peut être renouvelé. Il vous faudra donc présenter une nouvelle demande à la date d'expiration. Prenez note que dorénavant le service de douane américaine exige l'identification de tout citoyen par le certificat de naissance, un passeport ou la carte de citoyenneté. Le permis de conduire n'est plus accepté.

Que faire en cas de perte ou de vol de votre passeport ?

En cours de voyage, communiquez immédiatement avec les autorités policières de l'endroit ou avisez l'ambassade ou le consulat du Canada le plus proche. Si vous ne pouvez rejoindre ni l'un ni l'autre, vous pouvez vous adresser au Haut-Commissariat ou au consulat de Grande-Bretagne. Les circonstances qui entourent la perte d'un passeport font toujours l'objet d'une enquête sérieuse, car on craint le marché noir; le prix d'un passeport canadien y est souvent fort élevé.

Si vous constatez la perte ou le vol de votre passeport avant de partir en voyage, remplissez la déclaration officielle mentionnant votre nom, votre adresse, vos détails signalétiques (couleurs des cheveux et des yeux, taille, poids), le numéro de votre passeport, la date d'émission de celui-ci, la date et les circonstances de la perte, la date de la déclaration à la police locale ainsi que les efforts que vous avez entrepris pour le retrouver. Vous pouvez vous la procurer aux adresses mentionnées précédemment.

Chaque pays a ses exigences

Chaque pays a le droit d'imposer des conditions d'entrée, de limiter la durée du séjour et même, au besoin, de refuser l'entrée à un visiteur. Certains demandent un visa, et les exigences relatives à ce dernier sont imposées par les pays étrangers eux-mêmes.

Il y a un ensemble de formalités qu'il vaut mieux connaître afin de vous éviter des ennuis. Consultez votre agence de voyages, l'ambassade ou un consulat du pays concerné au Canada et vérifiez si ce pays de destination a des exigences précises quant à la période de validité du passeport, si vous devez obtenir un permis d'entrée ou de sortie, des certificats médicaux, etc. Par ailleurs, comme les visas peuvent être longs à obtenir, veillez à présenter vos demandes à l'ambassade ou au consulat compétent bien avant la date prévue pour votre départ.

Les adresses des missions étrangères au Canada se trouvent dans la brochure « Représentants diplomatiques consulaires et autres au Canada ».

Vous pouvez vous la procurer moyennant 5,95 $, payables par chèque ou mandat à l'ordre du Receveur général du Canada, en vous adressant au :

Groupe Communication Canada
Approvisionnements et Services Canada
Ottawa, Ontario
K1A 0S9

Vous pouvez également la consulter dans les bureaux des passeports et dans la plupart des grandes bibliothèques publiques du Canada.

La variole, le choléra, la fièvre jaune... il faut prévenir

Un simple petit vaccin et le tour est joué. L'immunisation n'est pas requise lors de tous vos voyages, tout dépend de votre destination et de votre itinéraire. Pour connaître les immunisations exigées ou recommandées par chacun des pays, consultez :

- votre médecin;
- votre Centre local de santé communautaire (CLSC);
- les services municipaux de santé;
- le ministère de la Santé et des Services sociaux du Québec;
- ou un bureau de Santé Canada.

Si vous suivez un traitement médical spécial, ou si vous portez des lunettes ou des verres de contact, emportez avec vous vos ordonnances de même qu'un certificat de votre médecin indiquant la maladie dont vous souffrez, le traitement en cours ainsi que la marque et le nom générique des médicaments prescrits. Vous pourrez ainsi obtenir beaucoup plus facilement une aide médicale en cas d'urgence. De même, si vous souffrez d'allergies ou si votre état de santé vous interdit de recevoir certains vaccins, exigez un certificat médical à cet effet.

Voyagez... assuré de votre santé

Tout prévoir, même les désagréments, fait partie des préparatifs d'un voyage. Par conséquent, il est préférable de jeter un coup d'œil du côté de vos assurances, au cas où...

L'assurance-maladie du Québec a des frontières

Si vous bénéficiez du régime d'assurance-maladie, que vous séjournez moins de 183 jours à l'extérieur de la province et que vous recevez au Canada des services hospitaliers qui sont assurés au Québec, l'établissement qui a dispensé les services sera entièrement remboursé. Cependant, les honoraires des médecins traitants vous seront remboursés pour un montant n'excédant pas ceux qui sont payables au Québec. Hors du Canada, si vous devez être hospitalisé dans une situation d'urgence, la Régie paie, depuis le 1er janvier 1994, un montant maximum de 498 $, par journée d'hospitalisation (y compris la chirurgie d'un jour). Ce montant est indexé le 1er janvier de chaque année. Si vous recevez les soins d'un professionnel de la santé, le montant du remboursement auquel vous avez droit n'excédera pas celui qui est payable au Québec, même si vous avez payé plus cher.

Pour l'une ou l'autre de ces situations, vous devez demander un remboursement en remplissant le formulaire « Demande de remboursement » disponible à la Régie de l'assurance-maladie.

À noter qu'il existe des ententes avec divers pays en matière de sécurité sociale, en particulier à l'égard de l'assurance-maladie et de l'assurance-hospitalisation.

Pour information :

Régie de l'assurance-maladie du Québec
Service des renseignements aux bénéficiaires
Case postale 6600
Québec (Québec)
G1K 7T3
Tél. : (418) 646-4636
Sans frais : 1 800 561-9749

Secrétariat de l'administration des ententes de sécurité sociale
355, rue Sainte-Catherine Ouest
6e étage
Montréal (Québec)
H3B 1A4
Tél. : (514) 873-5030

- **Communication-Québec**, dont la liste des bureaux se trouve à l'annexe I du *Guide*.

L'assurance-voyage à la portée de tous!

L'assurance-voyage proprement dite s'obtient auprès de courtiers d'assurances ou d'agents de voyages. Ils offrent des assurances-voyage individuelles ou de groupe : vie, accidents, perte de biens, avec clauses de rapatriement, le cas échéant. Vous pouvez aussi prendre une assurance dans les aéroports et même acheter de l'assurance-vie dans les distributrices automatiques à l'aéroport. En somme, vous pouvez, en l'espace de quelques minutes et sans subir d'examen médical, souscrire à une assurance contre les risques de voyage.

La couverture des risques varie selon le type de police choisi. En règle générale, toutes les polices d'assurance prévoient le paiement d'une indemnité au bénéficiaire désigné lorsque l'assuré meurt à la suite d'un accident survenu alors qu'il utilisait un mode de transport public. Certaines polices ne couvriront que les accidents d'avion. D'autres prévoiront le versement à l'assuré d'une indemnité en cas de blessure grave, que cette blessure vous soit infligée en cours de trajet ou durant votre séjour à l'étranger. Tout compte fait, il faut vous donner la peine de lire toutes les clauses de votre police d'assurance. Vous devez savoir avec exactitude contre quels risques vous vous assurez.

Les voyages ont leurs travaux comme leurs plaisirs; mais les fatigues qui se trouvent dans cet exercice, loin de nous rebuter, accroissent ordinairement l'envie de voyager.

Jean-François Regnard

•••••

Voici quelques types de protection :

- assurance des soins et services hospitaliers, médicaux et paramédicaux;
- assurance mutilation ou décès accidentel en voyage;
- assurance annulation de vol aérien ou de voyage;
- assurance bagages et effets personnels;
- assurance mutilation ou décès accidentel lors d'un vol aérien;
- assurance forfait week-end;
- assurance des dommages aux véhicules de location.

Les prix et les types de protection varient selon la compagnie d'assurance. Pour plus de renseignements, informez-vous à votre courtier d'assurances ou votre agent de voyages.

Voyager en automobile a ses exigences

Permis de conduire international et carnet de passage sont-ils pour vous des termes familiers ? Vous pourriez faire connaissance très rapidement avec eux si vous avez décidé de voyager en automobile. S'il s'agit d'un voyage au Canada ou aux États-Unis, votre police d'assurance ordinaire suffit. Mais si vous désirez utiliser votre propre voiture à l'étranger, que ce soit pour franchir les frontières ou pour expédier en cargo votre véhicule outre-mer, vous auriez tout intérêt à examiner attentivement les clauses de votre police d'assurance. Il peut être également utile de consulter le :

Bureau d'assurance du Canada (BAC)
425, boul. De Maisonneuve Ouest
Bureau 900
Montréal (Québec)
H3A 3G5

Tél. : (514) 288-6015
Sans frais : 1 800 361-5131

Il y a aussi tous ces documents qui sont nécessaires à l'occasion : permis de conduire international, carnet de passage... Dans bon nombre de pays, il faut être en possession d'un carnet de passage pour être autorisé à faire traverser la frontière à votre voiture. Le carnet est un permis de circulation temporaire, émis par le pays d'immatriculation et accepté par le pays hôte; normalement, on ne peut se défaire de sa voiture à l'extérieur du pays d'immatriculation sans accepter les droits d'importation. De plus, vous devez avoir en votre possession un permis de conduire valide et il se peut également que vous ayez à fournir la preuve d'une assurance automobile tous risques.

Pour en savoir davantage sur les exigences des voyages en automobile, communiquez, avant votre départ, avec :

- un club touristique;
- un club automobile.

Les devises étrangères

Si l'on vous dit « voyage », vous pensez « vacances »; si l'on vous dit « vacances », vous pensez « argent ». Mais quelle sorte d'argent ?

Si vous n'avez pas prévu, avant votre départ, de vous procurer des devises étrangères, vous pourriez apprendre, à vos dépens, que la monnaie canadienne n'a pas la même valeur partout dans le monde, et même qu'elle n'est pas acceptée dans tous les pays. Pour savoir si vous aurez besoin de pesos, de francs, de dollars, d'escudos, de leks ou de marks... consultez, avant de quitter le Canada, une banque ou un établissement de change capable de vous conseiller sur les devises à utiliser dans chacun des pays que vous comptez visiter. Ils vous rappelleront quelques précautions élémentaires à prendre au sujet de votre argent comme :

- apporter une petite somme en devises étrangères dont vous pourriez avoir besoin dès votre arrivée pour de menues dépenses, telles que le taxi et les pourboires;
- vous informer du montant de devises auquel vous avez droit;
- utiliser des chèques de voyage. Ils sont acceptés presque partout et sont garantis contre la perte ou la destruction;
- apporter votre carte de crédit. Les cartes en usage au Canada sont, pour la plupart, acceptées dans tous les coins du monde;
- vous renseigner sur le taux de change.

N'oubliez pas :

- Gardez dans un endroit distinct un relevé de vos chèques de voyage et de vos cartes de crédit, de sorte qu'en cas de vol ou de perte, ils puissent être rapidement annulés ou remplacés.
- Identifiez correctement vos bagages.

Je déclare : avant et après

Vous n'apprécierez nullement, à votre retour au Canada, qu'un douanier vous oblige à payer des taxes sur votre appareil-photo que vous aviez acheté à Québec... Dans ce cas, voyez-y!

Avant votre départ, faites inscrire les objets de valeur que vous désirez emporter avec vous et qui sont identifiables par des numéros de série ou d'autres signes distinctifs tels que votre appareil-photo, vos articles de sports, vos jumelles et autres. Que vous voyagiez par voie aérienne, maritime ou routière, faites-les inscrire à un bureau local de la douane canadienne ou au bureau de sortie... De plus, il est conseillé de voyager avec le moins de bijoux possible, à cause de leur valeur appréciable et de la difficulté qu'on peut éprouver à les estimer. Sinon, il est recommandé, pour faciliter la rentrée de ces bijoux au pays, d'obtenir un rapport d'évaluation, une photo de ces bijoux ainsi qu'une attestation certifiant que les bijoux sur la photo sont les mêmes que ceux décrits sur le rapport d'évaluation, l'attestation et une copie du reçu de la douane.

Si vous avez l'intention de rapporter à votre gendre, en souvenir du Texas, un pistolet ou des cadeaux plutôt « originaux », informez-vous préalablement... :

- si vous prévoyez faire l'acquisition de n'importe quel genre d'armes à feu lors d'un séjour à l'étranger, vous auriez avantage à vous renseigner, auparavant, au sujet de la nouvelle législation en cette matière en vous adressant à la Sûreté municipale de votre localité ou au bureau de la douane canadienne le plus proche;
- l'importation d'explosifs, de pièces pyrotechniques, de munitions ou d'autres articles du même genre peut nécessiter un permis spécial.

Pour information :

Ministère des Ressources naturelles du Canada
Direction des explosifs
1615, montée Sainte-Julie
C.P. 4800
Varennes (Québec)
J3X 1S6

Tél. : (514) 652-3999

- il est coûteux d'acheter des véhicules neufs à l'étranger et, pour les véhicules usagés ou d'occasion, c'est prohibé dans la plupart des cas. Le bureau le plus proche de la douane peut vous renseigner à ce sujet;
- les importations de terre, de graines, de plantes, de viandes, de fruits, de légumes et d'animaux sont, pour la plupart, tout simplement interdites afin d'éviter l'introduction au pays d'insectes nuisibles et de maladies. Par ailleurs, certaines de ces choses peuvent être importées si vous avez obtenu un permis d'importation ou un certificat sanitaire du ministère de l'Agriculture et de l'Agro-Alimentaire du Canada.

Donnez signe de vie à l'ambassade canadienne

Si vous séjournez dans un pays étranger, il est conseillé de vous inscrire à la mission diplomatique ou consulaire du Canada accréditée auprès de ce pays.

Vous trouverez la liste complète des ambassades, hauts-commissariats, consulats, bureaux et agents du Canada à l'étranger dans la brochure « Représentants du Canada à l'étranger » que vous pouvez vous procurer en écrivant à :

Groupe Communication Canada
Approvisionnements et Services Canada
Ottawa, Ontario
K1A 0S9

Vous pouvez également la consulter dans les bureaux de passeports et dans la plupart des grandes bibliothèques publiques du Canada. Il y a également une brochure intitulée « Bon voyage, mais... » qui contient de précieux conseils et renseignements à l'intention des voyageurs, y compris une liste exhaustive des ambassades, des hauts-commissariats et des consulats du Canada à l'étranger.

Pour en obtenir un exemplaire, rendez-vous au bureau des passeports le plus près de chez vous ou encore écrivez à :

Info Export
Affaires extérieures et Commerce extérieur Canada
125, promenade Sussex
Ottawa, Ontario
K1A 0G2

LES DOUANES

« Bonjour, Madame, Monsieur, vous avez fait bon voyage ? Avez-vous quelque chose à déclarer ? »

Voilà, c'est simple, le service des douanes. N'est-ce pas ?

La plupart des voyageurs appréhendent le moment où ils « passeront aux douanes ». Pourtant il suffit de tout « déclarer », c'est-à-dire de rendre compte de tout ce que vous avez acheté ou reçu en cadeau alors que vous étiez à l'étranger. Même si votre réponse est négative, le douanier peut vous demander d'ouvrir vos valises pour les inspecter. Il peut même fouiller les vêtements que vous portez. La loi vous oblige à vous soumettre à ces inspections, vous éviterez ainsi des ennuis.

Finalement, ce qui intéresse le gouvernement, ce n'est guère le tube de dentifrice que vous avez acheté à Miami, il s'agit là d'un objet d'usage personnel de peu de valeur. Mais si vous vous êtes procuré un flacon de parfum à Paris, il faut le déclarer, même si vous ne serez pas nécessairement tenu de payer des droits de douane.

Vos déclarations

Lors de votre séjour à l'étranger, vous avez pensé à tout « votre petit monde », les enfants, les petits-enfants, sans oublier la voisine qui vous rend mille et un services, le facteur qui est si gentil, l'épicier du coin qui a toujours le mot pour rire... mais, lors de votre déclaration à la douane, votre générosité pourrait vous coûter plus cher que prévu. Lors d'un voyage à l'étranger, vous n'avez, en principe, aucune limite concernant les cadeaux et autres objets que vous désirez rapporter au Canada, à condition que vous soyez disposé à payer les droits et taxes pour les objets qui excèdent vos exemptions. Ces tarifs douaniers seront calculés d'après la valeur marchande de chaque objet importé, et ils varieront en fonction du pays où l'objet a été acquis.

Qu'avez-vous à déclarer ?

À cette question, vous devez déclarer tout ce que vous avez acheté ou reçu en cadeau, y compris les articles achetés dans une boutique hors taxes, au Canada ou à l'étranger, et qui sont encore en votre possession.

Ayez les preuves à l'appui!

Pour plus de sécurité, nous vous recommandons de conserver les reçus de marchandises achetées à l'étranger (pour vérification des prix), vos notes d'hôtel (afin de prouver au besoin la durée de votre séjour) ainsi que les reçus de réparations apportées (ou pièces ajoutées) à des articles qui étaient en votre possession au départ du Canada (voiture, appareil-photo, etc.). Ces réparations et ces pièces peuvent être assujetties à des droits et taxes et doivent faire l'objet d'une déclaration en douane.

« Nul n'est censé ignorer la loi »

Évidemment, ce qui suit ne vous concerne pas, mais si quelqu'un vous faisait part de ses projets de « fraude » à l'égard du service des Douanes, vous serez en mesure de lui rappeler ce qui suit :

- vous êtes obligé de déclarer à la Douane toutes les marchandises que vous avez acquises et/ou reçues à l'étranger ou achetées dans une boutique hors taxes;
- tout ce que vous rapportez est assujetti à un contrôle et/ou à une inspection;
- les marchandises non déclarées ainsi que les moyens de transport utilisés sont passibles de saisie et de confiscation lorsque découverts lors d'une inspection;
- l'amende imposée pour récupérer les marchandises varie entre 25 % et 80 % de la valeur des marchandises. En plus, pour obtenir votre véhicule, vous devez débourser 50 % ou 100 % de l'amende imposée sur les marchandises;
- si vous désirez en appeler de cette saisie, vous devez présenter par écrit une demande de révision au ministre du Revenu National. Cette demande doit être adressée dans les 30 jours suivant la date de la saisie à l'agent des Douanes qui a signifié l'avis ou au bureau de Douanes le plus proche du lieu de la saisie. C'est la seule façon de faire effectuer une révision;
- lorsqu'une personne entre au Canada et ne se présente pas immédiatement à la Douane, elle enfreint la loi sur les Douanes et son moyen de transport peut être saisi. Il en coûtera entre 100 $ et 800 $ pour obtenir son véhicule;
- toute personne qui omet de déclarer des marchandises à la Douane encourt sur déclaration de culpabilité :

- par procédure sommaire une amende maximale de 50 000 $ et un emprisonnement maximal de six mois ou l'une de ces peines;
- par mise en accusation, une amende maximale de 500 000 $ et un emprisonnement maximal de cinq ans ou l'une de ces peines.

Les exemptions personnelles

L'exemption est un privilège personnel dont tout individu peut ou ne peut jouir en tout temps. Vous ne pouvez pas transférer la vôtre ni la mettre en commun avec celle d'un autre voyageur.

EXEMPTIONS PERSONNELLES		APRÈS UNE ABSENCE DE :
Annuellement	300 $	7 jours ou plus
En tout temps	100 $	48 heures ou plus
En tout temps	20 $	24 heures ou plus*
Produits du tabac	200 cigarettes et 50 cigares 400 g de tabac et 400 bâtonnets de tabac.**	
Boissons alcooliques	1,1 litre (40 onces) de vin ou de spiritueux ou 24 cannettes ou bouteilles de 341 ml (12 onces) de bière ou d'ale ou son équivalent.***	

* Si les besoins rapportés en vertu de l'exemption de 20 $ dépassent cette valeur, les droits et les taxes seront exigibles sur le montant total.

** Vous pouvez en rapporter plus si vous payez les droits et les taxes sur la quantité excédentaire.

*** La plupart des provinces vous permettront d'excéder ces quantités jusqu'à concurrence de 9 litres (2 gallons) à la condition de payer les droits et taxes, ainsi que les taxes provinciales. Toutefois, le coût en est élevé.

Pour pouvoir importer dans la province de Québec des produits du tabac et des boissons alcooliques, vous devez être âgé d'au moins 18 ans.

Renseignements supplémentaires

Pour de plus amples renseignements sur le service des Douanes, procurez-vous gratuitement la brochure « Je déclare », publiée par Revenu Canada, Accise, Douanes et Impôt. Elle est offerte dans les bureaux de douanes, dans les principaux aéroports canadiens et dans les agences de voyages. Vous pouvez aussi l'obtenir (ainsi que d'autres publications) en écrivant ou en contactant l'un des bureaux régionaux à l'adresse suivante :

Revenu Canada
Accise, Douanes et Impôt

Bureau régional de Montréal
400, place d'Youville
Montréal (Québec)
H2Y 2C2

Tél. : (514) 283-9900

Bureau régional de Québec
130, rue Dalhousie
C.P. 2267
Québec (Québec)
G1K 7P6

Tél. : (418) 648-4445

- Pour de plus amples renseignements, consultez les pages bleues de votre annuaire téléphonique ou contactez :

Ministère des Affaires étrangères et du Commerce international
Édifice Lester B. Pearson
125, promenade Sussex
Ottawa, Ontario
K1A 0G2

Tél. : (613) 996-9134

Tourisme Canada
235, rue Queen
Ottawa, Ontario
K1A 0H6

Tél. : (613) 996-4610

Pour en savoir plus long sur les voyages et leurs implications

Consultez l'Association touristique de votre région dont vous trouverez les coordonnées dans votre annuaire téléphonique. Vous pouvez aussi consulter des organismes spécialisés dans le domaine touristique tels que les clubs automobiles, Voyages Vacances-Familles inc. ou encore demandez à votre agent de voyages. Il y a également Tourisme Québec que vous pouvez rejoindre sans frais au 1 800 363-7777.

Bon voyage!

•••••

LA LECTURE, UN « RICHE » PASSE-TEMPS

Des imprimés publiés pour vous

Des publications qui s'adressent spécialement à vous, pour vous informer des programmes gouvernementaux, des services aux aînés, des activités sociales, récréatives et autres.

Qui aime lire ne se sentira jamais seul. Si vous avez ce goût de la lecture, vous êtes pratiquement à l'abri de l'ennui. Sinon, essayez de cultiver cette habitude. Il n'est jamais trop tard.

Si la lecture est votre passion, nul doute que les bibliothèques n'ont plus de secrets pour vous. Elles répondent aux aspirations les plus diverses :

- certaines sont spécialisées;
- d'autres regroupent uniquement des ouvrages généraux;
- d'autres vont même jusqu'à offrir la possibilité d'écouter vos disques préférés, de regarder un vidéo, d'emprunter un tableau...

Dans certaines municipalités, si vous ne pouvez aller jusqu'à votre bibliothèque, celle-ci viendra jusqu'à vous. En effet, il existe un service de prêt à domicile pour les personnes âgées ou les personnes handicapées. Après avoir fait part de vos goûts littéraires à un bénévole, ce dernier vous choisira des volumes qu'il vous apportera à la maison.

La plupart des bibliothèques sont rattachées à des services municipaux, à des institutions d'enseignement (cégeps, universités) ou à des organismes sociaux. Pour en savoir davantage sur les services offerts par la bibliothèque de votre localité, communiquez avec l'un de ces établissements (service municipal, institution d'enseignement) ou contactez Communication-Québec.

La lecture de tous les bons livres est comme une conversation avec les plus honnêtes gens des siècles passés.

René Descartes

• • • • •

Le journal de l'âge d'or du Québec

Ce journal a été conçu pour les aînés. En effet, les chroniques, les conseils, les reportages, les publicités, etc. s'adressent spécialement à vous, les aînés du Québec. Pour recevoir ce journal mensuellement pendant un an (et gratuitement le « Guide de l'Âge d'or, un agenda de l'année 1995 »), communiquez avec :

Le journal de l'âge d'or du Québec
785, rue Triest
Montréal (Québec)
H1V 1V5
Tél. : (514) 351-2651
Sans frais : 1 800 661-2651

La Bibliothèque nationale du Québec : unique en son genre

Que ce soit sous forme de :

- monographies;
- revues et journaux;
- publications gouvernementales;
- microdocuments;
- livres d'artistes, ouvrages rares et anciens manuscrits;
- cartes et plans;
- documents spéciaux : affiches, photos, gravures, partitions musicales, etc.

La Bibliothèque nationale du Québec rassemble et conserve tous les documents produits au Québec.

Outre le service de prêt sur place, la Bibliothèque vous offre la possibilité d'effectuer des prêts entre bibliothèques, elle met à votre disposition des bibliothécaires professionnels pour vous assister dans vos recherches, un service d'information automatisé ainsi que diverses activités culturelles telles que des expositions de documents, des conférences, des colloques...

Pour information :

Bibliothèque nationale du Québec
1700, rue Saint-Denis
Montréal (Québec)
H2X 3K6
Tél. : (514) 873-4553

Les Publications du Québec

1500D, boul. Charest Ouest, 1er étage
Sainte-Foy (Québec)
G1N 2E5
Tél. : (418) 643-5150

Les Archives nationales du Québec

Vous avez un faible pour l'histoire et, notamment, pour ce qui a trait au patrimoine québécois. Vous en aurez plein la vue en consultant les Archives nationales du Québec. Cette institution se spécialise dans l'acquisition, la conservation et la mise en valeur du patrimoine archivistique québécois.

Imaginez quelques instants... les documents publics des anciennes administrations françaises et britanniques, ceux de la province du Bas-Canada et ceux du Québec contemporain. Les Archives nationales s'occupent de tous les documents que possèdent les particuliers et les organismes pour promouvoir le respect et le maintien au Québec de ce patrimoine national. Le siège social des Archives nationales est situé sur le campus de l'Université Laval, à Québec.

Il y a des livres dont il faut seulement goûter,
d'autres qu'il faut dévorer, d'autres enfin, mais en petit nombre,
qu'il faut, pour ainsi dire, mâcher et digérer.

Sir Francis Bacon

•••••

Il y a des centres régionaux à Montréal, Hull, Sherbrooke, Rouyn-Noranda, Trois-Rivières, Chicoutimi, Sept-Îles et Rimouski. Pour vous aider dans vos recherches, consultez :

- la bibliothèque spécialisée en histoire et généalogie;
- les différents répertoires;
- les fichiers généalogiques;
- les inventaires de fonds d'archives, etc.

Pour information :

Archives nationales du Québec

Bas-Saint-Laurent et Gaspésie Îles-de-la-Madeleine
337, rue Moreault
Rimouski (Québec)
G5L 1P4

Tél. : (418) 722-3500

Québec et Chaudière-Appalaches
Pavillon Louis-Jacques-Casault
1210, avenue du Séminaire
Cité Universitaire
Sainte-Foy (Québec)
G1V 4N1

Tél. : (418) 644-4816

Saguenay – Lac-Saint-Jean
930, rue Jacques-Cartier Est
Bureau C-103, 1er étage
Chicoutimi (Québec)
G7H 2A9

Tél. : (418) 549-8886

Mauricie – Bois-Francs
225, rue des Forges
Trois-Rivières (Québec)
G9A 2G7

Tél. : (819) 371-6015

Estrie
740, rue Galt Ouest
Bureau 11, rez-de-chaussée
Sherbrooke (Québec)
J1H 1Z3

Tél. : (819) 820-3010

Outaouais
170, rue de l'Hôtel-de-Ville
Bureau 170
Hull (Québec)
J8X 4C2

Tél. : (819) 772-3010

Côte-Nord
700, boul. Laure
Bureau 190-2
Sept-Îles (Québec)
G4R 1Y1

Tél. : (418) 962-3434

Montréal, Laval, Laurentides, Lanaudière et Montérégie
1945, rue Mullins
Montréal (Québec)
H3K 1N9

Tél. : (514) 873-3066

Abitibi-Témiscamingue et Nord-du-Québec
27, rue du Terminus Ouest
Rouyn-Noranda (Québec)
J9X 2P3

Tél. : (819) 762-4484

Les Archives nationales du Canada

Vous avez décidé de reconstituer votre arbre généalogique; vous effectuez une recherche sur les grandes étapes historiques du Canada...

Adressez-vous aux Archives nationales du Canada

Cet organisme peut vous fournir les renseignements sur l'évolution du Canada, depuis ses débuts jusqu'à aujourd'hui. Voici quelques-unes des acquisitions des Archives :

- collection de manuscrits d'hommes d'État et autres personnages célèbres;
- des ouvrages sur le Canada et son histoire;
- environ un million de cartes et de plans relatifs à la découverte, à l'exploration, à l'établissement, à la topographie et à la géologie du pays;
- des peintures documentaires;

- des images imprimées ayant trait aux gens, aux événements historiques, aux lieux géographiques et aux objets.

Si vous désirez obtenir, à peu de frais, des reproductions de documents ou tout autre renseignement relatif au service des Archives nationales du Canada, contactez :

Archives nationales du Canada
Service des communications
395, rue Wellington
Ottawa, Ontario
K1A 0N3
Tél. : (613) 996-1473

La nouvelle technologie... l'audiovisuel, les banques de données

Si vous désirez emprunter un document audiovisuel, un montage de diapositives, un court métrage sur... la politique, les loisirs, les arts, le transport, la construction, les affaires municipales ou tout autre ministère et organisme gouvernemental, contactez :

Vidéothèque
Édifice Marie-Guyart
1056, rue Conroy
Rez-de-chaussée
Québec (Québec)
G1R 5E6
Tél. : (418) 643-5168

C'*est gratuit*!

EDUQ : un instrument de référence

Vous cherchez un renseignement dans le domaine de l'éducation ou vous possédez des informations sur l'éducation ? Contactez EDUQ.

EDUQ est une base de données bibliographiques informatisée sur la recherche-développement en éducation au Québec. On y répertorie tous les documents de la langue française ou anglaise qui présentent les résultats de la recherche en éducation, les expériences d'innovation pédagogique, les produits issus de développements expérimentaux, les rapports statistiques, les bibliographies.

Pour information :

EDUQ
Centrale des bibliothèques
75, Port-Royal Est
Bureau 300
Montréal (Québec)
H3L 3T1
Tél. : (514) 382-0895

Les prix littéraires, plus près de vous

Vous avez la plume facile ? Il est toujours temps de faire valoir vos talents d'écrivain. Finie cette période où tous vos poèmes et écrits allaient dormir dans un petit coffre scellé...

Laissez libre cours à votre imagination!

Le ministère de la Culture et des Communications publie annuellement un Répertoire des prix littéraires accordés au Québec. Ces concours s'adressent à tous les genres littéraires, que ce soit le roman, la nouvelle, le conte, le récit, la poésie, l'écriture dramatique, la bande dessinée, l'essai et la littérature pour la jeunesse. Qui sait ? Peut-être serez-vous le lauréat du prix Adrienne-Choquette, du prix Alphonse-Desjardins ou du prix Robert-Cliche...

Pour connaître le Répertoire qui contient la liste des prix littéraires accordés au Québec de même que les conditions et renseignements relatifs à chaque prix, adressez-vous au :

Ministère de la Culture et des Communications
225, Grande-Allée Est
Québec (Québec)
G1R 5G5
Tél. : (418) 643-2183

Pour information :

Loisir littéraire du Québec
4545, avenue Pierre-de-Coubertin
C.P. 1000, succ. M
Montréal (Québec)
H1V 3R2
Tél. : (514) 252-3033

Union des écrivains québécois
3492, avenue Laval
Montréal (Québec)
H2X 3C8
Tél. : (514) 649-8540

LE THÉÂTRE, UN MONDE À DÉCOUVRIR

Combien parmi vous n'ont jamais mis le bout du nez dans un théâtre ?

Non, ce n'est pas uniquement pour les intellectuels et les comédiens...

Informez-vous! La plupart des théâtres accordent des rabais aux aînés.

Pour les connaître tous...

Conseil québécois du théâtre
5505, boul. Saint-Laurent
Montréal (Québec)
H2T 1S6
Tél. : (514) 278-9208

Conseil des arts et des lettres
79, boul. René-Lévesque Est
Québec (Québec)
G1R 5N5
Tél. : (418) 643-1707

LES MUSÉES, CES SOUFFRE-DOULEUR...

Vous avez « le cœur » à la culture et à l'art... une visite dans l'un des musées du Québec saura rassasier vos instincts.

Ce qui entend le plus de bêtises dans le monde est peut-être un tableau de musée.

E. et J. de Goncourt

•••••

Le Musée du Québec

Qui ne connaît pas le Musée du Québec ?

Situé sur les plaines d'Abraham, il possède des collections de peintures, de sculptures, de dessins et d'estampes, d'orfèvrerie, de céramique et de tapisserie portant sur l'art ancien, moderne, contemporain et actuel. Ces collections sont représentatives de l'évolution de l'art québécois, du XVIIe siècle à nos jours. Le Musée du Québec vous offre divers services tels qu'une bibliothèque, un centre de documentation, une librairie, des visites animées, des ateliers-rencontres et des ateliers de dessin. Le coût varie selon la nature de l'activité choisie et l'entrée est libre.

Musée du Québec
1, avenue Wolfe-Montcalm
Parc-des-Champs-de-Bataille
Québec (Québec)
G1R 5H3

Tél. : (418) 643-2150

Le Biodôme de Montréal

Créé tout récemment, le Biodôme de Montréal est un musée de l'environnement dont le concept unique vise à éveiller le visiteur à la beauté et à la fragilité de la planète vivante. Sa mission consiste à sensibiliser les visiteurs à leurs responsabilités face à la vie qui les entoure. Ces collections sont : la forêt tropicale, la forêt laurentienne, le Saint-Laurent marin, le monde polaire, bref, quatre écosystèmes comprenant 218 espèces animales, 4250 animaux, 350 espèces de plantes et 2000 plantes.

Biodôme de Montréal
4777, avenue Pierre-de-Coubertin
Montréal (Québec)
H1V 1B3

Tél. : (514) 868-3035

Le Musée de la civilisation

Le Musée de la civilisation se définit comme un musée de l'aventure humaine. Ses expositions thématiques (collections euro-québécoises, amérindienne-inuits et internationales) et les activités qui s'y rattachent abordent tant les questions fondamentales que les grands enjeux sociaux de l'heure. Ce musée vous offre divers services tels que des conférences, des ateliers éducatifs et des activités culturelles thématiques.

Musée de la civilisation
85, rue Dalhousie
C.P. 155, succ. B
Québec (Québec)
G1K 7A6

Tél. : (418) 643-2158

Le Musée d'art contemporain

Le Musée d'art contemporain de Montréal, seule institution du genre au Canada, a pour fonction de faire connaître, promouvoir et conserver l'art québécois contemporain et d'assurer une présence de l'art contemporain international par des acquisitions, des expositions et autres activités d'animation. Que dire de sa collection de près de 4600 œuvres d'artistes québécois, canadiens et étrangers, et de sa médiathèque sur l'art contemporain constituée d'une multitude de monographies, de catalogues d'exposition, de diapositives, de photographies, de publications sériées, d'audiocassettes et de vidéocassettes.

Musée d'art contemporain
185, rue Sainte-Catherine Ouest
Montréal (Québec)
H2X 1Z8
Tél. : (514) 847-6226

Pour en savoir plus long sur les musées du Québec

Ministère de la Culture et des Communications
225, Grande-Allée Est
Québec (Québec)
G1R 5G5
Tél. : (418) 643-2183

Ce ministère dispose d'un répertoire de toutes les institutions muséales du Québec (publié par la Société des musées québécois). Vous y trouverez une foule de renseignements pertinents tels que les adresses et les heures d'ouverture.

Société des musées québécois
C.P. 8888, succ. A
UQAM
Montréal (Québec)
H3C 3P8
Tél. : (514) 987-3264

LA TÉLÉVISION... ÉDUCATIVE ?

Regarder la télévision demande beaucoup de discipline...

Il faut avoir la force de caractère nécessaire pour ne pas en abuser, car la télévision peut être aussi nocive qu'utile. Il n'y a aucun mal à regarder la télévision une heure ou deux, loin de là, d'autant plus que certaines émissions sont très intéressantes.

Tout est une question de choix!

Radio-Québec « l'autre télévision »

Une télévision qui est à la fois éducative, culturelle et régionalisée. Radio-Québec fut créée, en 1968, par le gouvernement du Québec. Sa programmation est établie dans le but de promouvoir le patrimoine culturel et de favoriser l'information, l'éducation et la liberté d'expression.

C'est ainsi que Radio-Québec diffuse des émissions articulées autour de trois grands thèmes : culture générale, affaires publiques, services et société. Afin de produire une programmation qui réponde à vos besoins et à vos attentes, Radio-Québec a régionalisé ses activités. Ses bureaux sont situés à Saint-Omer de Bonaventure (Gaspésie), Jonquière (Saguenay-Lac-Saint-Jean), Rimouski (Bas-Saint-Laurent), Val d'Or (Abitibi-Témiscamingue), Sherbrooke (Estrie), Hull (Outaouais), Québec (Québec) et Sept-îles (Côte-Nord).

Si vous avez des commentaires..., des questions..., communiquez avec :

Radio-Québec
800, rue Fullum
Montréal (Québec)
H2K 3L7

Renseignements généraux : (514) 521-2424
Relations avec l'auditoire : (514) 790-0141
Sans frais : 1 800 361-4362

Radio-Canada

La Société Radio-Canada vous propose une programmation équilibrée pour vous renseigner et vous divertir. L'ensemble des émissions comprend les nouvelles, les affaires publiques, le théâtre, la musique, les sports, les documentaires, les programmes pour consommateurs.

Société Radio-Canada
1400, boul. René-Lévesque Est
C.P. 6000
Montréal (Québec)
H3C 3A8

Renseignements généraux : (514) 597-5970
Relations avec l'auditoire : (514) 597-6000

Politicologue à vos heures

Si la scène politique vous intéresse, vous serez servi à souhait par les débats de l'Assemblée nationale. Il est possible d'obtenir des enregistrements ou des extraits des débats. Ils sont distribués sous plusieurs formes : par micro-onde, vidéocassette, ruban vidéocassette et ruban audio. Si vous désirez conserver ces enregistrements, il suffit de fournir à la Direction de la radiotélévision des débats le matériel nécessaire, et celui-ci copiera gratuitement les extraits demandés.

Assemblée nationale
Direction des communications
1020, Saint-Augustin
5e étage
Québec (Québec)
G1A 1A3

Tél. : (418) 643-7239

VOUS CONSACREZ VOS TEMPS LIBRES AU CINÉMA ?

Informez-vous! Plusieurs cinémas offrent des rabais aux aînés. Une carte d'identité (carte bleue, « carte soleil ») suffit pour en bénéficier n'importe quand. Pour en savoir plus long sur le cinéma :

Cinémas parallèles du Québec
4545, avenue Pierre-de-Coubertin
C.P. 1000, succ. M
Montréal (Québec)
H1V 3R2

Tél. : (514) 252-3021

L'Association regroupe les cinémas à but non lucratif. Elle offre des sessions de formation et d'information, un bulletin périodique et organise un congrès annuel. Elle fait la promotion du cinéma de qualité.

Cinémathèque québécoise, Musée du cinéma
335, boul. De Maisonneuve Est
Montréal (Québec)
H2X 1K1

Tél. : (514) 842-9763

On retrouve à la Cinémathèque tous les films et documents cinématographiques liés au cinéma québécois et étranger, un centre de documentation ainsi que des projections publiques. Vous pouvez consulter une liste des films présentés dans les librairies ou à la Cinémathèque.

Office national du film du Canada
Renseignements généraux

3155, chemin de la Côte-de-Liesse
Saint-Laurent (Québec)
H4N 2N4

Tél. : (514) 283-9000

Office national du film du Canada
Service vidéo film

1564, rue Saint-Denis
Montréal (Québec)
H2X 3K2

Tél. : (514) 663-3456
Sans frais : 1 800 267-7710

350, rue Saint-Joseph Est
Québec (Québec)
G1K 3B2

Tél. : (418) 648-3852

L'ONF produit et distribue des vidéos, des films de 16 mm et de 35 mm, des émissions de Radio-Canada et d'autres films, par l'intermédiaire de cinémathèques ONF et affiliées. Vous pouvez emprunter des films en tout temps, louer des vidéos ou les visionner sur place. Il suffit d'en faire la demande au bureau de votre région.

Il existe plusieurs paliers régionaux : Chicoutimi, Montréal, Québec, Trois-Rivières, Rimouski, Rouyn-Noranda, Sherbrooke et Val-d'Or.

Des « experts » en matière culturelle et artistique

Conseil des arts et des lettres
79, boul. René-Lévesque Est
Québec (Québec)
G1R 5N5
Tél. : (418) 643-1707

Opéra de Montréal
260, boul. De Maisonneuve Ouest
Montréal (Québec)
H2X 1Y9
Tél. : (514) 985-2222

Institut québécois du cinéma
80, rue de Brésoles
Montréal (Québec)
H2Y 1V5
Tél. : (514) 288-7655

Institut national de la recherche scientifique
Culture et société
14, rue Haldimand
Québec (Québec)
G1R 4N4
Tél. : (418) 643-4695

Régie du cinéma
455, rue Sainte-Hélène
Montréal (Québec)
H2Y 2L3
Tél. : (514) 873-2371

Société générale des industries culturelles (SOGIC)
1755, boul. René-Lévesque Est
Bureau 200
Montréal (Québec)
H2K 4P6
Tél. : (514) 873-7768

Les prénoms des artistes célèbres

Un grand nombre d'artistes (musiciens, peintres, sculpteurs, etc.) sont surtout connus par leur nom de famille. Pourtant, comme chacun de nous, ils ont un prénom.

À vous de leur redonner le prénom qui convient!

Armstrong	1. Hector
Bach	2. Georges
Beethoven	3. Jules
Berlioz	4. Auguste
Borodine	5. Henri
Chopin	6. Camille
Buffet	7. Raoul
Gershwin	8. Vincent
Massenet	9. Salvador
Bizet	10. Louis
Matisse	11. Claude
Saint-Saëns	12. Jean
Dufy	13. Frédéric
Van Dyck	14. Jean-Sébastien
Rodin	15. Pablo
Van Gogh	16. George
Dali	17. Bernard
Goujon	18. Ludwig Von
Picasso	19. Antoine
Debussy	20. Alexandre

Solutions

1.	Hector Berlioz.	**11.**	Claude Debussy.
2.	Georges Bizet.	**12.**	Jean Goujon.
3.	Jules Massenet.	**13.**	Frédéric Chopin.
4.	Auguste Rodin.	**14.**	Jean-Sébastien Bach.
5.	Henri Matisse.	**15.**	Pablo Picasso.
6.	Camille Saint-Saëns.	**16.**	George Gershwin.
7.	Raoul Dufy.	**17.**	Bernard Buffet.
8.	Vincent Van Gogh.	**18.**	Ludwig Von Beethoven.
9.	Salvador Dali.	**19.**	Antoine Van Dyck.
10.	Louis Armstrong.	**20.**	Alexandre Borodine.

Référence: Devinettes et petits jeux Fleurus

CHAPITRE 12

VOS DROITS

À titre d'aîné, vous avez des droits...
Les connaissez-vous ?

- vos droits à la santé;
- vos droits de la personne;
- vos droits au travail;
- vos droits de consommateur;
- vos droits civils.

Connaissez-vous aussi les organismes qui vous représentent ?

VOS DROITS À LA SANTÉ ET AUX SERVICES SOCIAUX

Si vous n'êtes pas satisfait des soins reçus dans un établissement de santé ou de services sociaux...

Vous pouvez formuler une plainte auprès :

- de l'établissement où vous avez reçu les services.

La Régie régionale de la santé et des services sociaux (RRSSS)

Cette dernière a le mandat de répondre aux plaintes des usagers des établissements de santé et de services sociaux situés sur son territoire. Pour la rejoindre, consultez votre annuaire téléphonique.

On ne fait pas le droit, il se fait.
Cette brève formule contient toute son histoire.

Gustave Le Bon

• • • • •

La Commission des affaires sociales

La Commission des affaires sociales est un tribunal administratif d'appel spécialisé. Sa fonction consiste exclusivement à trancher des litiges en qualité de tribunal d'appel tel que le stipule la Loi sur la Commission des affaires sociales (L.R.Q., c. C-34). Elle reçoit les plaintes qu'un usager peut déposer s'il est insatisfait d'une décision rendue à son égard. C'est ainsi que la Commission est appelée à rendre des décisions qui peuvent concerner les services de santé et les services sociaux, la sécurité du revenu, l'indemnisation des victimes d'accidents d'automobile et d'actes criminels, les régimes de rentes et la protection du malade mental.

Pour information :

Commission des affaires sociales

440, boul. René-Lévesque Ouest
6e étage
Montréal (Québec)
H2Z 1V7

Tél. : (514) 873-5643

1020, route de l'Église
2e étage
Sainte-Foy (Québec)
G1V 3V9

Tél. : (418) 643-3400

Les frais d'appel sont acceptés.

Si vous croyez qu'un produit, en vente sur le marché, constitue un danger pour votre santé...

Vous pouvez déposer une plainte auprès du :

Ministère de la Santé du Canada

La Direction générale de la protection de la santé étudie toutes les plaintes déposées en rapport avec les domaines suivants : aliments, médicaments, produits de beauté, instruments médicaux et dispositifs émettant des radiations.

Tout aliment mis sur le marché (emballé, surgelé, en conserve, séché), qui a une odeur, un aspect ou un goût étrange, qui est moisi, qui renferme des insectes, des impuretés ou tout autre corps étranger, ou qui est mal emballé, peut faire l'objet d'une plainte. Tout médicament, produit de beauté, instrument médical et dispositif émettant des radiations qui entraînent des réactions défavorables peuvent également faire l'objet d'une plainte s'ils sont annoncés de manière trompeuse, mal étiquetés, altérés, vendus illégalement ou inefficaces.

Pour information :

Direction générale
de la protection de la santé
Gare maritime Champlain
901, rue du Cap-Diamant
Bureau 267
Québec (Québec)
G1K 4K1
Tél. : (418) 648-3670

- le bureau régional ou le bureau de district de la Direction régionale de la protection de la santé situé dans votre localité. Vous trouverez l'adresse dans les pages bleues de votre annuaire téléphonique dans la section Gouvernement du Canada, sous la rubrique « Santé Canada »;

Si vous êtes victime d'un acte criminel...

Vous êtes blessé ou un de vos proches est tué :

- lors de la perpétration d'un délit criminel;
- alors que vous ou ce parent assistez un agent de la paix lors d'une arrestation;
- alors que vous ou ce parent tentez d'arrêter l'auteur d'un délit criminel;
- alors que vous ou ce parent tentez de prévenir la perpétration d'un délit.

IVAC peut vous aider

Toute victime d'un acte criminel contre la personne, commis au Québec, peut bénéficier des avantages de la Loi sur l'indemnisation des victimes d'actes criminels (L.R.Q., c. I-6) (IVAC). L'application de cette loi relève de la Commission de la santé et de la sécurité du travail (CSST).

Les victimes blessées ou, en cas de décès, les personnes qui étaient à leur charge reçoivent les mêmes prestations que celles qui sont prévues par la Loi sur les accidents du travail (L.R.Q., c. A-3) et, dans certains cas, d'autres avantages. Elles bénéficient des mêmes services d'assistance médicale et de réadaptation que la victime d'un accident du travail.

Comment recourir à l'IVAC ?

Toute demande de prestations doit être adressée dans l'année où surviennent les dommages matériels, les blessures ou la mort de la victime, sur un formulaire réglementaire que vous pouvez obtenir à la Direction de l'IVAC ou dans les bureaux régionaux de la Commission de la santé et de la sécurité du travail (CSST).

Par la suite, votre dossier est étudié par un avocat, afin d'établir la recevabilité de la demande. Un avis de la décision vous sera transmis. La Commission estimera par la suite les indemnités auxquelles vous avez droit.

Blessure :

Aux termes de la loi, « blessure » signifie une lésion corporelle, un choc nerveux ou mental.

Indemnités

Qui
- Victime d'acte criminel qui a un emploi :
  - temps partiel;
  - assurance-chômage;
  - à son compte.

Quoi
- 90 % de son revenu net pendant la période d'incapacité à travailler, versement aux 14 jours;
- ne peut être inférieur au salaire minimum;
- ne peut dépasser un maximum assurable (46 500 $ en 1993);
- rente mensuelle s'il y a incapacité permanente.

Qui
- Victime d'acte criminel sans emploi :
  - rentier;
  - étudiant majeur;
  - bénéficiaire d'un programme de sécurité du revenu;
  - autres.

Quoi
- 90 % du salaire minimum pendant la période d'incapacité à reprendre ses activités habituelles, versement aux 14 jours;
- rente mensuelle s'il y a incapacité permanente.

Qui
- Enfant mineur victime d'acte criminel.

Quoi
- 35 $ par semaine pendant la période d'incapacité à accomplir ses activités habituelles;
- rente mensuelle s'il y a incapacité permanente; l'incapacité peut être reconnue plusieurs années après l'acte criminel.

Qui
- Personne à charge d'une victime décédée des suites d'un acte criminel :
  - conjoint;
  - enfants.

Quoi
- rente mensuelle au conjoint (55 % du 90 % du revenu net que la victime aurait reçu);
- rente mensuelle jusqu'à majorité (10 % de l'indemnité au premier enfant et 5 % aux autres, jusqu'à concurrence de 80 %);
- indemnité spéciale de 500 $ au conjoint ou, à défaut, aux autres personnes à charge;
- rente indexée annuellement.

Qui • Parent d'un enfant mineur décédé des suites d'un acte criminel

Quoi • 2000 $.

Qui • Personne qui acquitte les frais.

Quoi • 600 $ pour les frais funéraires;
• 500 $ pour le transport du corps.

Pour en savoir davantage sur IVAC ou pour obtenir un formulaire, communiquez avec le bureau de la Commission de la santé et de la sécurité du travail (CSST) de votre région :

Bureau central de la Direction de l'IVAC
1199, rue de Bleury
C.P. 6056, succ. centre-ville
Montréal (Québec)
H3C 4E1

Tél. : (514) 873-6019
Sans frais : 1 800 561-IVAC

- **Directions régionales de la CSST**

Abitibi-Témiscamingue
33, rue Gamble Ouest
Rouyn-Noranda (Québec)
J9X 2R3

Tél. : (819) 797-6191
Sans frais : 1 800 668-2922

1355, chemin Sullivan
Val-d'Or (Québec)
J9P 1M2

Tél. : (819) 824-2724
Sans frais : 1 800 668-4593

Chaudière – Appalaches
777, rue des Promenades
Saint-Romuald (Québec)
G6W 7P7

Tél. : (418) 839-2500
Sans frais : 1 800 668-4613

Côte-Nord
700, boul. Laure
Bureau 236
Sept-Îles (Québec)
G4R 1Y1

Tél. : (418) 964-3900
Sans frais : 1 800 668-5214

235, boul. Lasalle
Secteur Marquette
Baie-Comeau (Québec)
G4Z 1S7

Tél. : (418) 296-3484
Sans frais : 1 800 668-0583

Bas-Saint-Laurent
180, rue des Gouverneurs
C.P. 2180
Rimouski (Québec)
G5L 7P3

Tél. : (418) 725-6100
Sans frais : 1 800 668-2773

Gaspésie – Îles-de-la-Madeleine
163, boul. Gaspé
C.P. 5000
Gaspé (Québec)
G0C 1R0

Tél. : (418) 368-7800
Sans frais : 1 800 668-6789

200, boul. Perron Ouest
C.P. 939
New Richmond (Québec)
G0C 2B0

Tél. : (418) 392-5091
Sans frais : 1 800 668-4595

Lanaudière
432, rue de Lanaudière
C.P. 550
Joliette (Québec)
J6E 7N2

Tél. : (514) 753-2600
Sans frais : 1 800 461-4489

Laurentides
1000, rue Labelle
Saint-Jérôme (Québec)
J7Z 5N6

Tél. : (514) 431-4000
Sans frais : 1 800 465-2234

Estrie
1650, rue King Ouest
Bureau 300
Sherbrooke (Québec)
J1J 2C3

Tél. : (819) 821-5000
Sans frais : 1 800 668-3090

Mauricie – Bois-Francs
1055, boul. des Forges
Bureau 200
Trois-Rivières (Québec)
G8Z 4J9

Tél. : (819) 372-3400
Sans frais : 1 800 668-6210

Nouveau-Québec
C.P. 690
Radisson (Québec)
J0Y 2X0

Tél. : (819) 638-8978

Chantier de LA 1
Baie James (Québec)
J0Y 3R0

Tél. : (819) 853-2690

Outaouais
15, rue Gamelin
C.P. 454
Hull (Québec)
J8Y 6N5

Tél. : (819) 778-8600
Sans frais : 1 800 668-4483

Laval
1700, boul. Laval
Laval (Québec)
H7S 2G6
Tél. : (514) 668-7710

Longueuil
25, boul. Lafayette
Longueuil (Québec)
J4K 5B7
Tél. : (514) 442-6200
Sans frais : 1 800 668-4612

Richelieu-Salaberry
145, boul. Saint-Joseph
C.P. 100
Saint-Jean-sur-Richelieu (Québec)
J3B 6Z1
Tél. : (514) 359-2100
Sans frais : 1 800 668-2204

9, rue Nicholson
C.P. 478
Valleyfield (Québec)
J6S 4V7
Tél. : (514) 377-6200
Sans frais : 1 800 668-2550

Saguenay – Lac-Saint-Jean
Place du Fjord
901, boul. Talbot
C.P. 5400
Chicoutimi (Québec)
G7H 6P8
Tél. : (418) 696-5200
Sans frais : 1 800 668-0087

Québec
730, boul. Charest Est
C.P. 4900, terminus postal
Québec (Québec)
G1K 7S6
Tél. : (418) 643-5860
Sans frais : 1 800 668-6811

Yamaska
2710, boul. Bachand
C.P. 430
Saint-Hyacinthe (Québec)
J2S 7B8
Tél. : (514) 771-3900
Sans frais : 1 800 668-2465

66, rue Court
Granby (Québec)
J2G 4Y5
Tél. : (514) 378-7971

26, place Charles-De-Montmagny
Sorel (Québec)
J3P 7E3
Tél. : (514) 743-2727

Complexe du Parc
1209, boul. Sacré-Coeur
6e étage
C.P. 47
Saint-Félicien (Québec)
G8K 2P8
Tél. : (418) 679-5463
Sans frais : 1 800 668-6820

VOS DROITS DE LA PERSONNE

Si vous êtes victime de discrimination ou que vos droits sont lésés...

La Commission des droits de la personne

La Commission des droits de la personne est mandatée par le gouvernement provincial pour promouvoir et faire respecter les principes contenus dans la Charte des droits et libertés de la personne.

Outre le respect de vos droits fondamentaux, vos droits judiciaires, vos droits politiques, vos droits économiques et sociaux, la Charte interdit toute discrimination à l'égard de : votre race, votre sexe, votre orientation sexuelle, votre état civil, votre langue, vos convictions politiques et religieuses, votre condition sociale, le fait que vous soyez une personne handicapée ou que vous utilisiez quelque moyen pour pallier votre handicap.

Si vous croyez être victime de discrimination, vous pouvez porter plainte auprès de la Commission des droits de la personne qui interviendra en utilisant ses pouvoirs d'enquête sur les sujets relevant de sa compétence.

Pour information :

Commission des droits de la personne

360, rue Saint-Jacques Ouest
Montréal (Québec)
H2Y 1P5

Tél. : (514) 873-7618
Sans frais : 1 800 361-6477

1279, boul. Charest Ouest
8e étage
Québec (Québec)
G1N 4K7

Tél. : (418) 643-1872
Sans frais : 1 800 463-5621

La Commission canadienne des droits de la personne

Tout comme la Commission provinciale, la Commission canadienne des droits de la personne vous protège contre la discrimination dans divers domaines. S'il s'agit d'une question relative à la loi fédérale, la Commission canadienne s'occupera de votre plainte. Quelle que soit la Commission à laquelle vous fassiez appel, on vous indiquera au besoin à qui vous devez vous adresser.

Pour information :

Commission canadienne des droits de la personne
1253, avenue McGill College
Bureau 470
4e étage
Montréal (Québec)
H3B 2Y5
Tél. : (514) 283-5218

La Ligue des droits et libertés

La Ligue défend les droits collectifs, sociaux et économiques de l'individu et tente d'améliorer les conditions d'exercice des libertés. Elle affirme sa solidarité avec tous ceux qui luttent pour l'acquisition ou la préservation des droits et libertés. La Ligue s'engage à défendre toutes les catégories d'êtres humains dont les droits quotidiens sont menacés.

Pour information :

Ligue des droits et libertés
1825, rue de Champlain
Montréal (Québec)
H2L 2S9
Tél. : (514) 527-8551

VOS DROITS AU TRAVAIL

Si votre employeur ne respecte pas vos droits concernant les normes du travail...

(salaire, bulletin de paie, la durée de la semaine de travail, les congés annuels payés, les jours fériés, les congés spéciaux, le congé de maternité, le préavis de licenciement...)

Vous pouvez adresser une plainte auprès de :

La Commission des normes du travail

Vous avez un an pour intenter une action civile. La Commission peut réclamer le salaire que l'on vous doit, jusqu'à concurrence du double du salaire minimum en vigueur au moment où le travail a été effectué. Elle peut aussi réclamer les autres avantages pécuniaires tels que l'indemnité de vacances, etc.

Pour information :

Commission des normes du travail
Direction des communications
750, boul. Charest Est
2e étage
Québec (Québec)
G1K 7Z5
Tél. : (418) 643-8742
Sans frais : 1 800 265-1414

Si vous considérez que votre travail met votre santé en danger...

La Commission de la santé et de la sécurité du travail (CSST)

La Commission est responsable du programme de la santé et de la sécurité du travail du Québec. Elle veille à la prévention des risques d'accidents et de maladies, assure l'inspection des milieux de travail et administre les programmes aux accidentés du travail. Le mandat exclusif de la Commission s'étend à l'ensemble des lois, règlements, normes et techniques touchant la santé et la sécurité du travail dans tous les secteurs, y compris celui de la construction.

Pour des renseignements supplémentaires, communiquez avec l'un des bureaux régionaux de la Commission de la santé et de la sécurité du travail (CSST) dont vous trouverez la liste précédemment.

Si l'on vous congédie ou que l'on refuse de vous donner un travail en raison de votre âge...

La Commission des normes du travail

Si vous croyez avoir été congédié, suspendu ou mis à la retraite uniquement parce que vous avez atteint ou dépassé l'âge ou le nombre d'années de service qui vous permettent de prendre votre retraite, vous pouvez déposer une plainte. Vous avez alors un délai de 90 jours pour déposer cette plainte, par écrit, à la Commission des normes du travail. Si l'on vous congédie pour un autre motif que vous jugez sans fondement juste et valable, et que vous avez 3 ans de service et plus, vous disposez de 45 jours pour porter plainte.

Pour information :

Commission des normes du travail
Direction des communications
750, boul. Charest Est
Québec (Québec)
G1K 7Z5
Tél. : (418) 643-8742
Sans frais : 1 800 265-1414

- à l'un des bureaux régionaux.

La Commission des droits de la personne du Québec

Il revient à la Commission des droits de la personne du Québec de vous protéger contre toute discrimination en raison de votre âge.

Pour information :

Commission des droits de la personne

360, rue Saint-Jacques
Montréal (Québec)
H2Y 1P5

Tél. : (514) 873-7618
Sans frais : 1 800 361-6477

1279, boul. Charest Ouest
8e étage
Québec (Québec)
G1N 4K7

Tél. : (418) 643-1872
Sans frais : 1 800 463-5621

N.B. Si votre employeur est régi par une loi fédérale, vous devez adresser votre plainte à la Commission canadienne des droits de la personne.

VOS DROITS DE CONSOMMATEUR

Si vous avez des embêtements à cause d'une garantie, d'un contrat, d'une vente itinérante...

L'Office de la protection du consommateur

L'Office de la protection du consommateur a pour mandat de protéger les droits des consommateurs. Que ce soit pour :

- une garantie;
- un contrat;
- une vente itinérante (le porte-à-porte);
- la réparation d'un appareil ménager;
- la vente ou la réparation d'une automobile ou d'une motocyclette d'occasion;
- un contrat de louage de services à exécution successive (écoles de langue ou de danse, agence de rencontre, etc.);

- les pratiques d'un commerce;
- un achat par correspondance;
- la publicité;
- le crédit;
- une vente pyramidale;
- une agence de recouvrement (qu'on appelait autrefois « bureaux de collection »);
- une agence de voyages;

vous pouvez vous adresser à l'Office de la protection du consommateur. Il peut recevoir vos plaintes, vous renseigner sur vos droits, vous informer sur les recours possibles, procéder à des recherches et à des études concernant la consommation et les pratiques frauduleuses ou évaluer divers biens et services.

Pour information :

Bureaux régionaux de l'Office de la protection du consommateur

Bas-Saint-Laurent
337, rue Moreault
Rimouski (Québec)
G5L 1P4
Tél. : (418) 727-3775
Sans frais : 1 800 463-3775

Saguenay – Lac-Saint-Jean
3714, boul. Harvey
Jonquière (Québec)
G7X 3A5
Tél. : (418) 695-7938
Sans frais : 1 800 563-5741

Estrie
200, Belvédère Nord
Bureau 1.01
Sherbrooke (Québec)
J1H 4A9
Tél. : (819) 820-3266
Sans frais : 1 800 663-3266

Montréal
Village Olympique
5199, rue Sherbrooke Est
Bureau 3671, Aile A
Montréal (Québec)
H1T 3X2
Tél. : (514) 873-3701

Québec
400, boul. Jean-Lesage
Bureau 450
Québec (Québec)
G1K 8W4
Tél. : (418) 643-8652
Sans frais : 1 800 663-8652

Mauricie – Bois-Francs
Édifice Capitanal
100, rue Laviolette, RC 11
Trois-Rivières (Québec)
G9A 5S9
Tél. : (819) 371-6424
Sans frais : 1 800 463-6424

Côte-Nord
456, rue Arnaud
Bureau 1.05
Sept-Îles (Québec)
G4R 3B1
Tél. : (418) 968-8581
Sans frais : 1 800 463-3511

Laurentides-Lanaudière
Édifice Athanase-David
85, de Martigny Ouest,
Bureau 1.03
Saint-Jérôme (Québec)
J7Y 3R8
Tél. : (514) 569-3105
Sans frais : 1 800 663-3110

Outaouais
Édifice Jos-Montferrand
170, rue de l'Hôtel-de-Ville
Bureau 3.440
Hull (Québec)
J8X 4C2
Tél. : (819) 772-3041
Sans frais : 1 800 663-3041

Abitibi-Témiscamingue
33A, Gamble Ouest, RC11
Rouyn-Noranda (Québec)
J9X 2R3
Tél. : (819) 797-8549
Sans frais : 1 800 561-9841

Gaspésie – Îles-de- la-Madeleine
11, rue de la Cathédrale
C.P. 1418
Gaspé (Québec)
G0C 1R0
Tél. : (418) 368-4141
Sans frais : 1 800 463-3277

- avec Communication-Québec, dont la liste des bureaux se trouve à l'annexe I du *Guide*.

Si l'achat ou la réparation de votre automobile vous cause des ennuis...

L'Association de la protection des automobilistes (APA)

L'Association protège les propriétaires d'automobile victimes d'abus ou de fraude. Elle offre un service d'information sur les automobiles (neuves ou d'occasion), les garages recommandés ou déconseillés et tout ce qui a trait à l'automobile en général. L'APA offre une assistance technique et juridique dans les démarches portant sur la qualité des produits et des services. Elle publie également le magazine « Roulez sans vous faire rouler ». Pour se prévaloir de l'ensemble des services offerts par l'Association, il faut en être membre. Une cotisation annuelle est exigée.

Pour information :

Association pour la protection des automobilistes
292, boul. Saint-Joseph Ouest
Montréal (Québec)
H2V 2N7

Tél. : (514) 272-5555

L'Association canadienne des automobilistes (CAA)

La plupart des clubs automobiles sont affiliés à cette Association. Ces clubs offrent de nombreux services à leurs membres : information, service de dépannage gratuit, service d'inspection des automobiles, service de protection des consommateurs et assistance juridique. Ils publient une liste de garages recommandés et offrent des cartes et des itinéraires de voyage. Ces services sont offerts partout, où que vous soyez en Amérique du Nord. Une contribution est demandée pour devenir membre d'un club automobile. Vous trouverez la liste des clubs automobiles dans votre annuaire téléphonique.

Le ministère des Transports du Canada

Le ministère des Transports du Canada détermine et impose les normes de sécurité pour toute voiture neuve vendue au Canada. Lorsque certaines pièces d'un véhicule motorisé ne sont pas conformes à ces normes, cette voiture doit faire l'objet d'un rappel. Si vous avez une plainte à formuler concernant la sécurité de votre voiture, adressez-vous à :

Direction de la sécurité automobile et routière
Transports Canada
Édifice Transports Canada
344, Slater
Place de Ville
Ottawa, Ontario
K1A 0N5

Tél. : (613) 993-9851
Sans frais : 1 800 333-0510

- l'Office de la protection du consommateur tel que mentionné précédemment.

Si vous n'êtes pas satisfait des services obtenus par un professionnel ou que vous considérez avoir été lésé dans vos droits...

L'Office des professions du Québec

L'Office des professions du Québec agit à titre de surveillant. Il voit à ce que les corporations professionnelles assurent la protection du public quand elles adoptent ou appliquent des règlements pour leurs membres. Il conseille le gouvernement sur les questions touchant le système professionnel du Québec.

Vous pouvez faire appel à l'Office :

- si un professionnel a fait preuve de discrimination à votre égard;
- si un professionnel déroge à l'éthique rattachée à l'exercice de ses fonctions;

- s'il vous refuse des renseignements auxquels vous avez droit (traitement, services, honoraires, etc.).

L'Office des professions du Québec vous indiquera la façon de procéder pour déposer une plainte. Avocat, médecin, infirmier, notaire, dentiste sont quelques-unes des professions représentées par l'Office.

Pour information :

L'Office des professions du Québec

500, rue Sherbrooke Ouest
Bureau 200
Montréal (Québec)
H3A 3C6

Tél. : (514) 873-4057

Complexe de la Place
Jacques-Cartier
320, rue Saint-Joseph Est
1er étage
Québec (Québec)
G1K 8G5

Tél. : (418) 643-3937

Les corporations et les associations professionnelles

Plusieurs professions sont régies par une corporation. En voici quelques-unes :

Administrateurs agréés
Agronomes
Architectes
Arpenteurs-géomètres
Audioprothésistes
Avocats
Chimistes
Chiropraticiens
Comptables agréés
Comptables en administration industrielle
Comptables généraux licenciés
Conseillers d'orientation
Conseillers en relations industrielles
Infirmières et infirmiers auxiliaires
Ingénieurs
Ingénieurs forestiers
Médecins
Médecins vétérinaires
Notaires
Opticiens d'ordonnances
Optométristes
Orthophonistes et audiologistes
Pharmaciens
Physiothérapeutes
Podiatres
Psychologues
Techniciens dentaires

Dentistes
Denturologistes
Diététistes
Ergothérapeutes
Évaluateurs agréés
Hygiénistes dentaires
Infirmières et infirmiers
Techniciens en radiologie
Technologistes médicaux
Technologues des sciences appliquées
Travailleurs sociaux
Urbanistes

Vous pouvez trouver l'adresse et le numéro de téléphone des corporations dans votre annuaire téléphonique ou en contactant Communication-Québec, dont la liste des bureaux est mentionnée à l'annexe I du *Guide*.

Si vous désirez obtenir de l'information concernant les lois fédérales visant la protection du consommateur...

Le ministère de l'Industrie du Canada

Ce ministère s'engage à faire respecter les lois concernant :

- les poids et mesures;
- l'inspection du gaz et de l'électricité;
- l'emballage et l'étiquetage des produits de consommation;
- le poinçonnage des métaux précieux;
- l'étiquetage des textiles;
- les produits dangereux;
- la publicité trompeuse.

Pour information :

- Vous trouverez l'adresse dans les pages bleues de votre annuaire téléphonique, dans la section Gouvernement du Canada, sous la rubrique« Industrie Canada ».

Si vous avez décidé d'être un consommateur averti...

L'Association des consommateurs du Québec (ACQ)

Tous les problèmes relatifs à la consommation intéressent l'Association des consommateurs du Québec.

Cet organisme privé offre à ses membres des services d'information et d'assistance. Il donne, entre autres, de l'information sur les assurances automobile, habitation et voyage. Il publie divers documents dont certains sont gratuits tandis que d'autres sont offerts à prix modique.

Pour information :

Montréal
7383, rue de la Roche
Montréal (Québec)
H2R 2T4
Tél. : (514) 278-5514

Trois-Rivières
1800, rue Saint-Paul
Bureau 106
Trois-Rivières (Québec)
G9A 1J7
Tél. : (819) 373-2484

Les coopératives de consommation

Les différentes coopératives de consommation de la province peuvent vous fournir de précieux conseils au sujet des produits de consommation. Elles effectuent de nombreuses analyses et peuvent vous en donner les résultats.

Pour information :

- Vous trouverez la liste des coopératives de consommation dans votre annuaire téléphonique.

L'Association coopérative d'économie familiale (ACEF)

L'Association coopérative d'économie familiale vise à protéger le consommateur contre l'endettement et à l'informer sur la consommation. Elle offre divers types de services : conseils juridiques, consultation budgétaire gratuite, rencontres d'information et d'éducation.

Pour information :

Fédération des ACEF (FACEF)
5225, Berri
Bureau 305
Montréal (Québec)
H2J 2S4
Tél. : (514) 271-7004

ACEF de l'Estrie
187, rue Laurier
Bureau 201
Sherbrooke (Québec)
J1H 4Z4
Tél. : (819) 563-9187

ACEF de Lanaudière
200, rue de Salaberry
Bureau 124
Joliette (Québec)
J6E 4G1
Tél. : (514) 756-1333

ACEF du Centre de Montréal
1215, rue Visitation
Montréal (Québec)
H2L 3B5
Tél. : (514) 598-7288

ACEF de l'Est de Montréal
5955, rue de Marseille
Montréal (Québec)
H1N 1K6
Tél. : (514) 257-6622

ACEF Rive-Sud de Montréal
18, rue Montcalm
Longueuil (Québec)
J4J 2K6
Tél. : (514) 677-6394

ACEF du Haut Saint-Laurent
28, Saint-Paul
Valleyfield (Québec)
J6S 4A8
Tél. : (514) 371-3470

ACEF des Basses-Laurentides
42-B, rue Turgeon
Sainte-Thérèse (Québec)
J7E 3H4
Tél. : (514) 430-2228

ACEF de Granby
371, rue Saint-Jacques
Granby (Québec)
J2G 3N5
Tél. : (514) 375-1443

ACEF de l'Outaouais
42, rue Hôtel-de-Ville
Hull (Québec)
J8X 4E3
Tél. : (819) 770-4911

ACEF du Nord de Montréal
7500, avenue Châteaubriand
Montréal (Québec)
H2R 2M1
Tél. : (514) 277-7959

ACEF du Sud-Ouest de Montréal
4017, rue Notre-Dame Ouest
Bureau 102
Montréal (Québec)
H4C 1R3
Tél. : (514) 932-5577

ACEF de Thetford Mines
37, rue Notre-Dame Sud
Thetford Mines (Québec)
G6G 1J1
Tél. : (418) 338-4755

ACEF de la Mauricie
274, rue Bureau
Trois-Rivières (Québec)
G9A 2M7
Tél. : (819) 378-7888

ACEF du Grand Portage
553, rue Lafontaine
Rivière-du-Loup (Québec)
G5R 3C5
Tél. : (418) 867-8545

ACEF de Québec
570, rue du Roi
Québec (Québec)
G1K 2X2
Tél. : (418) 522-1568

ACEF Rive-Sud de Québec
11, avenue Bégin
Bureau 2
Lévis (Québec)
G6V 4B6
Tél. : (418) 835-6633

ACEF des Bois-Francs
59, rue Monfette
Bureau 230
Victoriaville (Québec)
G6P 1J8
Tél. : (819) 752-5855

ACEF de la Péninsule
Édifice Sirois
158, rue Soucy
Bureau 211
Matane (Québec)
G4W 2E3
Tél. : (418) 562-7645

ACEF Abitibi-Témiscamingue
138, avenue Murdoch
Bureau 210
C.P. 533
Rouyn-Noranda (Québec)
J9X 1E1
Tél. : (819) 764-3302

VOS DROITS CIVILS

Si vous désirez réclamer votre dû...

« La Cour des petites créances »

La Division des petites créances de la Cour provinciale vous permet de réclamer à un débiteur une somme de 3000 $ ou moins qui vous est due. L'une des particularités de cette cour est l'absence d'avocats. Les parties impliquées doivent exposer elles-mêmes les motifs de leur requête ou de leur défense. Toutefois, si l'une ou l'autre des parties ne peut se présenter devant le juge pour des raisons valables (maladie, éloignement, âge avancé, etc.), elle devra mandater quelqu'un par écrit pour la représenter. Il faut avoir soin de signer le document et de mentionner la raison pour laquelle on ne peut se présenter. La personne mandatée doit être suffisamment au courant des faits lorsqu'elle se présente devant la cour.

À la Cour des petites créances, les procédures judiciaires sont simplifiées, les délais de comparution courts, les jugements rapidement rendus et les coûts minimes.

Les conditions d'admissibilité

- vous devez être un particulier et agir vous-même, c'est-à-dire sans l'aide d'un avocat;
- vous devez constituer une personne morale (compagnie) qui, au cours des 12 mois qui ont précédé votre demande aux petites créances, aviez au plus cinq personnes sous votre direction. Ici aussi, la personne morale doit agir sans l'aide d'un avocat. Elle est représentée par l'un de ses administrateurs ou dirigeants ou par une personne à son service.
- la personne ou l'entreprise que vous poursuivez doit résider au Québec ou y avoir un bureau d'affaires;
- le motif de la poursuite doit avoir trait au non-respect d'un contrat ou à des dommages causés à la personne ou aux biens;

- votre réclamation ne doit pas dépasser 3000 $. Même si la somme pour laquelle vous croyez pouvoir poursuivre est supérieure à 3000 $, vous devez réduire votre réclamation à 3000 $ afin de rendre votre cause admissible aux petites créances.

Les frais

Si vous êtes un particulier et que votre réclamation est inférieure à 1000 $, les frais seront de 33 $ et 66 $ pour une réclamation de 1000 $ et plus. Quant aux entreprises, elles devront débourser 61 $ pour une réclamation de 1000 $ et moins ou 102 $ pour une réclamation de plus de 2000 $. Par ailleurs, si vous gagnez votre cause et que vous en faites la demande, ces frais vous seront remboursés.

Les formalités sont simples :

- prenez rendez-vous au palais de justice pour rencontrer un greffier de la Cour des petites créances. Ce dernier vérifiera si votre cause peut être entendue et il vous aidera à remplir le formulaire de requête. Vous pouvez aussi vous présenter au palais de justice avec le formulaire de requête dûment rempli. Il est disponible dans toutes les divisions des petites créances de la Cour provinciale;
- déposez votre requête à la Cour provinciale du palais de justice de votre district judiciaire, Division des petites créances;
- le débiteur a dix jours à partir de la date de la signification de la requête pour acquitter sa dette ou pour contester la requête;
- si vous n'arrivez pas à vous entendre avec l'autre partie, votre dossier sera soumis à un juge de la Cour des petites créances;
- si l'affaire doit être entendue devant un juge, vous recevrez un avis de convocation indiquant le jour fixé pour le procès. Lorsque vous vous présentez en cour, vérifiez si votre nom est inscrit au rôle et si tous vos témoins sont présents.

N'oubliez pas qu'il est aussi possible de contester un avis de cotisation du ministère du Revenu devant la Division des petites créances de la Cour provinciale ainsi que de déposer une plainte en matière d'évaluation foncière.

Pour information :

Vous trouverez l'adresse et le numéro de téléphone de la Cour des petites créances de votre district judiciaire dans les pages bleues de votre annuaire téléphonique, dans la section Gouvernement du Québec, sous la rubrique « Justice ».

Si vous avez besoin des services d'un avocat ou d'un notaire et que vous n'avez pas les moyens financiers nécessaires...

L'aide juridique

L'aide juridique est un service gouvernemental qui permet à toute personne qui est économiquement défavorisée de se prévaloir gratuitement des services professionnels d'un avocat ou d'un notaire. L'aide juridique assume également les frais de cour, d'huissiers et de sténographes.

L'admission à l'aide juridique est établie à partir des revenus bruts hebdomadaires. Toute personne qui ne peut obtenir ces services professionnels sans se priver de moyens nécessaires de subsistance peut se prévaloir des services de l'aide juridique. Par ailleurs, une personne qui bénéficie déjà de l'aide sociale est presque automatiquement admissible.

Droit à l'aide juridique

VOS REVENUS BRUTS HEBDOMADAIRES NE DOIVENT PAS EXCÉDER CES MONTANTS :

COMPOSITION DE LA FAMILLE	REVENUS BRUTS HEBDOMADAIRES
personne seule	170 $
personne seule avec 1 personne à charge	210 $
personne seule avec 2 personnes à charge	230 $
personne seule avec 3 personnes à charge	245 $
personne seule avec 4 personnes à charge	260 $
personne seule avec 5 personnes à charge	280 $
chaque personne à charge supplémentaire	20 $
couple	210 $
couple avec 1 personne à charge	230 $
couple avec 2 personnes à charge	245 $
couple avec 3 personnes à charge	260 $
couple avec 4 personnes à charge	280 $
couple avec 5 personnes à charge	300 $
chaque personne à charge supplémentaire	20 $

Dans le calcul de votre revenu hebdomadaire, vous ne devez pas inclure vos allocations familiales.

Certaines circonstances exceptionnelles, tel votre état d'endettement, peuvent vous rendre admissible à l'aide juridique, même si votre situation ne correspond pas à ces exigences. Avant de conclure que vous n'y avez pas accès, renseignez-vous auprès de votre bureau régional d'aide juridique.

Les services couverts par l'aide juridique sont les suivants :

- le domaine matrimonial (séparation, divorce, etc.);
- le droit social (prestation de vieillesse, aide sociale, etc.);

- la consommation (logement, contrat, finance, etc.);
- le domaine économique (testament, succession, saisie, etc.);
- le domaine criminel et autres.

Comment procéder pour bénéficier de l'aide juridique ?

- Rendez-vous au Bureau d'aide juridique le plus près de chez vous. Vous trouverez la liste dans les pages bleues de votre annuaire téléphonique dans la section Gouvernement du Québec, sous la rubrique « Aide juridique »;
- exposez dans votre demande votre état financier et le fondement de votre droit. Vous devez fournir les renseignements demandés et y joindre tous les documents requis;
- s'il survient, par la suite, des changements qui viennent modifier les renseignements apparaissant sur votre formulaire, communiquez le plus tôt possible avec le Bureau d'aide juridique;
- après cette étape, n'entreprenez rien avant d'avoir reçu l'attestation d'admissibilité délivrée par le directeur du Bureau d'aide juridique. Cette attestation constitue la seule preuve d'admissibilité;
- après réception de ce document, remettez-le à votre avocat ou à votre notaire.

À noter que l'aide juridique est un service gratuit. Cependant, si vous perdez votre cause et êtes condamné à payer les frais, vous devrez rembourser tous les frais de la partie adverse.

Si on refuse votre demande...

Si le directeur d'aide juridique refuse de vous accorder de l'aide juridique, vous pouvez demander une révision de cette décision dans les 15 jours suivants.

Votre demande de révision doit être écrite, contenir un exposé sommaire des motifs que vous invoquez, et elle doit être adressée, par courrier recommandé, à l'attention du :

Président de la Commission
Commission des services juridiques
2, complexe Desjardins
Tour de l'Est, 14e étage
Montréal (Québec)
H5B 1B3
Tél. : (514) 873-3562

Un avocat étudiera votre dossier. Le comité de révision examinera le rapport de l'avocat, étudiera la demande de révision et vous avisera de la décision finale et sans appel ainsi que des raisons qui la motivent. Il y a également appel au comité de révision de la décision du directeur général dans les 15 jours de cette décision.

Attention! Attention! Attention!

Vous n'avez jamais à verser d'honoraires à l'avocat ou au notaire qui vous est assigné par l'aide juridique. Si le professionnel en question exige des honoraires, refusez de les acquitter et écrivez à l'adresse suivante pour faire connaître les circonstances d'une telle demande :

- **Commission des services juridiques**
  Service de l'information
  2, complexe Desjardins
  Tour de l'Est, 14e étage
  Bureau 1404
  Montréal (Québec)
  H5B 1B3
  Tél. : (514) 873-3562

Pour information :

Contactez le Bureau de l'aide juridique le plus près de chez vous. Vous trouverez la liste dans les pages bleues de votre annuaire téléphonique, dans la section Gouvernement du Québec, sous la rubrique « Aide juridique » ou « Centre communautaire juridique ».

S'il vous est impossible de rembourser vos dettes...

Le dépôt volontaire, une mesure légale pour éviter le pire!

Cette mesure est exclusive au Québec. Si vous avez accumulé « quelques » dettes et que vous voulez éviter la saisie de votre salaire et de vos meubles, vous pouvez avoir recours au dépôt volontaire.

Le principe est simple. Pour vous permettre de payer vos dettes, vous déposerez régulièrement au greffe de la Cour provinciale la partie saisissable de votre salaire. Le greffe répartira les sommes d'argent entre vos créanciers.

Si vous désirez vous inscrire au dépôt volontaire, vous devez vous présenter au palais de justice de votre district judiciaire et y faire une déclaration assermentée contenant la liste des créanciers, la nature et le montant de chacune de vos dettes.

Pour information ou pour prendre rendez-vous :

Palais de justice de Montréal
Greffe

1, rue Notre-Dame Est
Montréal (Québec)
H2Y 1B6

Tél. : (514) 393-2721

Palais de justice de Québec
Greffe

300, boul. Jean-Lesage
Québec (Québec)
G1K 8K6

Tél. : (418) 649-3400

Pour obtenir de la documentation, adressez-vous :

Ministère de la Justice
Direction des communications
1200, route de l'Église
Sainte-Foy (Québec) G1V 4M1
Tél. : (418) 643-5140

La faillite

La Loi sur la faillite et l'insolvabilité vous permet de vous libérer de la plupart de vos dettes si vous n'avez plus de moyens de les rembourser autrement. La faillite vous donne la possibilité de recommencer à neuf.

Il existe des conditions pour pouvoir faire faillite :

- avoir accumulé des dettes pour une somme supérieure à 1000 $;
- être dans l'impossibilité de rembourser vos dettes;
- la valeur de vos biens saisissables (maison, meubles, etc.) doit être insuffisante pour acquitter vos dettes.

La première démarche à effectuer est de communiquer avec un syndic, le personnage principal dans le règlement d'une faillite.

Comment procéder ?

Il existe deux possibilités :

- choisir vous-même un syndic dans les pages jaunes de votre annuaire téléphonique;
- vous en faire recommander un par des connaissances.

Avant de déterminer votre façon de procéder, rappelez-vous l'importance du syndic dans une faillite. Il doit tout savoir : tous les aspects de votre situation économique (comptes en banque, salaire, etc.), toutes vos dettes, toutes les ventes ou tous les dons importants que vous avez effectués depuis un an ou cinq ans, selon le cas.

Vous devez absolument aviser votre syndic de toute modification de vos revenus pendant la période de la faillite.

Et c'est parti...
À partir de ce moment, le syndic est maître d'œuvre de vos biens saisissables. Il dresse un inventaire de vos biens, veille à leur conservation, les administre, récupère les biens se trouvant entre les mains d'autres personnes, etc., jusqu'à ce que s'effectue la liquidation de vos biens au bénéfice des créanciers. Le syndic agit à la fois comme votre représentant et comme celui de vos créanciers.

Combien en coûte-t-il pour faire faillite ?

Car faire faillite n'est pas gratuit!

Il en coûte toujours quelque chose de faire faillite, même si vous êtes en chômage ou prestataire d'aide sociale. À chaque mois, vous devez envoyer une certaine somme d'argent à votre syndic. Le montant à débourser varie selon les cas. Cette somme servira à payer les honoraires du syndic, et le reste sera distribué entre vos créanciers.

Et c'est ainsi jusqu'au jour... où vous aurez obtenu votre libération, généralement après neuf mois. Ce laps de temps écoulé, vous obtiendrez automatiquement votre libération s'il s'agit de votre première faillite. Cependant, si vous en êtes à votre deuxième faillite ou plus, votre syndic devra demander votre libération à un juge. Il décidera en se basant sur le rapport présenté par votre syndic, sur les causes de votre faillite et votre conduite durant la faillite (par exemple, si vous avez payé tous les mois). Le juge peut vous libérer de vos dettes ou il peut imposer le versement d'un montant supplémentaire aux créanciers.

Il est très rare qu'un juge refuse une libération et, en général, vous aurez, tout compte fait, payé pour seulement une partie de vos dettes.

Mais attention!

La libération ne dégage pas votre ou vos endosseurs.

Pour information ou pour de la documentation :

Industrie Canada
Division des faillites
1040, avenue Belvédère
2e étage
Sillery (Québec)
G1S 3G3
Tél. : (418) 648-4280

Si vous ne pouvez plus veiller à la gestion de vos biens...

Le Curateur public

Il peut arriver, pour diverses raisons, que vous deviez subir un traitement médical, de courte ou de longue durée, et que vous soyez inapte à administrer vos biens.

Dans ces circonstances, si vous ne disposez pas des services d'un tuteur ou d'un curateur privé, l'administrateur de l'établissement hospitalier pourra déléguer cette responsabilité au Curateur public.

Le Curateur public est une personne physique qui a le mandat de protéger les biens des personnes incapables de les administrer elles-mêmes, de faire respecter leurs droits, de surveiller l'administration des biens confiés aux curateurs privés et aux tuteurs, et d'administrer les successions vacantes et les biens sans maître.

Cependant, même si vos biens sont confiés au Curateur public, vous conserverez vos droits fondamentaux :

- le droit d'être informé (vous, votre famille, vos proches) des mesures entreprises par le personnel traitant pour accélérer le rétablissement de votre santé;
- le droit d'exiger que toute correspondance échangée entre vous et les autorités compétentes soit transmise sans délai et de façon strictement confidentielle;

- le droit de réclamer l'interruption de la cure fermée si la nécessité de sa prolongation n'est pas confirmée par un examen psychiatrique périodique;
- le droit d'exiger de l'établissement le document explicatif « Droits et recours des personnes en cure fermée ».

Toute personne qui a des raisons fondées de contester la nécessité d'être maintenue en cure fermée peut soumettre son cas à la Commission des affaires sociales.

Pour information :

Vous pouvez consulter la section du chapitre 2 du *Guide* qui explique de façon plus détaillée le rôle du Curateur public.

Le Curateur public

600, boul. René-Lévesque Ouest
Bureau 500
Montréal (Québec)
H3B 4W9

Tél. : (514) 873-0072
Sans frais : 1 800 267-3740

1305, chemin Sainte-Foy
1er étage
Québec (Québec)
G1S 4N5

Tél. : (418) 643-4108
Sans frais : 1 800 463-4562

La Commission des affaires sociales

1020, route de l'Église
2e étage
Sainte-Foy (Québec)
G1V 3V9

Tél. : (418) 643-3400

Les frais d'appel sont acceptés.

440, boul. René-Lévesque Ouest
6e étage
Montréal (Québec)
H2Z 1V7

Tél. : (514) 873-5643

Si vous croyez avoir été lésé dans vos droits par l'Administration publique...

Le Protecteur du citoyen

Si vous croyez être victime d'une erreur ou d'une injustice de la part d'un ministère ou d'un organisme du gouvernement du Québec, si vous n'êtes pas d'accord avec une décision prise à votre sujet et si vous avez fait des démarches pour régler votre situation mais sans succès, vous pouvez porter plainte au Protecteur du citoyen.

Mais attention...

Le Protecteur du citoyen ne peut intervenir si votre problème concerne le gouvernement fédéral, une municipalité, une commission scolaire, un cégep, une université, un CLSC, un hôpital, un centre d'accueil, un bureau d'aide juridique ou une entreprise privée. Le Protecteur du citoyen ne peut faire changer le jugement d'un tribunal. Il ne peut pas non plus vous défendre lors d'un procès parce qu'il ne peut pas agir à titre d'avocat pour un citoyen.

Le Protecteur du citoyen est nommé par l'Assemblée nationale; il a pour mission de faire respecter les droits des citoyens dans leurs rapports avec l'Administration publique provinciale. Il reçoit les plaintes des citoyens, fait enquête, s'il y a lieu, auprès des services concernés, fait les recommandations nécessaires et veille à leur application, puis il informe toutes les parties intéressées du résultat de son intervention. Ces services sont gratuits.

Pour information ou pour déposer une demande d'enquête :

Protecteur du citoyen

505, rue Sherbrooke Est
3e étage
Montréal (Québec)
H2L 1K2

Tél. : (514) 873-2032
Sans frais : 1 800 361-5804

2875, boul. Laurier
4e étage
Sainte-Foy (Québec)
G1V 2M2

Tél. : (418) 643-2688
Sans frais : 1 800 463-5070

- ou contactez **Communication-Québec** dont vous trouverez la liste des bureaux à l'annexe I du *Guide*.

Si vous avez une plainte à formuler à l'égard d'un notaire ou d'un avocat...

L'Office des professions du Québec

Votre avocat et votre notaire sont soumis à un code d'éthique professionnelle. Il s'agit de règles de conduite qui sont fixées par le Barreau provincial ou la Chambre des notaires et que les membres doivent respecter.

On y traite notamment des rapports d'un avocat ou d'un notaire avec sa clientèle :

- un avocat ou un notaire ne peut faire sa propre publicité;
- ils ne peuvent solliciter leurs clients.

Si un avocat ou un notaire viole le code d'éthique ou commet un acte dérogatoire à sa profession, il sera jugé par ses pairs qui ont le pouvoir de l'exclure du Barreau ou de la Chambre des notaires ou de lui imposer une amende.

Si vous estimez avoir été lésé par l'activité professionnelle d'un avocat ou d'un notaire, vous pouvez déposer une plainte auprès de :

Office des professions du Québec

Région de Montréal
500, rue Sherbrooke Ouest
Bureau 200
Montréal (Québec)
H3A 3C6

Tél. : (514) 873-4057

Région de Québec
Complexe de la Place
Jacques-Cartier
320, rue Saint-Joseph Est
1er étage
Québec (Québec)
G1K 8G5

Tél. : (418) 643-3937

Le Barreau du Québec

Cette corporation professionnelle regroupe les avocats du Québec. Elle est régie par la *Loi sur le Barreau* (L.R.Q., c. B-1) et soumise au contrôle de l'Office des professions. Pour pouvoir plaider pour un client devant un tribunal, un avocat doit être inscrit au tableau de l'Ordre des avocats qui constitue la liste officielle des membres en règle du Barreau.

Barreau du Québec
445, boul. Saint-Laurent
Montréal (Québec)
H2Y 3T8
Tél. : (514) 954-3400
Sans frais : 1 800 361-8495

La Chambre des notaires

La Loi sur le notariat (L.R.Q., c. N-2) réglemente la profession du notaire. En vertu de cette loi, l'ensemble des notaires du Québec constitue une corporation désignée sous le nom de « Corporation professionnelle des notaires du Québec » ou « Chambre des notaires du Québec », ou encore « Ordre des notaires du Québec ».

Chambre des notaires du Québec
630, boul. René-Lévesque Ouest
Bureau 1700
Montréal (Québec)
H3B 1T6
Tél. : (514) 879-1793
Sans frais : 1 800 263-1793

Si vous avez à vous plaindre d'un membre de votre service de police...

Le Commissaire à la déontologie policière

Le Commissaire à la déontologie policière est un organisme gouvernemental qui a pour fonction de recevoir et d'examiner toute plainte relative à la conduite d'un policier ou d'un constable spécial dans l'exercice de ses fonctions.

Une personne qui, lors d'une intervention policière, se croit lésée dans ses droits ou qui estime avoir été traitée incorrectement ou injustement peut adresser une plainte au bureau du Commissaire. Cette plainte doit être formulée par écrit.

Pour obtenir des renseignements supplémentaires ou pour déposer une plainte auprès du Commissaire à la déontologie policière, communiquez avec :

Commissaire à la déontologie policière
Direction des communications
2050, boul. René-Lévesque Ouest
2e étage
Sainte-Foy (Québec)
G1V 2K8
Tél. : (418) 643-7897

Si on refuse de vous fournir une information détenue par les organismes publics ou si vous soupçonnez que des renseignements personnels ont été divulgués à votre sujet...

La Loi sur l'accès aux documents des organismes publics et sur la protection des renseignements personnels

Vous pouvez avoir accès aux documents des organismes publics, car la loi d'accès à l'information vous le garantit. Vous devez avoir recours à la loi d'accès à l'information lorsque :

- vous croyez que les renseignements que vous désirez se trouvent dans les documents d'une institution publique et qu'ils ne sont pas publiés;
- vous n'avez pu obtenir les renseignements au moyen d'une demande non officielle;
- vous désirez exercer votre droit pour quelque raison que ce soit.

Plusieurs organismes sont soumis à cette loi. Ce sont :

- l'Assemblée nationale, les ministères et les organismes du gouvernement provincial;
- les organismes municipaux et scolaires;
- les établissements de santé et de services sociaux.

Comme dans toute bonne loi, il y a des exceptions et des exclusions... Ces informations ne sont pas soumises à la loi :

- certains types de renseignements dont la divulgation pourrait causer un préjudice à quelqu'un ou serait contraire à la loi;
- de la documentation déjà mise à la disposition du public, celle qui est reliée directement au fonctionnement du Cabinet.

Comment faire une demande ?

Votre demande de renseignements peut être verbale ou écrite; vous n'aurez qu'à l'adresser au responsable de l'accès aux documents de l'organisme concerné.

Le responsable de l'accès aux documents aura 20 jours, au gouvernement provincial, pour répondre à votre demande. Il pourra alors vous permettre de consulter sur place les documents ou vous en transmettre une copie. Il pourra également vous refuser l'accès à certains renseignements, mais il devra alors vous indiquer sur quelle disposition de la loi il appuie son refus.

La Loi sur la protection des renseignements personnels

Cette loi vous donne aussi accès aux renseignements que détient un organisme public à votre sujet et elle vous protège en empêchant quiconque de les consulter. Ces organismes ne peuvent pas recueillir des renseignements personnels permettant de vous identifier sans vous informer de l'usage qui en est fait et des personnes qui sont autorisées à les utiliser. De plus, ces renseignements doivent être versés dans un fichier bien identifié. Enfin, vous avez droit de consulter les dossiers qui vous concernent et de demander de corriger les renseignements erronés qui peuvent y apparaître.

Comment faire une demande ?

Si vous voulez avoir accès aux renseignements personnels qui vous concernent ou si vous désirez corriger des renseignements erronés, vous devez faire parvenir une demande écrite au responsable de la protection des renseignements personnels de l'organisme concerné.

Cette personne donnera suite à votre demande au plus tard dans les 20 jours qui suivront la date de réception de votre demande.

Dans le secteur privé

Le secteur privé (toute entreprise privée, par exemple les banques, les cliniques médicales, les pharmacies) est lui aussi soumis à une loi sur la protection des renseignements personnels. En vertu de cette loi, toute personne a les droits suivants :

- le droit d'accéder à son propre dossier, de le consulter et de le reproduire;
- le droit de rectifier son propre dossier en le faisant corriger, ou en faisant supprimer des renseignements périmés ou non justifiés ou en y faisant ajouter des commentaires;
- le droit de faire retrancher d'une liste nominative (nom, adresse, numéro de téléphone) tout renseignement personnel détenu ou utilisé par une entreprise à des fins de prospection commerciale ou philanthropique.

Certains renseignements personnels peuvent cependant être refusés :

- s'ils peuvent causer un préjudice grave à la santé du demandeur;
- s'ils sont de nature médicale ou sociale et relatifs à un enfant de moins de 14 ans;
- s'ils sont susceptibles de nuire à une enquête effectuée au sein de l'entreprise, par un service de sécurité ou une agence d'investigation, ou d'avoir un effet sur une éventuelle procédure judiciaire;
- s'ils concernent une tierce personne et sont susceptibles de lui nuire sérieusement;
- s'ils ne mettent pas en cause les intérêts et les droits du demandeur en sa qualité d'administrateur de la succession, de bénéficiaire d'une assurance-vie, d'héritier ou de successeur de la personne concernée par ces renseignements.

Comment faire une demande ?

Pour vous faire confirmer l'existence de votre dossier ou pour y avoir accès et, au besoin, en exiger la rectification, vous devez présenter une demande écrite à l'entreprise concernée. L'entreprise doit donner suite à votre demande dans les 30 jours. L'absence de réponse de sa part équivaut à un refus.

Pour faire retrancher des renseignements personnels sur une liste nominative, vous pouvez le demander verbalement ou par écrit. L'entreprise doit donner suite à votre demande avec empressement.

Si vous obtenez un refus dans l'un ou l'autre de ces deux cas, vous pouvez demander, dans les 30 jours, la révision de la décision à la Commission d'accès à l'information.

Pour information :

Commission d'accès à l'information

2, Complexe Desjardins
Tour de l'Est, bureau 3210
C.P. 122, succursale Desjardins
Montréal (Québec)
H5B 1B2

Tél. : (514) 282-6346

888, rue Saint-Jean
Bureau 420
Québec (Québec)
G1R 5P1

Tél. : (418) 529-7741

Les frais d'appel sont acceptés.

- ou communiquez avec Communication-Québec dont la liste des bureaux se trouvent à l'annexe I du *Guide*.

Des lois semblables existent au gouvernement fédéral.

Pour information :

Le Commissaire à la vie privée du Canada

112, rue Kent
Ottawa, Ontario
K1A 1H3

Tél. : (613) 995-2410
Sans frais : 1 800 267-0441

Si vous voulez défendre une cause commune...

Le recours collectif

Le recours collectif est une procédure qui permet à une personne de faire valoir devant les tribunaux ses propres droits ainsi que ceux d'un ensemble de personnes qui ont subi un même préjudice.

Le recours collectif : un pour tous, tous pour un!

Si la cause est gagnée, tout le groupe bénéficie des mêmes avantages du jugement.

Le recours collectif pour faire 2-4-6-8-10... pierres d'un coup!

Toute personne ou corporation sans but lucratif qui veut faire valoir un droit peut exercer un recours collectif. Comme il n'y a qu'un procès, cela coûte moins cher à chacun.

Les démarches à suivre pour exercer un recours collectif :

- consultez un avocat pour qu'il analyse votre dossier et prépare une requête pour obtenir une autorisation;
- cette requête sera présentée au tribunal de la Cour supérieure;
- le juge examinera si :
  - votre action est vraisemblable et basée sur un minimum de fondements de droit;
  - la réclamation intéresse plusieurs personnes ayant subi le même tort;
  - la personne qui a pris l'initiative de l'action en recours collectif est en mesure d'assurer la représentation du groupe;
- si votre recours est accepté, le juge fera publier un avis dans les journaux, un message à la radio, etc., pour que toutes les personnes concernées par votre cause soient mises au courant (lorsqu'une personne ne veut pas faire partie du groupe, elle doit en aviser le protonotaire de la Cour supérieure);
- le représentant du groupe peut intenter une action selon les mêmes procédures qu'une action ordinaire;
- si le représentant gagne le procès, il devra publier un avis pour informer les membres du groupe du jugement et de ce qu'ils doivent faire pour se prévaloir des avantages du jugement ou pour se conformer audit jugement.

Qui paie les frais ?

Le représentant du groupe doit assumer les frais du procès. Toutefois, il peut bénéficier d'une aide financière que peut lui accorder le Fonds d'aide au recours collectif. Cette aide couvre les honoraires de l'avocat, les frais d'expertise, les avis dans les journaux, les frais de cour et toutes les autres dépenses nécessaires à l'exercice du recours.

Pour information :

Ministère de la Justice
Direction des communications
1200, route de l'Église
Sainte-Foy (Québec)
G1V 4M1
Tél. : (418) 643-5140

Fonds d'aide au recours collectif
1, rue Notre-Dame Est
Bureau 7.50
Montréal (Québec)
H2Y 1B6
Tél. : (514) 864-2750
Les frais d'appel sont acceptés.

- au palais de justice de votre district judiciaire;
- au Bureau d'aide juridique de votre région;
- aux bureaux régionaux de Communication-Québec.

ON S'OCCUPE DE VOUS...

Les organismes qui vous défendent et vous représentent

Le Conseil des aînés

Le Conseil des aînés a été institué en vertu de la Loi sur le Conseil des aînés, dont l'entrée en vigueur a été fixée au 27 octobre 1993. Le Conseil a principalement pour fonctions de promouvoir les droits des aînés, leurs intérêts et leur participation à la vie collective ainsi que de conseiller le ministre sur toute question qui concerne ces personnes.

Le Conseil assure également la liaison et la communication entre les aînés et le gouvernement, non seulement en présentant les revendications des aînés, mais en agissant de façon proactive sur l'intégration des politiques actuelles et la définition de nouvelles approches mieux adaptées à leurs besoins. Le Conseil entend ainsi répondre aux attentes des aînés qui manifestent depuis plusieurs années leur volonté de continuer à contrôler leur vie et d'exercer un rôle actif au sein de la société.

Conseil des aînés
1126, chemin Saint-Louis
Rez-de-chaussée
Sillery (Québec)
G1S 1E5
Tél. : (418) 643-6720

L'Association internationale francophone des aînés (AIFA)

L'Association regroupe des organismes d'aînés qui œuvrent au sein des communautés francophones dans le monde. Elle s'emploie à valoriser la personne âgée et à promouvoir son mieux-être. L'Association développe, chez les aînés, le souci de demeurer autonomes, actifs et présents dans toutes les instances où se prennent des décisions qui les concernent, et elle tente de sensibiliser l'ensemble de la population aux phénomènes du vieillissement et de la retraite. L'AIFA organise pour ses membres des voyages socioculturels, elle publie des bulletins d'information, tient un grand ralliement biennal, etc.

Pour information :

Secrétariat de l'AIFA
150, boul. René-Lévesque Est
7e étage
Québec (Québec)
G1R 4Y1
Tél. : (418) 646-9117

L'Association québécoise de gérontologie

Fondée en 1978, l'Association québécoise de gérontologie regroupe les intervenants qui, par leur fonction, sont régulièrement en contact avec des personnes âgées ainsi que les spécialistes des disciplines dont les activités sont liées aux problèmes du vieillissement. Par le biais de comités de travail, l'Association tente notamment de favoriser la circulation de l'information et de provoquer des échanges entre personnes et groupes s'intéressant au vieillissement. Elle veille à la promotion de la qualité des services offerts aux aînés et analyse les politiques et les législations gouvernementales relatives au phénomène du vieillissement. L'Association québécoise de gérontologie organise différents colloques thématiques, une assemblée générale annuelle, un congrès biennal, et elle publie le bulletin *Le Gérontophile*.

Association québécoise de gérontologie
1474, rue Fleury Est
Montréal (Québec)
H2C 1S1
Tél. : (514) 387-3612

L'Association québécoise pour la défense des droits des préretraités et des retraités (AQDR)

L'Association travaille à la défense des droits des préretraités et des retraités. Elle vise l'amélioration de vos conditions de vie : revenu, logement, politiques sociales, transport, etc. L'AQDR regroupe les aînés par section locale. Chaque section a des objectifs d'information, d'éducation et de mobilisation des préretraités et des retraités à l'échelle locale et régionale. Il y a environ 40 sections locales au Québec. Le bureau provincial vous renseignera sur la section la plus près de chez vous ou sur les procédures à suivre pour en mettre une sur pied dans votre localité.

Pour information :

Association québécoise pour la défense des droits des préretraités et des retraités (AQDR)
1850, rue Bercy
Bureau 113A
Montréal (Québec)
H2K 2V2

Tél : (514) 526-3845 ou 526-7151

La Fédération de l'âge d'or du Québec (FADOQ)

La FADOQ est le mouvement de personnes âgées le plus important. Il s'est développé à partir de la base, c'est-à-dire des club locaux de l'âge d'or. La Fédération regroupe environ 1200 clubs locaux déjà affiliés à 17 regroupements régionaux. C'est un groupement d'environ 17 500 aînés.

La FADOQ aide les aînés :

- à se regrouper;
- à se réaliser;
- à se donner les moyens de conserver leur autonomie;
- à continuer d'assumer leurs responsabilités de citoyens à part entière dans la société.

La Fédération est responsable de l'orientation du mouvement et de la représentation de ses membres auprès des divers ordres de gouvernement, et les conseils régionaux fournissent les différents services : information, journées d'étude, visites et voyages organisés, congrès, promotion des sports, des loisirs, etc.

La Fédération publie un magazine d'information et de référence pour la défense des droits et des intérêts des personnes âgées. Il contient de nombreuses informations, entrevues et reportages concernant les préretraités et les retraités.

Pour information :

Fédération de l'âge d'or du Québec
4545, avenue Pierre-de-Coubertin
C.P. 1000, succursale M
Montréal (Québec)
H1V 3R2

Tél. : (514) 252-3017

- ou l'un de ses regroupements régionaux :

Association régionale de l'âge d'or de l'Abitibi-Témiscamingue
5, rue du Carrefour Sud
C.P. 100
Latulipe (Québec)
J0Z 2N0

Tél. : (819) 747-3296

Association régionale de l'âge d'or du Bas Saint-Laurent
2016, rue Principale
Pohénégamook (Québec)
G0L 2T0

Tél. : (418) 859-3070

Conseil de l'âge d'or région Centre du Québec inc.
59, rue Monfette
Bureau 108
Victoriaville (Québec)
G6P 1J8

Tél. : (819) 752-7876

Conseil de l'âge d'or région des Laurentides
148, chemin Saint-Adolphe
C.P. 482
Morin Heights (Québec)
J0R 1H0

Tél. : (514) 226-1313

Association régionale des aînés de Laval
3235, Saint-Martin Est
Bureau 110
Laval (Québec)
H7E 5G8

Tél. : (514) 661-0970

Conseil de l'âge d'or région de la Mauricie
962, rue Sainte-Geneviève
Trois-Rivières (Québec)
G9A 3X6

Tél. : (819) 374-5774

Conseil régional de l'âge d'or Côte Nord inc.
1539, boul. Blanche
Baie-Comeau (Québec)
G5C 3A8
Tél. : (418) 589-7870

Conseil régional de l'âge d'or de Gaspésie – Îles-de- la-Madeleine
C.P. 726
Gaspé (Québec)
G0C 1R0
Tél. : (418) 368-4715

Conseil de l'âge d'or région de Lanaudière
654, Bousquet
Joliette (Québec)
J6E 2E4
Tél. : (514) 759-7422

Conseil régional de l'âge d'or Richelieu-Yamaska
1600, rue Girouard Ouest
Bureau 231
Saint-Hyacinthe (Québec)
J2S 2Z8
Tél. : (514) 774-8111

Conseil régional de l'âge d'or de la Rive-Sud métropolitaine
6A, Grand Bernier Sud
Saint-Jean (Québec)
J3B 4P8
Tél. : (514) 347-0910

Conseil régional de l'âge d'or Montréal Métropolitain
7378, Lajeunesse
Bureau 217
Montréal (Québec)
H2R 2H8
Tél. : (514) 271-1411

Conseil de l'âge d'or région de l'Outaouais
331, boul. Cité des Jeunes
Hull (Québec)
J8Y 6T3
Tél. : (819) 777-5774

Fédération des Clubs de l'âge d'or de la région de Québec
1098, route de l'Église
Sainte-Foy (Québec)
G1V 3V9
Tél. : (418) 650-3552

Conseil de l'âge d'or région Saguenay – Lac-Saint-Jean – Chibougamau – Chapais
414, rue Collard Ouest
Alma (Québec)
G8B 1N2
Tél. : (418) 668-4795

Association régionale de l'âge d'or du Sud-Ouest du Québec
50, rue O'Keefe
Saint-Timothée (Québec)
J6S 4V5
Tél. : (514) 371-8271

Conseil régional de l'âge d'or de l'Estrie inc.
75, rue Chartier
Sherbrooke (Québec)
J1J 3A9
Tél. : (819) 566-7748

- le presbytère de votre paroisse pour connaître l'adresse du Club de l'âge d'or de votre quartier.

La Fédération des aînés dynamiques du Québec (FAQ)

Par le biais de comités et de commissions, la Fédération des aînés dynamiques du Québec tente d'améliorer vos conditions de vie en vous informant sur votre mieux-être personnel et collectif, sur les multiples lois, normes et règlements qui vous protègent. Elle vous initie aux divers programmes d'activités mis à votre disposition par les différents ordres de gouvernement et soutient vos efforts d'adaptation à la retraite. La Fédération collabore avec les organismes déjà en place afin de vous assurer un plein épanouissement personnel et communautaire, et elle défend vos droits. La Fédération organise des cours de préparation et d'adaptation à la retraite, en col laboration avec le ministère de l'Éducation.

Pour information :

Fédération des aînés dynamiques du Québec
845, boul. René-Lévesque Ouest
Bureau 303
Québec (Québec)
G1S 1T5
Tél. : (418) 682-5046

Le Forum des citoyens âgés de Montréal

Fondé en 1965, le Forum est une association qui regroupe des personnes de 50 ans et plus, de même que des organismes de personnes âgées. Il encourage les aînés à demeurer actifs dans les différents secteurs de la société, et il a pour but d'améliorer la qualité de vie des citoyens du troisième âge en particulier et de la population en général. Le Forum des citoyens âgés de Montréal réalise sa mission par cinq volets d'action : l'information, l'éducation, l'intervention, la recherche et l'innovation.

Pour information :

Forum des citoyens âgés de Montréal
1030, Saint-Alexandre
Bureau 902
Montréal (Québec)
H2Z 1P3
Tél. : (514) 393-9345

Les publications qui concernent vos droits

PROTÉGEZ-VOUS

Publiées Office de la protection du consommateur
5199, rue Sherbrooke Est
Bureau 2580
Montréal (Québec)
H1T 3X1
Tél. : (514) 253-2131

Distribuées En kiosque
Abonnement :
25, boul. Taschereau
Bureau 201
Greenfield Park
J4V 3P1
Tél. : (514)875-4444
Sans frais : 1 800 667-4447

Coût
- 3,42 $/chaque numéro
- 19,95 $/10 numéros
- 31,95 $/20 numéros
- 39,95 $/30 numéros
- 99,00 $/50 numéros

CONSOMMATION

Publiées Association coopérative d'économie familiale (ACEF)

Distribuées Certaines caisses populaires de Montréal
Abonnement :
ACEF du Centre de Montréal
1215, rue Visitation
Montréal (Québec)
Tél. : (514) 598-7288

Coût 10 $/4 numéros

MAGAZINE FADOQ

Distribuées En kiosque
Abonnement :
Fédération de l'âge d'or
4545, avenue Pierre-de-Coubertin
C.P. 1000, succursale M
Montréal (Québec)
H1V 3R2
Tél. : (514) 252-3017

Coût
- 2,95 $/chaque numéro
- 13,91 $/5 numéros

LES 4-SAISONS

Publiées Fédération des Clubs de l'âge d'or
1098, route de l'Église
C.P. 8832
Sainte-Foy (Québec)
G1V 3V9

Distribuées Abonnement et dirigeants des clubs de l'âge d'or, membres des comités de secteurs

Coût
- 5 $/10 numéros pour les membres
- 15 $/10 numéros pour les non-membres

ROULEZ SANS VOUS FAIRE ROULER

Publiées Association de la protection des automobilistes (APA)
292, boul. Saint-Joseph Ouest
Montréal (Québec)
H2V 2N7
Tél. : (514)272-5555

Distribuées Lors du Salon de l'auto de Montréal et au bureau de l'Association

- Le Code civil du Québec
- L'État civil
- Le système judiciaire
- Le mariage
- L'union de fait
- Séparation et divorce
- Succession et testament
- Victimes d'actes criminels
- CAVAC-Centre d'aide aux victimes d'actes criminels
- Le substitut du procureur général et la violence conjugale
- Avec le mandat, vous avez le dernier mot
- Le nouveau Code de procédure pénale
- La demande conjointe en divorce sur projet d'accord
- L'huissier de justice
- Le Tribunal des droits de la personne

Charte des droits et obligations de la personne âgée

DROITS DE LA PERSONNE ÂGÉE

Quelles que soient son origine, sa couleur, ses croyances, la personne âgée a :

1. Le droit d'être utile
2. Le droit à un emploi conforme à sa compétence
3. Le droit d'être à l'abri du besoin
4. Le droit d'accès et de participation aux ressources communautaires récréatives, éducatives et médicales
5. Le droit à un logement convenable adapté aux besoins de son âge
6. Le droit de recevoir de sa famille un soutien moral et financier compatible avec les meilleurs intérêts de celle-ci
7. Le droit de vivre d'une façon indépendante et selon son choix
8. Le droit de vivre et de mourir dignement
9. Le droit d'accès à toute information susceptible d'améliorer sa qualité de vie.

OBLIGATIONS DE LA PERSONNE ÂGÉE

La personne âgée se doit d'assumer les obligations suivantes :

1. L'obligation de se préparer à être et à demeurer active et alerte, autonome et utile, aussi longtemps que sa santé et les circonstances le permettent tout en préparant sa vie de retraité
2. L'obligation d'avoir et de mettre en pratique de bons principes de santé physique et mentale
3. L'obligation de rechercher et même de susciter les occasions et les moyens d'être utile durant les années de la retraite
4. L'obligation de faire profiter les autres de ses connaissances et de son expérience
5. L'obligation de faire des efforts pour s'adapter aux changements occasionnés par le vieillissement
6. L'obligation de maintenir de bonnes relations avec la famille, les voisins et les amis, de façon à devenir, pour son entourage, un conseiller utile et respecté.

CHAPITRE 13

VOS DERNIÈRES VOLONTÉS

FAIRE DES HEUREUX DE SON VIVANT, POURQUOI PAS ?

Depuis quelques années, Mme Bellemare habite seule dans la grande maison familiale, une jolie demeure située en banlieue. Elle désire offrir cette résidence à son fils Jean. Naturellement, elle pourrait la lui léguer par testament, mais Jean « a sa petite famille » et Mme Bellemare aimerait que les membres de celle-ci en profitent dès maintenant. Elle a donc opté pour une donation.

Qu'est-ce qu'une donation ?

Puisque Mme Bellemare désire transférer de son vivant, et gratuitement, la propriété de l'un de ses biens à son fils, elle peut procéder par donation.

« La donation est le contrat par lequel une personne, le donateur, transfère la propriété d'un bien à titre gratuit à une autre personne, le donataire; le transfert peut aussi porter sur un démembrement du droit de propriété ou sur tout autre droit dont on est titulaire. »

En principe, il est chose simple de donner ses biens, mais légalement on doit se soumettre à certaines exigences.

Oui, je le veux

Pour qu'une donation soit valide, les deux parties doivent l'accepter. Mme Bellemare désire donner la résidence familiale à son fils Jean, mais ce dernier doit être d'accord. Autre exigence de la loi : le contrat de donation doit être passé devant notaire et doit recevoir la signature des deux parties, Mme Bellemare et son fils Jean. Sans ces deux formalités, la donation est déclarée nulle. De plus, ce type de donation doit être publié.

Malgré tout, il ne faut pas en déduire que la loi est absurde. On doit avoir recours à un notaire chaque fois que l'on veut faire un don, mais il y a des limites. Si Mme Bellemare désire offrir son mobilier de salon Louis XIV à son fils, il n'est pas nécessaire de faire notarier ce don.

La donation d'objets de la main à la main (don manuel) est prévue dans la loi et ne comporte qu'une seule formalité : la délivrance ou remise matérielle de l'objet donné avec intention libérale de la part du donateur. Évidemment, quand on parle de don manuel, on pense à des biens transférables physiquement, tels que des meubles, une peinture, et non à des immeubles ou à des terrains. Cependant, il est préférable d'utiliser quand même les services d'un notaire lorsque les objets transférés par don manuel ont une grande valeur.

La donation indirecte

Mme Bellemare aurait pu vendre sa maison à son fils Jean pour la modique somme de 500 $, alors qu'elle en vaut 80 000 $. Cette vente serait une donation indirecte, puisque le prix stipulé serait nettement et volontairement inférieur à la valeur de la maison. Sans qu'ils soient soumis aux mêmes formalités, ces actes juridiques sont l'équivalent d'une donation.

Est-ce que toute personne est autorisée à donner et... à recevoir ?

Avant de donner un bien ou d'accepter un don, sachez :

- qu'une donation faite pendant la maladie réputée mortelle du donateur, suivie ou non de son décès, est déclarée nulle si aucune circonstance n'aide à la valider;
- que si, à la suite d'une maladie, le donateur se rétablit et laisse le donataire en possession des

biens donnés pendant trois ans, la donation devient alors valide;

- que pour recevoir une donation, il faut d'abord être conçu. Autrement dit, un donateur ne peut offrir un de ses biens à un enfant qui n'aurait pas encore été conçu au moment où il se défait de ses biens.

Saviez-vous que ?

Donateur : personne qui fait une donation
Donataire : personne à qui une donation est faite

Donner, c'est donner, mais...

Puisque Mme Bellemare a donné la maison à son fils Jean et que ce dernier l'a acceptée, la pleine propriété de la maison passe à Jean. Cependant, parce que la donation est un acte gratuit, la loi prévoit que le tribunal peut annuler cet acte s'il y a ingratitude de la part du donataire, en l'occurrence Jean. Et il peut y avoir révocation par ingratitude si Jean a envers Mme Bellemare un comportement gravement répréhensible.

Dans une telle éventualité, Mme Bellemare peut faire révoquer la donation par le tribunal dans l'année qui suit la cause d'ingratitude ou le jour où elle a pris connaissance de ce délit. D'autre part, Mme Bellemare peut stipuler un droit de retour dans la donation. Il s'agit d'une clause en vertu de laquelle le bien donné, notamment la maison, retournera à Mme Bellemare si le décès de son fils Jean survient avant le sien.

Une solution : former une fiducie

Former une fiducie : voilà une autre solution qui s'offre à Mme Bellemare. Le fiduciaire, en prenant à sa charge l'administration de l'argent et des biens de Mme

Bellemare, permettra à la famille de recevoir, conformément à la volonté de celle-ci, des revenus et éventuellement une part du capital, et ce, sans se préoccuper de détails matériels et techniques. Cependant, l'utilisation de la fiducie pose des problèmes juridiques et fiscaux qui sont du ressort d'un notaire ou d'un avocat. Ceux-ci seront en mesure d'expliquer à Mme Bellemare les avantages de cette institution.

Pour information :

1 800 NOTAIRE

FAIRE SON TESTAMENT NE FAIT PAS MOURIR

Il n'est pas nécessaire d'être à l'article de la mort pour rédiger son testament, au contraire! Que les superstitieux ne craignent rien : faire un testament ne fait pas mourir. Mme Bellemare rayonne de santé, elle n'est âgée que de 64 ans et, pourtant, elle a décidé de dicter ses dernières volontés. Toute personne, ou presque, peut faire son testament; il lui suffit de remplir les trois conditions suivantes :

- avoir plus de 18 ans;
- être saine d'esprit au moment de faire son testament, peu importe qu'elle perde la raison plus tard;
- faire son testament en toute liberté, sans que personne n'exerce sur elle de pressions ou de menaces.

Si une des conditions n'est pas respectée, le testament est nul et ne sera pas applicable.

Le ou les heureux élus

Mme Bellemare a toute liberté de donner ses biens à qui elle veut (parents, amis, église, etc.). Elle peut les léguer intégralement à la même personne ou les partager entre plusieurs. Tout ce que Mme Bellemare n'aura pas donné par testament reviendra à ses héritiers légaux, c'est-à-dire à ceux que la loi détermine quand une personne n'a pas fait de testament. De plus, il est important que Mme Bellemare précise dans son testament à qui elle veut donner « le reste » de ses biens, car elle peut avoir oublié quelque chose, ou tout simplement s'être procuré un bien après avoir rédigé son testament.

Les caprices, d'accord, mais il ne faudrait pas exagérer

Mme Bellemare peut donner un ou plusieurs biens sous conditions, mais « trop c'est trop ». Il y a toujours des testateurs qui se permettent de jouer de mauvais tours à leurs héritiers. Les uns le font avec humour noir, les autres avec une rancune immortelle... Si le testament de Mme Bellemare contient des dispositions cocasses ou contraires aux bonnes mœurs et à l'ordre public, ses héritiers pourront les faire annuler par le tribunal. Ils ne pourront cependant pas, de leur propre autorité, ignorer ses dernières volontés. Un testament doit toujours être respecté, même si l'inattendu fait partie de l'héritage!

Même en matière de testament, ce n'est pas le choix qui manque

Il existe une façon très simple de faire un testament : celle que l'on désigne sous le nom de « testament olographe ». Dans ce cas, Mme Bellemare n'a besoin que d'un morceau de papier et d'un stylo. Il n'est pas nécessaire d'avoir recours aux services d'un notaire, ni d'avoir de témoins. Ce testament doit être écrit de la main propre. On ne peut pas se servir d'une machine à écrire ni d'une formule préparée à l'avance. Et Mme Bellemare ne doit pas oublier de signer son testament.

L'indication de la date est également très importante. En effet, si Mme Bellemare a fait des testaments antérieurs, il faut pouvoir établir lequel est le dernier. Ce détail est loin d'être négligeable puisque, juridiquement, le dernier testament annule toutes les dispositions qui s'avèrent incompatibles avec celles qui sont inscrites dans les versions précédentes. Par conséquent, la date est un élément important lorsqu'on rédige un testament olographe.

Un testament olographe, beau, bon, pas cher!

Les avantages du testament olographe sont évidents. Il est simple, ne coûte rien et personne d'autre que le testateur ne connaît son contenu puisque aucun témoin n'est requis. Mais, « c'est une lame à deux tranchants » puisqu'il n'y a que le testateur qui connaît l'existence de son testament; ce dernier doit donc s'assurer que ses héritiers le trouveront le jour de son décès. L'idéal est d'indiquer son emplacement à une personne fiable, ou de le confier à un notaire qui se chargera de le faire inscrire au registre de la Chambre des notaires. Cette procédure occasionne certains frais, mais le fait que le notaire sache que le document existe et qu'il l'ait mis en sûreté assure que les volontés seront respectées. Il existe un désavantage au testament olographe; si le testateur désire faire un testament complexe, il est privé des conseils judicieux d'un notaire ou d'un avocat. Il est à noter que le tribunal devra vérifier le testament olographe avant d'appliquer les volontés qui y sont incluses; c'est le liquidateur (appelé auparavant exécuteur testamentaire) qui devra faire cette démarche.

Le testament devant témoins (connu autrefois sous le nom de testament dérivé de la loi d'Angleterre)

Mme Bellemare peut favoriser le testament devant témoins. Il s'agit d'un testament similaire au testament olographe, sauf qu'il requiert la présence de deux témoins. Comme le testament olographe, ce type de testament devrait être daté.

Pour être valable, ce testament doit être :

- écrit à la main, à la machine ou être sur une formule préparée d'avance;
- signé à la fin par le testateur de son nom complet, de ses initiales ou de sa marque habituelle (Ex. : O, X);
- signé par deux témoins qui doivent, devant le testateur, reconnaître sa signature ou sa marque. Ils signent ensuite le testament.

Il n'est pas obligatoire que Mme Bellemare rédige elle-même son testament. Une autre personne peut apposer sa signature à la fin du testament si elle le fait d'après les instructions de Mme Bellemare et en sa présence. Les deux témoins servent d'assistants. Ce qui importe, c'est que Mme Bellemare reconnaisse son testament en la présence simultanée des deux témoins. Il est utile que ces derniers y ajoutent leur adresse pour qu'on puisse les rejoindre au besoin. Par ailleurs, Mme Bellemare n'est pas obligée de divulguer le contenu de son testament aux témoins, ce qui lui permet de préserver le caractère confidentiel de ses dernières volontés.

Les témoins : un choix judicieux

Dans le cas d'un testament devant témoins, le choix de ses témoins est fondamental. On doit choisir des témoins majeurs. Il faut aussi éviter de prendre comme témoins des personnes qui recevront un avantage en vertu du testament. Si une telle erreur se produit, elle n'invalidera pas tout le testament, mais elle annulera la disposition testamentaire avantageant ce ou ces témoins. Si Mme Bellemare désire faire un legs à son fils Jean, elle doit donc éviter de le choisir comme témoin puisque ce dernier ne pourrait recevoir son héritage.

Exemple de testament devant témoins

Testament d'Élise Bellemare

1. *Ceci est mon testament révoquant tout autre testament fait antérieurement.*
2. *Je veux que mon corps soit inhumé dans un cimetière catholique.*
3. *Je déshérite mon fils, Jean, qui est un fieffé paresseux.*
4. *Je laisse tous mes biens à ma fille, Sylvie.*
5. *Si Sylvie meurt avant moi, je veux que tous mes biens aillent à mon frère, Sylvestre.*
6. *Tous mes biens ainsi légués seront insaisissables.*

En foi de quoi, j'ai signé à Québec, ce 29e jour d'avril 1995.

Élise Bellemare

Signé par Élise Bellemare et reconnu par elle comme son testament en la présence simultanée des témoins soussignés, lesquels, à sa demande, ont alors signé à leur tour en présence d'Élise Bellemare et l'un de l'autre.

Charlemagne Magnus
2222, rue des Sapins
Saint-Bruno (Québec)

Xavier Valmont
123, rue Pie-V
Québec (Québec)

Au même titre que le testament olographe, le testament devant témoins doit être soumis à la formalité de vérification destinée à rendre public le testament qui est déposé dans les archives de la Cour supérieure.

Un testament notarié : dormez en paix, il est entre bonnes mains

Le testament notarié constitue la forme de testament la plus sûre. Il certifie à Mme Bellemare que l'on retrouvera son testament à son décès. Ce document n'a pas, comme les autres formes, à subir la vérification judiciaire; d'ailleurs, il est beaucoup plus difficile de l'attaquer en justice puisqu'il est authentique.

Le testament notarié est reçu par un notaire, assisté d'un témoin ou, en certains cas, de deux témoins. Attention! Un avocat n'est pas un notaire et le testament fait devant un avocat sera reconnu comme un simple testament devant témoins.

Comment se fait un testament notarié ?

Le testateur donne ses instructions au notaire de vive voix, et ce dernier rédige ensuite le testament en minutes. Mme Bellemare est assurée que son testament ne se perdra pas puisqu'il est conservé chez le notaire : de plus, il apparaîtra au registre central des testaments, et elle pourra en obtenir autant de copies qu'elle le désire. Naturellement, lors de la rédaction d'un testament notarié, le testateur doit assumer les frais du notaire.

Vos sentiments ont changé ? Changez votre testament

Un testament, quelle qu'en soit la forme, n'est jamais irrévocable. On peut toujours changer d'avis quant à ses dernières volontés et, par conséquent, modifier son testament. C'est là un principe fondamental qu'à leur détriment plusieurs personnes ignorent. En théorie, un individu est libre de faire un testament différent chaque jour de sa vie, s'il le veut.

Testament notarié

Testament d'Élise Bellemare

L'an mil neuf cent quatre-vingt-quinze, ce septième jour d'avril, devant Me Charles Le Second, notaire, à Montréal, comparaissent Alphonsine Morin, demeurant au 2222, rue Saint-Paul, à Montréal, témoin idoine

-et-

Élise Bellemare, demeurant au 1111, rue de la Belle-au-Bois-Dormant, à Montréal, laquelle fait son testament dans les termes suivants :

Article 1. Je révoque tous mes testaments et codicilles antérieurs;

Article 2. Je déclare être mariée en première noce à Joseph Sainte-Adèle sous le régime de la séparation de biens, suivant contrat de mariage, signé devant le notaire André Tremblay le 23 mai 1966;

Article 3. Je lègue tous mes biens meubles et immeubles que je laisserai à mon décès, sans exception, en fiducie, à mes fiduciaires ci-après nommés, à savoir ma fille Sylvie et mon fils Jean, et les charge tous deux de voir à l'exécution de mes dernières volontés;

Article 4. Durant toute la vie de mon fils Jean et ma fille Sylvie, mes fiduciaires partageront les revenus nets et mes biens entre eux. Au décès du dernier d'entre eux, tous mes biens seront à mon dit petit-fils Christophe;

Article 5. Mes fiduciaires auront la saisine de tous mes biens meubles et immeubles à titre de dépositaires et resteront en fonction au-delà de l'an et jour prévus par la loi, jusqu'à complète exécution de mes dernières volontés. Ils agiront en toutes choses sans autorisation judiciaire et sans le consentement ou la participation de mes légataires, y compris le paiement des dettes et des legs;

mes fiduciaires pourront vendre, échanger, hypothéquer ou autrement aliéner mes biens meubles ou immeubles, aux conditions et pour toutes considérations qu'ils jugeront convenables; recevoir toutes considérations et donner quittance, faire tous les placements qu'ils jugeront à propos, sans exception aucune, donner quittance, mainlevée, priorité ou radiation de privilèges ou hypothèques créés avant ou après mon décès; emprunter, et à cette fin, engager ou hypothéquer mes dits biens, compromettre, transiger, donner tout immeuble de ma succession en paiement d'une dette due à la succession; procéder eux-mêmes à l'évaluation des biens, à la formation des lots et à tout partage, sans autorisation judiciaire;

Article 6. Mes fiduciaires devront faire aux bénéficiaires un rapport annuel de leur administration;

Article 7. Jusqu'au partage définitif de mes biens, aucun de mes bénéficiaires ne pourra engager ses droits dans ma succession, ni les aliéner, pour quelque cause que ce soit; tous les biens ci-dessus légués, tant en revenus qu'en capital, seront de plus insaisissables entre les mains de mes fiduciaires pour quelque cause que ce soit, à moins que mes fiduciaires ou mes bénéficiaires consentent à l'effet contraire;

Article 8. La part attribuée à chacun de mes bénéficiaires ainsi que tout revenu en provenant, et les biens acquis en remplacement lui seront propres, quel que soit le régime sous lequel il puisse être marié, et lui seront versés sur son simple reçu personnel;

Article 9. Tous droits successoraux, taxes d'héritage ou autres impositions de même nature, y compris toutes impositions sur le produit de toutes polices d'assurance-vie, de tout bénéfice de fonds de pension, de même que toute donation entre vifs, devront être acquittés à même la masse des biens de ma succession, sans recours contre aucun légataire, donataire ou bénéficiaire.

DONT ACTE FAIT ET PASSÉ à Montréal
sous le numéro 67890 des minutes dudit notaire.

LECTURE FAITE, par le notaire au testateur, en présence du témoin, et le testateur, le notaire et le témoin ont signé les uns en présence des autres.

Élise Bellemare

Alphonsine Morin

Charles Le Second, notaire

Comment procéder ?

Par un testament postérieur ou codicille

Un codicille est une sorte de petit testament destiné à modifier, compléter ou révoquer un testament antérieur. Il n'est pas nécessairement fait sous la même forme que le premier. Ainsi, si Mme Bellemare a fait un premier testament devant notaire, par lequel elle lègue à son fils Jean tous ses biens meubles, et à sa fille Sylvie tous ses biens immeubles, plus tard, mais évidemment avant son décès, elle fait un codicille sous la forme olographe dans lequel elle donne à Jean l'un de ses immeubles situé rue Saint-Amable à Québec. Ce codicille modifie le contenu du testament antérieur uniquement sur un point sans révoquer complètement le testament.

De la même façon, Mme Bellemare peut faire un nouveau testament qui révoque tous ses testaments antérieurs, et dans lequel elle précise ses nouvelles volontés. Elle peut également faire un codicille qui révoque tous ses codicilles antérieurs, qui avaient été rédigés en vue de modifier son testament initial.

Il est à noter que le testament ou le codicille modifiant un premier testament doit respecter les conditions de la forme sous laquelle il est fait. Si le codicille est fait sous forme olographe, il doit remplir les conditions essentielles à la validité d'un testament olographe.

Par un acte notarié ou sous seing privé

Mme Bellemare peut, par un simple acte notarié ou un simple bout de papier signé, révoquer un testament. Il ne s'agit pas d'un testament qui en révoque un autre. Il s'agit d'un simple écrit exprimant un changement de volonté. Cet écrit, notarié ou non, n'est donc pas soumis aux conditions de forme des testaments.

En se départissant du bien légué

Mme Bellemare peut révoquer un legs sans même avoir besoin de le dire à tout un chacun. Cela devient évident du fait de ses actes. Par exemple, si elle lègue ses deux immeubles d'une valeur de 85 000 $ à Sylvie et qu'à son décès, il se trouve que Mme Bellemare a vendu lesdits immeubles, Sylvie n'a donc plus droit aux deux immeubles légués par sa mère, puisqu'elle ne les possédait plus à son décès. Mme Bellemare a donc révoqué ce legs sans même avoir eu besoin de le dire à qui que ce soit.

En détruisant ou en raturant son testament

Il ne peut s'agir évidemment que des testaments olographes ou devant témoins, puisqu'il est quasi impossible au testateur d'avoir en main l'original du testament notarié. Mais il faut faire bien attention : ce n'est pas parce qu'un testament comporte des barres ou des traits en travers de son écriture que l'on doit nécessairement dire qu'il est révoqué. Il faut que le testateur en ait vraiment eu l'intention. Cela devient donc une question de preuve. Le testament peut également être révoqué s'il est détruit par accident ou perdu, et que ce fait est connu du testateur.

Pour des informations supplémentaires concernant les testaments :

1 800 NOTAIRE

Registre central des testaments
Chambre des notaires du Québec
630, boul. René-Lévesque Ouest
Bureau 1700
Montréal (Québec)
H3B 1T6
Tél. : (514) 879-1793
Sans frais : 1 800 263-1793

Registre des testaments
Barreau du Québec
445, boul. Saint-Laurent
Montréal (Québec)
H2Y 3T8
Tél. : (514) 954-3400
Sans frais : 1 800 361-8495

« *En matière d'amour comme de testament, le dernier est le seul valide et annule tous les précédents.* »

Petigrilli

•••••

DU CONTRAT DE MARIAGE OU DU TESTAMENT : LEQUEL AURA LE DERNIER MOT ?

La plupart des contrats de mariage contiennent une « clause testamentaire ». Il s'agit d'une formule simplifiée au maximum qui est habituellement la suivante : « Au dernier vivant les biens. » Le futur époux et la future épouse se désignent ainsi héritiers l'un de l'autre. Celui qui survivra recevra l'ensemble des biens qui appartenaient à son conjoint décédé.

En principe, les dons faits dans les contrats de mariage ne peuvent être annulés, à moins qu'il ne soit mentionné dans le contrat des circonstances où ces dons pourront être abolis. Ainsi, c'est le contrat de mariage qui détermine si les dons qui sont faits peuvent être supprimés par un testament.

Il apparaît de première importance de vérifier si la clause testamentaire que l'on retrouve dans le contrat de mariage permet de faire un testament. On voyait souvent dans le passé (surtout avant 1950) des dispositions testamentaires « irrévocables », c'est-à-dire que l'on ne peut ni modifier ni remplacer.

Par ailleurs, si les clauses incluses au contrat de mariage permettent de faire un testament, ce dernier aura pour effet d'annuler et de remplacer certaines dispositions testamentaires incluses dans le contrat de mariage. Toutefois, toutes les autres volontés exprimées dans le contrat seront respectées et continueront de s'appliquer. Il est évident que ce nouveau testament, sans jeu de mots, ne changera en rien votre régime matrimonial (séparation de biens, société d'acquêts).

POUR QUE LES DERNIÈRES VOLONTÉS OU DERNIERS CAPRICES SE RÉALISENT...

Un testament est sans aucun doute l'acte le plus important à rédiger, notamment lorsqu'on pense aux conséquences que ce « bout de papier » entraînera.

Mais que peut-on inscrire dans un testament ?

Tout est permis, sauf ce qui est interdit! En principe, rédiger un testament signifie choisir un ou plusieurs légataires et mentionner le ou les legs qui leur revient.

Saviez-vous que ?

Légataire : le nom donné à la personne qui reçoit des biens par testament.

Legs : biens que reçoivent le ou les légataires.

Mme Bellemare, en rédigeant son testament, désignera son ou ses légataires. On retrouve trois catégories de légataires, établies selon le mode de partage. En effet, il n'y a pas qu'une seule façon de disposer de ses biens.

Le légataire universel

Si Mme Bellemare désigne son fils Jean comme légataire universel, cela signifie que ce dernier a une « vocation » à tous les biens du patrimoine de sa mère. Cela ne signifie pas qu'il héritera de tous les biens. Le mot « vocation » veut dire qu'il est possible qu'il hérite. Supposons qu'à son décès, Mme Bellemare lègue deux immeubles à sa fille Sylvie et le reste de ses biens à son légataire universel, qui est son fils Jean. Advenant le prédécès de Sylvie, Jean héritera des deux immeubles en plus du reste, donc, de toute la succession. Il peut y avoir plusieurs légataires universels à une succession.

Le légataire à titre universel

Le légataire à titre universel a vocation (a droit) à une partie des biens du testateur, comme la moitié ou le tiers, ou les biens meubles ou immeubles. Par exemple, Mme Bellemare transmet son automobile et son bateau à son fils Jean. Ce sont des biens meubles. Tous ses autres biens meubles vont à Sylvie, qu'elle nomme légataire à titre universel à ces biens. Sylvie a une « vocation » à tous les biens meubles, advenant la renonciation de Jean à ces biens ou son prédécès.

Le légataire à titre particulier

Ce légataire hérite d'un ou de plusieurs biens, mais chacun d'eux est désigné dans le testament. Ainsi, Mme Bellemare peut léguer à Sylvie sa maison et son automobile. Le reste de ses biens revient à son fils, Jean. Sylvie n'a droit qu'à ces deux biens et à rien d'autre. Elle n'a aucune « vocation » sur les autres biens.

Évidemment, Mme Bellemare, comme la plupart des personnes qui font un testament, ne connaît pas le sens de ce vocabulaire spécialisé. Il n'est pas nécessaire que le texte du testament désigne spécifiquement une personne comme « légataire universel ». Par exemple, Mme Bellemare peut rédiger son testament sans utiliser ce langage juridique. Toutefois, à la lecture du testament, le juriste sera capable de transposer les termes de Mme Bellemare. Il n'en demeure pas moins que la distinction entre les catégories de légataires a une importance pratique considérable. En effet, seuls les légataires universels et à titre universel sont considérés comme les « continuateurs » de la personne juridique du défunt : par exemple, ce sont eux qui sont tenus de payer les legs particuliers aux légataires à titre particulier.

Un legs : que votre volonté soit faite

Nul doute, un testament constitue réellement le recueil des dernières volontés. Saviez-vous qu'on peut faire réaliser n'importe quoi, ou presque, aux légataires s'ils désirent bénéficier du bien légué.

Mme Bellemare a tous les droits; ce sont ses biens après tout! Elle peut, si elle le désire, faire un legs à terme, sous condition ou à charge. Un legs à terme est celui qui est exigible à une date fixe après le décès du testateur. Si Mme Bellemare lègue 10 000 $ à sa fille, Sylvie, et stipule que ce legs n'aura effet que dix ans après son décès, Sylvie, qui est âgée de 30 ans au décès de sa mère, devra attendre ses 40 ans pour bénéficier de cette somme.

Le legs peut être conditionnel, c'est-à-dire que Mme Bellemare peut léguer un bien en exigeant que le légataire remplisse certaines conditions pour le recevoir. Il faut tenter de respecter ces conditions, à moins qu'elles ne soient illicites ou absurdes. Ainsi on ne tiendrait pas compte de la condition de Mme Bellemare si elle mentionnait quelque chose du genre : « Je lègue tous mes biens à Jean, à condition qu'il touche le ciel du doigt ». Par contre, si elle lègue sa cave à vin à Sylvie et stipule que cette dernière devra donner dix bouteilles par an au curé de la paroisse, pendant vingt ans, Sylvie devra s'y résigner ou renoncer à la cave à vin. Il s'agit là d'un legs à charge, puisqu'il comporte une obligation de faire ou de ne pas faire quelque chose.

Un legs peut-il être annulé ?

Un legs devient automatiquement nul si :

- la personne à qui il est fait meurt avant celle qui a fait le testament;

- la personne à qui il est fait le refuse ou est indigne de le recevoir;
- la personne à qui il est fait meurt avant que la condition soit remplie;
- le bien légué par testament est détruit du vivant de la personne qui a fait le testament.

Dans ces circonstances, s'il y a un légataire universel ou à titre universel qui a « vocation » à ce bien, c'est celui-ci qui le recueille. C'est là l'avantage d'en prévoir un. Ou encore, Mme Bellemare peut avoir prévu une autre solution, entrevoyant la possibilité du prédécès ou du refus. Si aucune de ces solutions ne s'applique, on a recours à la succession *ab intestat* pour régler le transfert de ce bien.

Les modes de transmission des biens

En faisant son testament, Mme Bellemare aura à choisir une procédure de transmission de ses biens. Outre la pleine propriété, cette dernière pourra choisir la fiducie, expliquée au début du chapitre, la substitution ou l'usufruit.

La substitution est un autre procédé permettant d'arriver aux mêmes fins que la fiducie. Mme Bellemare pourrait la représenter par cette formule : « Je lègue tous mes biens à mes enfants. Mais à leur décès, mes biens iront à mes petits-enfants. » Quant à l'usufruit, c'est le droit de jouir des biens dont un autre a la propriété, et ce, comme le propriétaire lui-même, mais à charge de conserver la substance de ces choses. Mme Bellemare pourrait écrire : « Je laisse mon immeuble à logement à mes enfants, mais mon frère en aura l'usufruit sa vie durant. » Cela signifierait que le frère pourrait bénéficier des loyers et autres revenus de l'immeuble pendant toute sa vie. Ce serait lui, cependant, qui paierait les taxes foncières et serait tenu de défrayer le coût d'entretien.

Le liquidateur ou exécuteur testamentaire : une lourde tâche dans certains cas

Qui sera chargé d'exécuter les dernières volontés de Mme Bellemare ? Elle peut confier la tâche à un liquidateur (appelé avant le nouveau Code civil exécuteur testamentaire), peu importe la forme de ce dernier. Sinon, il sera impossible d'en nommer un après le décès de Mme Bellemare. Dans ces circonstances, tous les héritiers devront assumer cette fonction.

Il n'est pas indispensable d'avoir un liquidateur. On peut toujours s'en passer. Cependant, celui-ci s'avère très utile. Il n'existe pas toujours une personne dévouée pour s'occuper des funérailles, pour faire vérifier le testament non authentique, etc.

Pour toute information concernant l'art de faire un testament et la raison d'en faire un, communiquez avec votre notaire.

À QUI LE P'TIT CŒUR APRÈS LA MORT ?

Cœur, poumons, reins, hormones de la glande hypophyse, tympans, osselets de l'oreille moyenne, cornée de l'œil sont autant de parties du corps qui peuvent être données au décès. Dans le but de sauver des vies et de venir en aide à la médecine, Mme Bellemare désire faire don de ses yeux à son décès. Cependant, certaines dispositions s'imposent pour que cette volonté soit respectée, notamment, écrire sa volonté.

Le testament figure parmi les documents où Mme Bellemare peut mentionner sa volonté de faire don de ses organes. Toutefois, les délais inévitables entre la mort et la prise de connaissance du testament sont souvent trop longs, la plupart des organes devant être prélevés dans les 24 heures ou même 6 heures suivant le décès, cela pour des raisons évidentes de conservation; il est donc préférable de compléter une formule prévue à cette fin.

Ces formules qui sauvent des vies

Cette formule peut être tout simplement la partie détachable du permis de conduire ou encore l'endos de la carte d'assurance-maladie. Mme Bellemare peut aussi utiliser une des formules standard émises par des organismes comme La Banque d'yeux ou tout autre papier exprimant par écrit sa volonté. Il est primordial que cette formule ou ce papier soit retrouvé dans un court délai lors du décès; il est donc préférable de le conserver avec ses pièces d'identité. Toutefois, il serait prudent d'aviser un proche parent de sa décision, car si la carte est égarée au moment du décès, il ne reste plus rien pour témoigner de la volonté de Mme Bellemare. Prévenir son entourage immédiat peut éviter certaines complications avec la famille. Lors du décès, la réaction émotive à la nouvelle qu'on prélèvera, selon sa volonté, certains organes peut être pénible pour la famille. Par contre, au sens strict de la loi, la famille n'a aucun droit de regard sur la disposition du corps lorsque le défunt a laissé des directives écrites. Toutefois, en glisser quelques mots pourrait éviter de mauvaises surprises.

Qu'arriverait-il si Mme Bellemare changeait d'idée ?

Toutes les démarches effectuées par Mme Bellemare pour léguer ses organes ne l'engagent pas définitivement. Ni le permis de conduire, ni l'une ou l'autre des formules prévues n'équivaut à un enregistrement, quel qu'il soit. Elle est la seule à détenir la preuve de sa volonté. Si elle change d'avis, elle la détruit sans autre formalité. C'est rassurant, n'est-ce pas ?

Vaut mieux prévenir

Si, pour quelque raison que ce soit, une personne refuse de léguer ses organes, il faut également qu'elle le fasse savoir à ses proches. Parce que la loi dit qu'à défaut de directive, on peut prélever un organe avec l'accord du conjoint ou du plus proche parent.

Donner tout son corps

Si Mme Bellemare veut faire don de ses yeux, d'autres personnes peuvent vouloir donner leur corps en entier. Il faut pour cela remplir une carte spéciale délivrée par la Régie régionale de la santé et des services sociaux de Québec. Le corps servira alors à l'enseignement de l'anatomie dans l'une des cinq universités québécoises où l'on forme les médecins, dentistes, physiothérapeutes, ergothérapeutes et professionnels en activité physique. Il s'agit d'une décision généreuse et fort utile à l'avancement des sciences. Il ne faut cependant pas oublier le choc qu'une telle décision pourrait provoquer sur les parents immédiats. Il convient donc de la peser mûrement et d'agir en conséquence.

Où s'adresser ?

***Pour faire don de ses yeux* :**

À Québec et pour tout l'Est du Québec :

Banque d'yeux nationale
Service d'ophtalmologie
Centre hospitalier de l'Université Laval
2705, boul. Laurier
Québec (Québec)
G1V 4G2
Tél. : (418) 654-2702

À Montréal et pour tout l'Ouest de la province :

Banque d'yeux du Québec
Service d'ophtalmologie
Hôpital Maisonneuve-Rosemont
Pavillon Rosemont
5689, boul. Rosemont
Montréal (Québec)
H1T 2H1

Tél. : (514) 252-3400

- à l'hôpital de votre localité, au service d'ophtalmologie.

Pour faire don de son corps :

Régie régionale de la santé et des services sociaux de Québec
525, boul. Hamel Est
Québec (Québec)
G1M 2S8

Tél. : (418) 525-1485

Une autre forme de testament : le testament biologique (Mes volontés de fin de vie)

Qu'arriverait-t-il advenant le cas où Mme Bellemare tomberait très malade et perdrait sa lucidité ? Si sa maladie était incurable, devrait-on utiliser tous les moyens dont la science médicale dispose pour la maintenir en vie ? Mais Mme Bellemare peut parer à cette éventualité. Au moyen de ce que l'on appelle le testament biologique, elle peut spécifier à l'avance la manière dont elle aimerait finir sa vie.

Ce testament est un document par lequel une personne exprime sa volonté au sujet des soins et traitements médicaux qu'elle aimerait ou non recevoir, qu'elle aimerait faire cesser. Le testament est fait au cas où cette personne serait gravement malade et, à la suite d'une perte de lucidité, incapable de manifester sa volonté sur la manière de terminer sa vie.

Il est utilisé lors d'une maladie incurable ou terminale pour indiquer son refus d'être maintenu en vie par des médicaments, des techniques ou des moyens artificiels et pour demander des médicaments efficaces contre la douleur, même si cela devait hâter le moment de la mort.

Chacun peut faire son testament biologique, mais certaines conditions doivent être respectées :

- avoir au moins 14 ans;
- faire son testament biologique en toute liberté;
- être lucide et suffisamment informé au moment de la rédaction du testament.

Comment procéder ?

Pour faire son testament biologique, on peut utiliser un formulaire ou tout autre papier. Il est préférable de faire signer son testament par deux témoins et par son médecin de famille ou son médecin traitant, si on est à l'hôpital. On peut aussi se rendre chez un notaire.

On peut se procurer le formulaire (appelé *Directives concernant les traitements entourant la fin de ma vie*) :

- dans la plupart des CLSC;
- à la direction des services professionnels de la plupart des centres hospitaliers;
- à la Fondation *Responsable jusqu'à la fin.*

En plus de conserver son testament biologique, on devrait en remettre des copies conformes à ses témoins, à ses proches significatifs et à son médecin de famille. Il est aussi prudent de parler de ce testament avec les personnes de son entourage immédiat ou, du moins, de les aviser de sa décision. Lorsqu'on est hospitalisé, on devrait faire joindre le testament à son dossier médical et le faire placer bien en évidence.

Pour information, (de préférence par écrit) :

Fondation Responsable jusqu'à la fin
10150, rue de Bretagne
Québec (Québec)
G2B 2R1

Tél. : (418) 843-8807 (de 18 h à 21 h, tous les jours).

Cette fondation offre aussi deux livres sur le sujet :

Ma mort Ma dignité Mes volontés à 15,95 $;

Les Actes du Premier colloque québécois sur les volontés de fin de vie (mars 1993) à 20 $.

On peut les commander par écrit :

Éditions du Papillon
10150, rue de Bretagne
Québec (Québec)
G2B 2R1

LES PROCÉDURES FUNÉRAIRES... LÀ AUSSI IL Y A DES CAPRICES

On n'est jamais mieux servi que par soi-même

Dans le domaine des procédures funéraires comme dans tout autre secteur, certaines personnes ont des exigences bien particulières. Dans ces circonstances, « on n'est jamais mieux servi que par soi-même » et il est possible d'inscrire dans son testament ou sur un simple bout de papier le sort de sa dépouille... Si le sujet ne vous intéresse nullement, soyez sans crainte; on s'en reportera à l'usage et on songera plutôt, sans tristesse, à cette pensée de Jean-Paul Sartre : « La mort, c'est un attrape-nigaud pour les familles; pour le défunt, tout continue. »

Il n'y a pas que les classiques

Certaines personnes aimeraient que leurs cendres soient jetées à la mer; d'autres préfèrent que leur dépouille soit exposée dans leur propre salon plutôt que dans un salon funéraire public; d'autres enfin, anciens marins, souhaitent être ensevelis dans les profondeurs des océans, drapés dans les couleurs de leur pays; certaines personnes ne veulent pas être embaumées ou exposées; d'autres désirent être incinérées plutôt qu'inhumées.

Cependant, certaines règles doivent être appliquées :

- un enterrement doit être fait dans un cimetière reconnu;
- les cendres provenant d'une incinération doivent être enterrées dans un cimetière ou déposées dans une boîte ou une urne de métal identifiée au nom du défunt et conservées dans un columbarium, à moins que le défunt ait manifesté, par écrit, le désir qu'il en soit autrement;
- le moment précis de l'inhumation ou de l'incinération n'est pas laissé à la discrétion du défunt. Elles ne peuvent se faire avant l'expiration d'un délai de 12 heures au moins, à compter du décès;
- l'embaumement n'est pas obligatoire. Il est nécessaire si l'on désire une exposition plus de 18 heures après le décès.

L'ARRANGEMENT PRÉALABLE

L'arrangement préalable (aussi appelé préarrangement funéraire) est une entente écrite qui engage les intéressés aux termes et aux prix convenus lors de la signature du contrat. Cette procédure permet à un individu d'exprimer ses volontés et évite à ses proches la responsabilité d'une décision pénible. On peut donc régler d'avance les modalités de ses funérailles et magasiner pour vérifier et comparer les prix et les services.

Pour information :

- votre notaire;
- les entreprises funéraires de votre région;
- la Corporation des thanatologues du Québec

  945, rue Paradis
  Roberval (Québec)
  G8H 2J9

  Tél. : (418) 275-4875
  Sans frais : 1 800 463-4935

- le bureau de l'Office de la protection du consommateur.

Maintenant, à vous de choisir...

L'INCINÉRATION, L'INHUMATION, L'EXPOSITION, UNE QUESTION DE PRIX OU DE GOÛT

Le choix entre l'incinération et l'inhumation (enterrement) peut être établi en fonction des goûts d'une personne, mais aussi en fonction du prix. Dans ces circonstances, nous avons tendance à penser que rien n'est trop beau pour le disparu, peut-être. Mais, avant de faire un choix, vaut mieux être informé et savoir où se termine la nécessité et où débute le luxe, car il existe, comme dans tous les domaines, de nombreux suppléments qui peuvent faire gonfler la facture.

À prime abord, le coût de l'incinération est moindre, puisque certaines procédures peuvent être évitées. Ainsi, selon les limites prescrites, on pourrait ne pas embaumer et se contenter d'une exposition de quelques heures, soit 24 heures maximum, si celle-ci commence moins de 18 heures après le décès, ce qui réduit considérablement les frais.

L'exposition entraîne des coûts pour le cercueil et le salon funéraire, et sachez qu'il y en a pour tous les goûts et surtout... tous les budgets. Quel que soit le prix, on peut se demander si un cercueil est néces-

La mort, c'est tellement obligatoire que c'est presque une formalité.

Marcel Pagnol

•••••

saire avant une incinération. Des solutions de rechange ? Certaines maisons offrent la location d'un cercueil ou d'un catafalque (estrade décorative qui permet l'exposition du corps).

L'achat d'une urne dans laquelle les cendres seront déposées est aussi à considérer. Les prix varient beaucoup, informez-vous. Souvent, l'urne en plastique est comprise dans le prix de l'incinération. Les cendres sont généralement déposées dans un columbarium (endroit où sont conservées les urnes contenant les cendres des défunts) ou inhumées dans un cimetière, à moins que des indications contraires aient été exprimées, par écrit, par le défunt.

Vous choisissez le columbarium ? Attention aux attrape-nigauds! Naturellement, la personne ou l'entreprise qui a la responsabilité de ce lieu ne peut jamais se départir des cendres et doit tenir un registre permettant l'identification des urnes. Ces dernières sont conservées dans des espaces fermés appelés niches, c'est là qu'il faut être prudent...

Certains critères font que le prix d'une urne peut doubler, tripler, quadrupler et même quintupler par rapport à une autre. Voici quelques-uns de ces critères qui font augmenter le prix :

- le nombre d'urnes que la niche peut contenir;
- les niches peuvent être fermées ou vitrées, ces dernières coûtant plus cher;
- l'endroit où celle-ci est située dans le columbarium. Le prix d'un emplacement dans le bas sera inférieur à celui situé au milieu; un emplacement situé près d'un vitrail augmente le prix;

- les emplacements exposés au regard des visiteurs éventuels sont plus coûteux.

Il faut comprendre que les entreprises de pompes funèbres (les « thanatologues », selon un néologisme savoureux) constituent des commerces comme les autres et qu'elles n'ont pas été conçues dans un but non lucratif. Elles fournissent un service utile, dont la clientèle (les familles) a besoin. Le tout est de savoir doser ses besoins; tout comme vous pouvez vous procurer une automobile à la mécanique un peu plus raffinée, utilitaire, ou une voiture dont le prix de vente, quatre ou cinq fois supérieur à la première, ne se justifie guère que par l'emblème qu'elle arbore sur le capot. Il existe toute une tradition entre le cercueil en épinette et celui en acajou massif, aux poignées de bronze.

Un célèbre thanatologue avait, dit-on, l'habitude de dire : « partez... nous ferons le reste... » Ne vous y fiez pas trop. Mieux vaut y voir avant le « grand voyage ».

Vous choisissez l'inhumation au cimetière ? Souvenez-vous de ce proverbe danois : « Celui qui n'ouvre pas les yeux quand il achète doit ouvrir la bourse quand il paie », ou encore, plus près de nous, de ce proverbe normand : « Un œil pour vendre. Deux pour acheter! »

Lorsqu'il y a inhumation dans un cimetière, on doit payer pour la mise en terre. Mais ce qui peut faire augmenter les frais, c'est le type de lot utilisé. Il existe plusieurs options :

- le lot de famille;
- le lot communautaire;
- le lot pour plusieurs personnes;
- un emplacement sans monument, où l'on utilise des plaques de bronze qui sont placées sur le sol;

- les fosses communes où il n'y a aucune identification. Seul le nom du défunt est inscrit dans les registres du cimetière;
- on a aussi prévu les lieux fleuris, style jardin de roses, qui sont nettement plus onéreux.

Soyez philosophe : pour le défunt, ça revient au même...

Partez; on s'occupe du reste...

Une fois de plus, rappelons que le rôle que va jouer le directeur funéraire lors d'un décès est en fonction des directives qu'il a reçues. Il peut s'occuper des moindres détails allant de la parution des avis de décès dans les journaux au contact par téléphone ou par télégramme des parents éloignés et des amis, aux procédures nécessaires pour la cérémonie religieuse, etc. Mais tous ces services ont une influence directe sur le montant de la facture. Si vous ne voulez pas vous ruiner « à mort », surveillez vos intérêts.

Pour obtenir des renseignements supplémentaires concernant les services offerts par ces maisons, communiquez avec :

Corporation des thanatologues du Québec
945, rue Paradis
Roberval (Québec)
G8H 2J9
Tél. : (418) 275-4875
Sans frais : 1 800 463-4935

- ou une coopérative funéraire. Vous trouverez la liste des coopératives dans votre annuaire téléphonique. Celles-ci offrent de bons services à meilleur prix.

LE RÈGLEMENT D'UNE SUCCESSION N'EST PAS TOUJOURS CHOSE FACILE

Nous sommes tous susceptibles, un jour ou l'autre, d'être mêlés, de près ou de loin, au règlement d'une succession. Souvent pris au dépourvu, il convient de savoir se tirer d'affaire dans ce genre de situation.

Par où commencer ?

Le règlement d'une succession est en somme l'opération qui permet de procéder concrètement à la transmission des biens, valeurs et obligations d'un défunt à ses héritiers ou légataires. La succession est ouverte dès l'instant du décès, au domicile du défunt. Ce lieu d'ouverture est très important puisque toute action en justice concernant la succession doit se faire dans le district du domicile du défunt.

Faire constater et déclarer le décès

Le décès est normalement constaté par un médecin qui le fait au moyen d'un formulaire appelé *constat de décès*. Un exemplaire de ce constat est transmis au directeur de l'état civil et un autre exemplaire, à la personne chargée de déclarer le décès. Cette dernière doit, elle, remplir le formulaire appelé *déclaration de décès*.

Il est important de compléter la déclaration de décès et de la transmettre, sans délai, au directeur de l'état civil. C'est en effet cette déclaration qui, avec le constat, sert au directeur de l'état civil pour dresser l'acte de décès. Et c'est cet acte de décès qui permet ensuite d'obtenir des copies ou des certificats de décès.

Il est nécessaire de fournir une preuve de décès pour procéder à l'ouverture de la succession. La preuve de décès est aussi exigée pour établir le jour où les prestations cessent d'être versées ou commencent à l'être et pour établir le moment où les programmes gouvernementaux ne sont plus applicables ou commencent à l'être.

Pour information :

Direction de l'état civil
Ministère de la Justice
205, rue Montmagny
Québec (Québec)
G1N 2Z9
Tél. : (418) 643-3900
Sans frais : 1 800 567-3900

On peut aussi se présenter au comptoir :

Direction de l'état civil
Ministère de la Justice
2050, rue de Bleury
Montréal (Québec)

Mettre la main sur le testament le plus vite possible

La recherche du testament doit être la première préoccupation, notamment pour savoir si le défunt avait prévu un don d'organes (par testament, sur son permis de conduire ou sur sa carte d'assurance-maladie) et dont le prélèvement est à faire immédiatement, ou pour savoir si le défunt avait indiqué des dispositions particulières relatives aux procédures funéraires.

Pour retracer un testament notarié, vous devez vous adresser au Registre des testaments de la Chambre des notaires ou au Registre des testaments du Barreau du Québec. Dans le cas d'un testament olographe ou devant témoins, il peut être plus difficile à repérer s'il n'a pas été déposé chez un notaire pour faire procéder à son inscription au Registre. Si vous croyez que le défunt a laissé ce genre de testament, vous devrez effectuer une fouille minutieuse de ses affaires personnelles ou communiquer avec les proches parents et amis, ou encore vérifier s'il n'aurait pas été placé dans un coffret de sûreté. Si aucun testament n'est repéré, la loi déterminera elle-même les héritiers.

Par la suite, le liquidateur devra procéder à la vérification du testament, à moins que ce ne soit un testament notarié. Cette vérification doit être effectuée devant le tribunal. Un juge de la Cour supérieure doit rendre une décision sur la validité de la forme du testament et sur son authenticité. Il vérifiera, entre autres, la date et la signature. Cette procédure entraîne des délais (3 mois minimum) et peut être assez dispendieuse.

Cour supérieure

Pour connaître l'adresse et le numéro de téléphone du bureau de la Cour supérieure, communiquez avec le palais de justice de votre district judiciaire, dont vous trouverez les coordonnées dans les pages bleues de votre annuaire téléphonique sous la rubrique « Justice ».

Recherche d'un testament

Registre central des testaments
Chambre des notaires du Québec
630, boul. René-Lévesque Ouest
Bureau 1700
Montréal (Québec)
H3B 1T6
Tél. : (514) 879-1793
Sans frais : 1 800 263-1793

Registre des testaments
Barreau du Québec
445, boul. Saint-Laurent
Montréal (Québec)
H2Y 2T8
Tél. : (514) 954-3400
Sans frais : 1 800 361-8495

Le liquidateur

À la lecture du testament, vous avez eu la grande surprise d'apprendre que le défunt vous avait désigné liquidateur. Quelles sont les implications de cette fonction ?

En fait, le rôle du liquidateur est similaire à celui qu'on nommait auparavant « exécuteur testamentaire ». C'est donc dire que le liquidateur veille à la liquidation de la succession. Ses principales tâches sont de :

- faire un inventaire des biens du défunt;
- payer les dettes de la succession;
- distribuer les biens;
- publier un avis de clôture ou fin de son inventaire dans un journal paraissant dans la localité de la dernière adresse connue du défunt.

Cependant, vous pouvez toujours refuser la charge du liquidateur, à moins que vous ne soyez le seul héritier.

Voici une liste partielle des documents qu'il vous faudra réunir pour procéder au règlement de la succession :

- certificat ou copie de l'acte de décès;
- copie du testament (vérifier si nécessaire, certificat de naissance, contrat et certificat de mariage, polices d'assurance, comptes bancaires, certificats de dépôt garanti, cartes de crédit, déclarations d'impôt des dernières années).

Qu'arrive-t-il de la succession si vous refusez ?

Si vous renoncez au titre de liquidateur, cette responsabilité reviendra à la charge des héritiers. Ces derniers pourront s'entendre pour choisir un liquidateur ou ils pourront s'attribuer entre eux des fonctions particulières.

L'inventaire des biens... et des dettes

Le point le plus important du règlement d'une succession est sans aucun doute l'inventaire des biens et des dettes (évidemment). Il faut s'assurer de connaître avec précision la nature et la valeur de tous les biens sur lesquels le défunt avait des droits, de même que les obligations auxquelles il était tenu pour être en mesure d'en dresser un bilan. La rapidité et l'efficacité avec lesquelles l'inventaire sera établi évitera la disparition de biens, évaluera l'actif et le passif du défunt, ce qui permettra aux héritiers de profiter de leur droit d'accepter ou de refuser la succession.

Avant de procéder au partage des biens, le liquidateur doit obtenir de Revenu Québec et de Revenu Canada un certificat stipulant que tous les impôts du défunt ont été payés. Après la réception de celui-ci, il pourra alors procéder à la distribution des biens.

Ce que le gouvernement vous doit... peut-être ?

Si le défunt est un résident québécois et qu'il est décédé à la suite d'un accident d'automobile, la Société de l'assurance automobile octroiera une indemnité de décès à la succession. Cette indemnité peut prendre la forme d'une rente dans le cas où les héritiers sont le conjoint ou les enfants mineurs du défunt. Pour tout renseignement concernant les indemnités payables par la SAAQ, écrivez au :

Centre de renseignements de la
Société de l'assurance automobile du Québec
C.P. 19 600
Québec (Québec)
G1K 8J6

Tél. : (418) 643-7620
Sans frais : 1 800 361-7620

Par ailleurs, si le défunt a contribué, sa vie durant, au Régime de rentes du Québec (un minimum de contribution fixé par la loi est requis), la Régie des rentes du Québec versera à la succession des prestations de décès. Le formulaire de réclamation est disponible dans tous les bureaux régionaux de la Régie des rentes du Québec, dans toutes les caisses populaires et à Communication-Québec.

Régie des rentes du Québec
2600, boul. Laurier
Place de la Cité
Entrée 6, Jean-Dequin
C.P. 5200
Sainte-Foy (Québec)
G1K 7S9

Tél. : (418) 643-2181

Si vous êtes bénéficiaire de l'aide sociale, un montant est alloué pour vous aider à assumer les frais de procédures funéraires. Le montant maximum est de 1 500 $.

Pour information, communiquez avec le bureau de l'Aide sociale de votre localité.

La responsabilité des héritiers

Les personnes qui ont droit à une succession n'ont que deux options : accepter la succession ou y renoncer dans un délai de six mois. La renonciation se fait par acte notarié ou par une déclaration judiciaire. Accepter une succession trop rapidement représente de sérieux risques. Il faut être prudent, car, si vous avez posé des gestes laissant présumer votre acceptation, il ne vous sera pas possible ensuite de renoncer à la succession.

Si vous acceptez une succession, vous devez en payer les dettes seulement jusqu'à concurrence de la valeur des biens recueillis, à la condition d'avoir suivi les formalités imposées par la loi. Vous ne serez responsable des dettes excédant l'actif qu'en cas d'exception, par exemple, si vous avez négligé de faire un inventaire des biens du défunt ou si vous avez confondu vos propres biens avec ceux du défunt.

On dit que les héritiers s'accommodent mieux des médecins que des confesseurs.

Montesquieu

•••••

Transfert des biens aux héritiers... en vain

Maintenant que tout est réglé, que l'on sait « qui aura quoi », on peut procéder à la transmission des biens. Sur présentation d'une copie de l'acte ou du certificat de décès et du testament s'il y a lieu, les institutions financières (banque, société de fiducie, compagnie d'assurance-vie, etc.) enregistrent le transfert des droits de propriété des biens mobiliers au nom des bénéficiaires. Dans le cas des biens immobiliers, la transmission par acte notarié s'effectue à l'aide de la déclaration de transmission des biens. Si plusieurs héritiers sont bénéficiaires des mêmes biens, la loi stipule que personne n'est tenu de demeurer copropriétaire d'un bien avec les autres héritiers. Ils peuvent soit partager les biens dans l'état où ils sont, soit les vendre et partager le prix de vente. Ce second mode est appelé la licitation.

LE DÉFUNT AVAIT OMIS DE FAIRE UN TESTAMENT... LA LOI Y A PENSÉ

Lorsque le défunt n'a pas laissé de testament valide, le sort des biens est remis entre les mains de la loi. Elle déterminera qui héritera de ses biens. Cette façon de transmettre le patrimoine est appelée succession *ab intestat*. De la même façon, si un testament est fait pour une partie des biens seulement, c'est encore la loi qui détermine les héritiers sur le reste des biens pour lesquels il n'existe aucune disposition précise. Mais dans le cas d'une succession ab intestat, il faut s'attendre à des complications administratives.

Dans une succession ab intestat, les biens peuvent être transmis au conjoint du défunt et à ses parents jusqu'au huitième degré inclusivement. En d'autres termes, pour hériter quand il n'y a pas de testament, il faut être lié au défunt soit par le lien du mariage, soit par les liens du sang. À mesure que le degré de parenté entre le défunt et l'héritier décroît, les règles de partage du patrimoine se compliquent. Il arrive même qu'on doive consulter l'arbre généalogique d'une famille pour savoir si telle personne peut aspirer à l'héritage d'un parent éloigné.

« Être ou ne pas être », voilà la question

Pour avoir droit à un héritage, il faut nécessairement exister civilement lors de l'ouverture de la succession. C'est la moindre des exigences, n'est-ce pas ? Exister civilement veut dire avoir été conçu et naître viable par la suite. Ainsi, si Jacques meurt et laisse un fils et son épouse enceinte d'un autre enfant, ce dernier se trouve être conçu et, par la suite, doit, lors de sa naissance, respirer au moins un certain temps. C'est à cette seule condition qu'il peut être admissible à la succession de son père.

Être déclaré indigne...

Il existe quelques cas, déterminés par la loi, où l'on peut être déclaré indigne de succéder à une personne, comme :

- celui qui est déclaré coupable d'avoir intenté à la vie du défunt;

- celui qui est déchu de l'autorité parentale sur son enfant, avec dispense pour celui-ci de l'obligation alimentaire, à l'égard de la succession de cet enfant;
- celui qui a exercé des sévices sur le défunt ou a eu autrement envers lui un comportement hautement répréhensible.

Le contrat de mariage... pour le meilleur et pour le pire

Si le défunt était marié, il ne faut pas omettre de vérifier le contrat de mariage, car il pourrait contenir des dispositions testamentaires, et le régime matrimonial choisi pourrait avoir des conséquences sur la succession.

Même si une personne remplit toutes les conditions requises pour venir à une succession légale, elle n'est pas certaine d'y être appelée. Les seules personnes certaines sont l'époux et les enfants du défunt, s'ils existent.

Saviez-vous que ?

Ces personnes sont groupées en quatre ordres :

1er ordre : les descendants et l'époux du défunt;

2e ordre : les parents privilégiés et l'époux du défunt;

3e ordre : les ascendants ordinaires;

4e ordre : les collatéraux ordinaires jusqu'au huitième degré.

Dès qu'il y a un ou des héritiers dans le premier ordre, les autres ordres sont exclus, sauf le cas de l'époux qui chevauche les deux ordres. Les descendants du défunt sont les enfants, petits-enfants, etc. Les parents privilégiés comprennent le père et la mère du défunt (ascendants privilégiés) ainsi que les frères, sœurs, neveux et nièces (collatéraux privilégiés). Les ascendants ordinaires sont les grands-pères et grands-mères, arrière-grands-pères et arrière-grands-mères du défunt. Enfin, les collatéraux ordinaires sont tous les autres parents jusqu'au huitième degré.

Donc, s'il n'y a personne dans le premier ordre, on passe au deuxième et ainsi de suite jusqu'à ce que l'on trouve un ou des héritiers dans l'un des quatre ordres.

Situations les plus fréquentes lors d'une succession :

1re HYPOTHÈSE

Défunt Conjoint : 1/3

Enfants : 2/3

2e HYPOTHÈSE

Défunt* Conjoint : 2/3

Père et mère : 1/3

* Si absence d'enfants

3e HYPOTHÈSE

Défunt* Conjoint : 2/3

Frères et sœurs : 1/3

* Si absence d'enfants et de père et mère

À L'UNANIMITÉ LES HÉRITIERS ONT DIT : « NON »

Lorsque les héritiers renoncent à la succession ou lorsqu'ils sont introuvables, le Curateur public entre en jeu. Ce dernier est responsable de la réalisation des successions réputées ou déclarées vacantes. Il agit alors comme liquidateur de la succession.

Saviez-vous que ?

Pour qu'une succession soit réputée vacante, il faut :

- qu'il n'y ait pas d'héritiers connus ou que les héritiers y aient renoncé;
- qu'il ne se présente personne qui réclame la succession dans les délais prescrits (6 mois après le décès). Une succession est déclarée vacante par un jugement de la Cour supérieure à la suite d'une requête.

AIDE-MÉMOIRE

Les étapes à suivre lors d'un décès :

- appeler une ambulance pour faire transporter le corps à l'hôpital, s'il y a lieu;
- faire constater le décès par un médecin;
- remplir ou faire remplir la déclaration de décès;
- rechercher le testament et en prendre connaissance;
- contacter une maison funéraire, s'il y a lieu;
- si la maison funéraire ne s'en charge pas, communiquer avec un ministre du culte religieux auquel le défunt appartenait pour prendre les arrangements pour la cérémonie religieuse;
- entamer le règlement de la succession de concert avec l'avocat ou le notaire de votre choix; s'il s'agit d'un testament olographe ou devant témoins, le remettre au liquidateur pour qu'il se charge d'en obtenir la vérification;
- s'il n'y a pas de testament, le plus prudent est de vous en rapporter à votre conseiller juridique (avocat ou notaire) pour le partage des biens.

ANNEXES

COMMUNICATION-QUÉBEC, VOTRE PASSE-PARTOUT DE L'INFORMATION GOUVERNEMENTALE

Vous cherchez à obtenir facilement les renseignements dont vous avez besoin ?

Communication-Québec est une direction générale des Services gouvernementaux qui a pour mandat de faciliter à la population québécoise l'accès à l'information gouvernementale, tant provinciale que fédérale. Avec ses vingt-cinq bureaux situés dans toutes les régions du Québec, Communication-Québec peut répondre à toutes vos questions... ou presque!

Plus qu'un simple service de références, l'information transmise par les préposés aux renseignements se veut particulièrement complète et adaptée à vos besoins. Donc, si vous avez un projet particulier et que vous vous demandez si vous pouvez obtenir une aide gouvernementale pour le réaliser, ou si vous éprouvez quelque difficulté que ce soit à vous orienter au sein de l'appareil gouvernemental, Communication-Québec s'avère le partenaire par excellence pour orienter vos démarches.

Communication-Québec produit, depuis quelques années, une brochure intitulée « Pour les 55 ans et plus ». Ce guide, distribué gratuitement, donne une vue d'ensemble des démarches administratives personnelles que les aînés ont à faire auprès des organismes gouvernementaux.

Vous trouverez la liste des bureaux de Communication-Québec dans les pages qui suivent.

ANNEXE I

COMMUNICATION-QUÉBEC

Bas-Saint-Laurent

Rimouski
164, rue Saint-Germain Est
Rimouski (Québec)
G5L 1A8
Tél.: (418) 727-3939

Saguenay – Lac-Saint-Jean

Jonquière
3950, boul. Harvey
Jonquière (Québec)
G7X 8L6
Tél.: (418) 695-7850

Saint-Félicien
1209, boul. Sacré-Coeur
Case postale 7
Saint-Félicien (Québec)
G8K 2P8
Tél.: (418) 679-0433

Québec

Québec
870, boul. Charest Est
Québec (Québec)
G1K 8S5
Tél.: (418) 643-1344

Mauricie – Bois-Francs

Trois-Rivières
225, rue des Forges
Bureau 108
Trois-Rivières (Québec)
G9A 2G7
Tél.: (819) 371-6121

Drummondville
315, rue Hériot
Drummondville (Québec)
J2B 1A6
Tél.: (819) 475-8777

Estrie

Sherbrooke
200, rue Belvédère Nord
Bureau RC 02
Sherbrooke (Québec)
J1H 4A9
Tél.: (819) 820-3000

Montréal

Montréal
2, complexe Desjardins
Galeries de l'Est
Niveau de la Place
Case postale 691
Montréal (Québec)
H5B 1B8
(Métro Place-des-Arts
ou Place-d'Armes)
Tél.: (514) 873-2111

Outaouais

Hull
170, rue de l'Hôtel-de-Ville
Bureau 120
Hull (Québec)
J8X 4C2
Tél.: (819) 772-3232

Abitibi-Témiscamingue

Rouyn-Noranda
108, avenue Principale
Rouyn-Noranda (Québec)
J9X 4P2
Tél.: (819) 764-3241

Val-d'Or
888, 3e Avenue, Place du Québec
Val-d'Or (Québec)
J9P 5E6
Tél.: (819) 825-3166

Côte-Nord

Sept-Îles
456, avenue Arnaud
Sept-Îles (Québec)
G4R 3B1
Tél.: (418) 964-8000

Baie-Comeau
625, boul. Laflèche
Bureau 203
Baie-Comeau (Québec)
G5C 1C5
Tél.: (418) 295-4000

Gaspésie – Îles-de-la-Madeleine

Gaspé
167, rue de la Reine
Place Jacques-Cartier
Case postale 1610
Gaspé (Québec)
G0C 1R0
Tél.: (418) 368-2550

Îles-de-la-Madeleine
224-A, route Principale
Case postale 340
Cap-aux-Meules
Îles-de-la-Madeleine
G0B 1B0
Tél.: (418) 986-3222

Chaudière-Appalaches

Saint-Georges de Beauce
11287, 1re Avenue Est
Saint-Georges (Québec)
G5Y 2C2
Tél.: (418) 227-1122

Thetford Mines
183, rue Pie XI
Thetford Mines (Québec)
G6G 3N3
Tél.: (418) 338-0181

Laval

Laval
1796, boul. des Laurentides
Secteur de Vimont
Laval (Québec)
H7M 2P6
Tél.: (514) 873-5555
(514) 669-3775

Lanaudière

Joliette
420, rue de Lanaudière
Joliette (Québec)
J6E 7X1
Tél.: (514) 752-6800

Laurentides

Saint-Jérôme
222, rue Saint-Georges
Saint-Jérôme (Québec)
J7Z 4Z9
Tél.: (514) 569-3019

Montérégie

Longueuil
118, rue Guilbault
Longueuil (Québec)
J4H 2T2
Tél.: (514) 928-7777

Granby
77, rue Principale
Granby (Québec)
J2G 9B3
Tél.: (514) 776-7100

S'il y a des frais d'interurbain à ce numéro, faites plutôt le (514) 873-8989.

Saint-Jean-sur-Richelieu
245, rue Richelieu
Saint-Jean-sur-Richelieu (Québec)
J3B 6X9
Tél.: (514) 346-6879

Salaberry-de-Valleyfield
83, rue Champlain
Valleyfield (Québec)
J6T 1W4
Tél.: (514) 370-3000

Saint-Hyacinthe
600, avenue Sainte-Anne
Saint-Hyacinthe (Québec)
J2S 5G5
Tél.: (514) 778-6500

Si vous devez passer par l'interurbain, composez le numéro sans frais
1 800 363-1363.

ACCÈS PAR TÉLÉSCRIPTEUR SEULEMENT
Les personnes sourdes, muettes ou malentendantes peuvent nous joindre en utilisant un téléscripteur. Les numéros suivants sont réservés à cet usage :

Région de Montréal : 873-4626;
autres régions du Québec : 1 800 361-9596.

Annexe II

CENTRES LOCAUX DE SERVICES COMMUNAUTAIRES (C.L.S.C.) ET CENTRES DE SANTÉ

Bas-Saint-Laurent – Gaspésie

Centre de santé des Hauts-Bois
600, avenue Dr William-May
Murdochville (Québec)
G0E 1W0
Tél. : (418) 784-3333

CLSC Chaleurs
145, route 132
C.P. 7000
Paspédiac (Québec)
G0C 2K0
Tél. : (418) 752-6611

CLSC de l'Estran
71, rue St-François-Xavier
C.P. 190
Grande-Vallée (Québec)
G0E 1K0
Tél. : (418) 393-2001

CLSC de la Vallée
558, rue St-Jacques Nord
Causapscal (Québec)
G0J 1J0
Tél. : (418) 756-3451

CLSC de l'Estuaire
165, rue des Gouverneurs
Rimouski (Québec)
G5L 7R2
Tél. : (418) 724-7204

CLSC de Matane
349, avenue Saint-Jérôme
Matane (Québec)
G4W 3A8
Tél. : (418) 562-5741

CLSC des Berges
19, 1re Avenue Ouest
C.P. 100
Saint-Maxime-du-Mont-Louis (Québec)
G0E 1T0
Tél. : (418) 797-2744

CLSC des Îles
420, rue Principale
C.P. 847
Cap-aux-Meules (Québec)
G0B 1B0
Tél. : (418) 986-5323

CLSC de la Saline
633, avenue Daignault
C.P. 1090
Chandler (Québec)
G0C 1K0
Tél. : (418) 689-6695

CLSC Malauze
14, boul. Perron
C.P. 190
Matapédia (Québec)
G0J 1V0
Tél. : (418) 865-2221

CLSC Rivières et Marée
22, rue Saint-Laurent
Rivière-du-Loup (Québec)
G5R 4W5
Tél. : (418) 867-2642

CLSC de la Pointe
154, boul. Renard Est
C.P. 220
Gaspé (Québec)
G0E 2A0
Tél. : (418) 269-3391

CLSC de la Mitis
65, avenue Hôtel-de-Ville
C.P. 3000
Mont-Joli (Québec)
G5H 3R3
Tél. : (418) 775-2251

Saguenay – Lac-Saint-Jean

CLSC des Chutes
201, boul. des Pères
Mistassini (Québec)
G0W 2C0
Tél.: (418) 276-5452

CLSC des Côteaux
326, rue des Saguenéens
C.P. 5150
Chicoutimi (Québec)
G7H 6N6
Tél.: (418) 545-1262

CLSC des Grands-Bois
32, 3e Avenue
C.P. 1300
Chapais (Québec)
G0W 1H0
Tél.: (418) 745-2591

CLSC des Prés-Bleus
1228, boul. Sacré-Coeur
C.P. 10
Saint-Félicien (Québec)
G8K 2P8
Tél.: (418) 679-5270

CLSC du Fjord
80, rue Aimé-Gravel
La Baie (Québec)
G7B 2M4
Tél.: (418) 544-7316

CLSC Le Norois
100, ave. Saint-Joseph
Édifice Complexe J
Alma (Québec)
G8B 7A6
Tél.: (418) 668-4563

CLSC Saguenay-Nord
222, rue Saint-Ephrem
Chicoutimi (Québec)
G7G 2W5
Tél.: (418) 545-1575

CLSC De La Jonquière
3667, boul. Harvey
C.P. 580
Jonquière (Québec)
G7X 7W4
Tél.: (418) 695-2572

Québec

CLSC Antoine-Rivard
10, rue Alphonse
C.P. 39
Saint-Fabien-de-Panet (Québec)
G0R 2J0

Tél.: (418) 249-2572

CLSC Arthur-Caux
135, rue de la Station
C.P. 189
Laurier-Station (Québec)
G0S 1N0

Tél.: (418) 728-3435

CLSC Beauce-Centre
1125, avenue du Palais
C.P. 790
Saint-Joseph-de-Beauce
(Québec)
G0S 2V0

Tél.: (418) 397-5722

CLSC Orléans
9500, boul. Sainte-Anne
Sainte-Anne-de-Beaupré
(Québec)
G0A 3C0

Tél.: (418) 827-5241

CLSC Chutes-de-la-Chaudière
2055, boul. de la Rive-Sud
Saint-Romuald (Québec)
G6W 2S5

Tél.: (418) 839-3511

CLSC des Basques
400, rue Jean-Rioux
C.P. 39
Trois-Pistoles (Québec)
G0L 4K0

Tél.: (418) 851-1111

CLSC des Etchemins
201, rue Claude-Bilodeau
C.P. 428
Lac-Etchemin (Québec)
G0R 1S0

Tél.: (418) 625-8001

CLSC de la Basse-Ville
50, rue Saint-Joseph Est
Québec (Québec)
G1K 3A5

Tél.: (418) 529-6592

CLSC de la Jacques-Cartier
1465, rue de l'Etna
Val-Bélair (Québec)
G3K 1Y8

Tél.: (418) 843-2572

CLSC-Centre d'accueil des Appalaches
103, rue du Foyer Nord
C.P. 580
Saint-Pamphile (Québec)
G0R 3X0

Tél.: (418) 356-3393

CLSC de Portneuf
1045, avenue Bona-Dussault
C.P. 400
Saint-Marc-des-Carrières
(Québec)
G0A 4B0

Tél.: (418) 268-3571

Centre hospitalier Courchesne
383, chemin Sainte-Foy
Québec (Québec)
G1S 2J1

Tél.: (418) 683-4951

CLSC La Clairière de Québec
825, boul. des Capucins
Québec (Québec)
G1J 3S2

Tél.: (418) 648-0567

CLSC des Frontières
1922, rue Saint-Vallier
Pohénégamook (Québec)
G0L 2T0

Tél.: (418) 859-2450

CLSC des Trois-Saumons
430, rue Jean-Leclerc
Saint-Jean-Port-Joli (Québec)
G0R 3G0

Tél.: (418) 598-3355

CLSC Frontenac
17, rue Notre-Dame Sud
Thetford Mines (Québec)
G6G 1J1

Tél.: (418) 338-3511

CLSC de Bellechasse
100, rue Monseigneur-Bilodeau
Saint-Lazare (Québec)
G0R 3J0

Tél.: (418) 883-2227

CLSC Charlevoix
600, boul. de Comporte
La Malbaie (Québec)
G5A 1S8

Tél.: (418) 665-6413

CLSC Sainte-Foy - Sillery
Le Phare C.S.R. Jeunesse
3108, chemin Sainte-Foy
Sainte-Foy (Québec)
G1X 1P8

Tél.: (418) 651-2572

CLSC Laurentien
1320, rue Saint-Paul
Ancienne-Lorette (Québec)
G2E 1Z4

Tél.: (418) 872-0881

CLSC Les Aboiteaux
580, 25e Rue
C.P. 850
Saint-Pascal (Québec)
G0L 3Y0

Tél.: (418) 492-1223

CLSC Nouvelle-Beauce
1133, boul. Vachon Nord
C.P. 1630
Sainte-Marie (Québec)
G6E 3C6

Tél.: (418) 387-8181

CLSC La Guadeloupe
763, 14e Avenue
La Guadeloupe (Québec)
G0M 1G0
Tél.: (418) 459-3441

CLSC La Source
280, avenue Notre-Dame
Charlesbourg (Québec)
G2M 1K9
Tél.: (418) 849-2572

CLSC Témiscouata
33, rue Saint-Laurent
Cabano (Québec)
G0L 1E0
Tél.: (418) 854-2572

CLSC Haute-Ville
55, chemin Sainte-Foy
Québec (Québec)
G1R 1S9
Tél.: (418) 641-0784

Mauricie – Bois-Francs

CLSC de l'Érable
1331, rue Saint-Calixte
Plessisville (Québec)
G6L 1P4
Tél.: (819) 362-6301

CLSC des Chenaux
90, route Rivière-à-Veillette
Sainte-Geneviève-de Batiscan
(Québec)
G0X 2R0
Tél.: (418) 362-2727

CLSC Drummond
350, rue Saint-Jean
Drummondville (Québec)
J2B 5L4
Tél.: (819) 474-2572

CLSC du Centre de la Mauricie
1600, boul. Biermans
Shawinigan (Québec)
G9N 8L2
Tél.: (819) 539-8371

CLSC Les Blés d'Or
216, rue Principale
Fortierville (Québec)
G0S 1J0
Tél.: (819) 287-4442

CLSC Nicolet-Yamaska
390, rue Principale
Sainte-Monique (Québec)
J0G 1N0
Tél.: (819) 289-2255

CLSC Normandie
750, rue du Couvent
C.P. 430
Saint-Tite (Québec)
G0X 3H0
Tél.: (418) 365-7555

CLSC Suzor-Côté
100, rue de l'Hermitage
Arthabaska (Québec)
G6P 9N2
Tél.: (819) 758-7281

CLSC du Haut-Saint-Maurice
350, avenue Brown
La Tuque (Québec)
G9X 2W4
Tél.: (819) 523-6171

CLSC Les Forges
500, rue Saint-Georges
Trois-Rivières (Québec)
G9A 2K8
Tél.: (819) 379-7131

Estrie

CLSC du Val-Saint-François
110, rue Barlow
C.P. 890
Richmond (Québec)
J0B 2H0
Tél.: (819) 826-3781

CLSC Fleur-de-Lys
460, 2e Avenue
Weedon (Québec)
J0B 3J0
Tél.: (819) 877-3434

CLSC Gaston-Lessard
1200, rue King Est
Sherbrooke (Québec)
J1G 1E4
Tél.: (819) 563-0144

CLSC Albert-Samson
228, rue Saint-Paul Est
Coaticook (Québec)
J1A 1E7
Tél.: (819) 849-7041

ontréal-Nord
boul. Lacordaire
l-Nord (Québec)
) 327-0400

rman-Bethune
e du Couvent
uébec)
) 687-5690

'accueil La Salle
e Centrale
uébec)
) 364-6700

inte-Rose-de-Laval
l. Roi-du-Nord
uébec)
) 622-5110

eray
e Jarry Est
(Québec)
) 376-4141

Vieux Lachine
e Notre-Dame
Québec)
) 639-0650

Saint-Louis
ue Cartier
laire (Québec)
) 697-4110

CLSC Mercier-Est - Anjou
9403, rue Sherbrooke Est
Montréal (Québec)
H1L 6P2
Tél.: (514) 356-2572

CLSC Olivier-Guimond
5455, rue Chauveau
Montréal (Québec)
H1N 1G8
Tél.: (514) 255-2365

CLSC Saint-Léonard
5540, rue Jarry Est
Saint-Léonard (Québec)
H1P 1T9
Tél.: (514) 328-3460

CLSC Verdun - Côte-Saint-Paul
1090, avenue de l'Église
Verdun (Québec)
H4G 2N5
Tél.: (514) 766-0546

CLSC Notre-Dame-de-Grâce - Montréal-Ouest
2525, boul. Cavendish
Bureau 110
Montréal (Québec)
H4B 2Y4
Tél.: (514) 485-1670

CLSC René-Cassin
5800, boul. Cavendish
Bureau 600
Côte-Saint-Luc (Québec)
H4W 2T5
Tél.: (514) 488-9163

CLSC Saint-Michel
7950, boul. Saint-Michel
Montréal (Québec)
H1Z 3E1
Tél.: (514) 374-8223

Foyer pour personnes âgées Saint-Laurent inc.
1055, chemin Côte-Vertu
Ville Saint-Laurent (Québec)
H4L 1Y8
Tél.: (514) 744-4981

Laurentides

CLSC Arthur-Buies
430, rue Labelle
Saint-Jérôme (Québec)
J7Z 5L3
Tél.: (514) 431-2221

CLSC D'Autray
761, rue Notre-Dame
C.P. 1470
Berthierville (Québec)
J0K 1A0
Tél.: (514) 836-7011

CLSC de Joliette
245, rue Curé-Majeau
Joliette (Québec)
J6E 3Z1
Tél.: (514) 755-2111

CLSC de Sainte-Thérèse-de-Blainville
55, rue Saint-Joseph
Sainte-Thérèse (Québec)
J7E 4Y5
Tél.: (514) 430-4553

CLSC des Hautes-Laurentides
515, boul. Albiny-Paquette
Mont-Laurier (Québec)
J9L 1K8

Tél.: (819) 623-1228

CLSC des Pays-d'en-Haut
1350, boul. Sainte-Adèle
C.P. 2130
Sainte-Adèle (Québec)
J0R 1L0

Tél.: (514) 229-6601

CLSC des Trois-Vallées
352, rue Léonard
Saint-Jovite (Québec)
J0T 2H0

Tél.: (514) 425-3771

CLSC Jean-Olivier-Chenier
29, chemin Oka
Saint-Eustache (Québec)
J7R 1K6

Tél.: (514) 491-1233

CLSC Matawinie
8161, route 125, r.r. 1
Chertsey (Québec)
J0K 3K0

Tél.: (514) 882-2488

CLSC Lamater
4625, boul. des Seigneurs
Terrebonne (Québec)
J6W 5B1

Tél.: (514) 471-2881

CLSC Le Méandre
193, rue Notre-Dame
Legardeur (Québec)
J5Z 3C4

Tél.: (514) 654-9012

CLSC d'Argenteuil
551, rue Berry
Lachute (Québec)
J8H 1S4

Tél.: (514) 562-8581

CLSC Montcalm
110, rue Saint-Isidore
Saint-Esprit (Québec)
J0K 2L0

Tél.: (514) 839-3676

Montérégie

CLSC Châteauguay
101, rue Lauzon
Châteauguay (Québec)
J6K 1C7

Tél.: (514) 691-7410

CLSC La Pommeraie
660, rue Saint-Paul
Farnham (Québec)
J2N 3B9

Tél.: (514) 293-3622

CLSC de Huntingdon
220, rue Châteauguay
C.P. 820
Huntingdon (Québec)
J0S 1H0
Tél.: (514) 264-6108

CLSC de la Haute-Yamaska
294, rue Deragon
Granby (Québec)
J2G 5J5
Tél.: (514) 375-1442

CLSC des Maskoutains
2650, rue Morin
Saint-Hyacinthe (Québec)
J2S 8H1
Tél.: (514) 778-1144

CLSC des Seigneuries
2220, boul. René-Gaultier
Varennes (Québec)
J3X 1T6
Tél.: (514) 652-2917

CLSC du Havre
201, rue du Havre
C.P. 590
Sorel (Québec)
J3P 7N7
Tél.: (514) 746-4545

CLSC du Richelieu
633, 12e Avenue
Richelieu (Québec)
J3L 4V5
Tél.: (514) 658-7561

CLSC Jardin-du-Québec
2, rue Sainte-Famille
Saint-Rémi (Québec)
J0L 2L0
Tél.: (514) 454-4671

CLSC Kateri
90, boul. Marie-Victorin
Candiac (Québec)
J5R 1C1
Tél.: (514) 659-7661

CLSC La Chenaie
1266, rue Lemay
C.P. 370
Acton-Vale (Québec)
J0H 1A0
Tél.: (514) 546-3225

CLSC La Presqu'île
490, boul. Harwood
Vaudreuil-Dorion (Québec)
J7V 7H4
Tél.: (514) 455-6171

CLSC La Vallée-des-Patriotes
347, rue Duvernay
Beloeil (Québec)
J3G 5S8
Tél.: (514) 467-0157

CLSC Longueuil-Est
388, rue Lamarre
Longueuil (Québec)
J4J 1T2
Tél.: (514) 463-2850

CLSC Longueuil-Ouest
201, boul. Curé-Poirier Ouest
Longueuil (Québec)
J4J 2G4
Tél.: (514) 651-9830

CLSC Saint-Hubert
6800, boul. Cousineau
Saint-Hubert (Québec)
J3Y 8Z4
Tél.: (514) 443-7400

CLSC Samuel-de-Champlain
5811, boul. Taschereau
Bureau 100, Complexe Taschereau
Brossard (Québec)
J4Z 1A5

Tél.: (514) 445-4452

CLSC Seigneurie-de-Beauharnois
71, rue Maden
Bureau 200
Salaberry-de-Valleyfield (Québec)
J6S 3V4

Tél.: (514) 371-0143

CLSC Vallée-des-Forts
874, rue Champlain
Iberville (Québec)
J2X 3W9

Tél.: (514) 358-2572

Outaouais

CLSC Hull
85, rue Saint-Rédempteur
Hull (Québec)
J8X 4E6

Tél.: (819) 770-6900

CLSC de la Petite-Nation
12, rue Saint-André
C.P. 120
Saint-André-Avellin (Québec)
J0V 1W0

Tél.: (819) 983-7341

CLSC de la Rivière-Désert
186, rue King
Maniwaki (Québec)
J9E 3M1

Tél.: (819) 449-2513

CLSC de la Vallée-de-la-Gatineau
Route 105, C.P. 63
Low (Québec)
J0X 2C0

Tél.: (819) 422-3548

CLSC de la Vallée-de-la-Lièvre
578, boul. Cité-des-Jeunes
Buckingham (Québec)
J8L 2W1

Tél.: (819) 986-3359

CLSC des Draveurs
80, avenue Gatineau
Gatineau (Québec)
J8T 4J3

Tél.: (819) 561-2550

CLSC Grande-Rivière
425, rue le Guerrier
Aylmer (Québec)
J9H 6N8

Tél.: (819) 684-2251

CLSC Le Moulin
510, boul. Maloney Est
Gatineau (Québec)
J8P 1E7

Tél.: (819) 663-9214

CLSC Pontiac
314, route 148
C.P. 430
Fort-Coulonge (Québec)
J0X 1V0
Tél.: (819) 683-3000

Abitibi-Témiscamingue

Centre de santé Isle-Dieu
130, boul. Matagami
C.P. 790
Matagami (Québec)
J0Y 2A0
Tél.: (819) 739-2515

Centre de santé Lebel
950, boul. Quévillon Nord
C.P. 5000
Lebel-sur-Quévillon (Québec)
J0Y 1X0
Tél.: (819) 755-4881

Centre de santé Sainte-Famille
22, rue Notre-Dame Nord
C.P. 2000
Ville-Marie (Québec)
J0Z 3W0
Tél.: (819) 629-2420

CLSC des Aurores-Boréales
285, 1re Rue Est
La Sarre (Québec)
J9Z 3K1
Tél.: (819) 333-2354

Centre de santé de l'Hématite
1, rue Aquilon
C.P. 550
Fermont (Québec)
G0G 1J0
Tél.: (418) 287-5461

Centre de santé de Témiscamingue
180, rue Anvik
C.P. 760
Témiscamingue (Québec)
J0Z 3R0
Tél.: (819) 627-3385

Centre de santé le Minordet
961, rue de la Clinique
C.P. 4000
Senneterre (Québec)
J0Y 2M0
Tél.: (819) 737-2243

CLSC Le Partage-des-eaux
19, rue Perreault Ouest
Rouyn-Noranda (Québec)
J9X 2T3
Tél.: (819) 762-8144

CLSC de l'Élan
1242, route III Est
C.P. 729
Amos (Québec)
J9T 3X3
Tél.: (819) 732-3271

Côte-Nord

Centre de santé de la Basse-Côte-Nord
C.P. 130
Côte-Nord-du-Golfe-Saint-Laurent
Lourdes-du-Blanc-Sablon (Québec)
G0G 1W0
Tél.: (418) 461-2144

Centre de santé de la Haute-Côte-Nord
4, rue de l'Hôpital
C.P. 1000
Les Escoumins (Québec)
G0T 1K0
Tél.: (418) 233-2931

CLSC de L'Aquilon
600, rue Jalbert
Baie-Comeau (Québec)
G5C 1Z9
Tél.: (418) 589-2191

CLSC de Forestville
2, 7e Rue
C.P. 790
Forestville (Québec)
G0T 1E0
Tél.: (418) 587-2212

Centre de santé Saint-Jean-Eudes
1035, promenade des Anciens
C.P. 190
Havre-Saint-Pierre (Québec)
G0G 1P0
Tél.: (418) 538-2212

Centre de santé de Port-Cartier
103, boul. des Rochelois
Port-Cartier (Québec)
G5B 1K5
Tél.: (418) 766-2715

CLSC de Sept-Îles
405, avenue Brochu
Sept-Îles (Québec)
G4R 2W9
Tél.: (418) 692-2572

Nord-du-Québec

Conseil CRI de la santé et des services sociaux de la Baie James
C.P. 420
Chisasibi (Québec)
J0M 1E0
Tél.: (819) 855-2844

Centre de santé Inuulitsiuik Povungnituk (Québec)
J0M 1P0
Tél.: (819) 988-2957

Centre de santé Tulattavik de l'Ungava
C.P. 149
Kuujjuak (Québec)
J0M 1C0
Tél.: (819) 964-2905

Annexe III

CENTRES DE RÉFÉRENCE ET CENTRES DE BÉNÉVOLAT DU QUÉBEC

Drummondville

Centre action bénévole de la région de Drummondville

247, rue Lindsay
Drummondville (Québec)
J2C 1P2

Tél.: (819) 472-6101

Granby

Centre action bénévole de Granby

362, Notre-Dame
Granby (Québec)
J2G 3L3

Tél.: (514) 372-5033

Grand-mère

Centre action bénévole Grand-Mère

500, 5e Rue
Grand-Mère (Québec)
J9T 5L5

Tél.: (819) 538-7689 ou 538-7627

Lévis

Service d'entraide, regroupement et solidarité

10, rue Giguère
Lévis (Québec)
G6V 1N6

Tél.: (418) 838-4094

Montréal

Centre action bénévole Bordeau - Cartierville

2500, rue Victor-Doré
Bureau 208
Montréal (Québec)
H3M 1S4

Tél.: (514) 856-3554

Centre action bénévole Montréal-Nord

4642, rue Forest
Montréal-Nord (Québec)
H1H 2P3

Tél.: (514) 328-1114

Centre action bénévole Montréal

235, rue Saint-Jacques Ouest
Montréal (Québec)
H2Y 1M6

Tél.: (514) 842-3351

Sept-Îles

Centre action bénévole Sept-Îles

179, rue Papineau
Sept-Îles (Québec)
G4R 4H8

Tél.: (418) 962-5751

Shawinigan-Sud
Centre action bénévole
Région de Shawinigan
1985, 14e Avenue
Shawinigan-Sud (Québec)
G9P 2C5
Tél.: (819) 537-1444

Saint-Félicien
Centre action bénévole
L'atelier communautaire
1211, rue Notre-Dame
Saint-Félicien (Québec)
G8K 1Z9
Tél.: (418) 679-1712

Trois-Rivières
Centre bénévole du
Trois-Rivières
métropolitain
1415, des Forges
C.P. 694
Trois-Rivières (Québec)
Tél.: (819) 378-6050

Québec
Centre action bénévole
de Québec
615, boul. Pierre-Bertrand
Ville Vanier (Québec)
G1M 3J3
Tél.: (418) 681-3501

Saint-Hyacinthe
Centre de bénévolat
1015, rue Girouard Ouest
Saint-Hyacinthe (Québec)
J2S 2Y8
Tél.: (514) 773-4966

Rouyn-Noranda
Centre de bénévolat
60, rue Perreault Est
Rouyn-Noranda (Québec)
J9X 3C2
Tél.: (819) 762-0515

Annexe IV

RÉGIES RÉGIONALES DE LA SANTÉ ET DES SERVICES SOCIAUX

Régie régionale Outaouais
104, rue Lois
Hull (Québec)
J8Y 3R7
Tél.: (819) 770-7747

Régie régionale Nunavik
C.P. 900
Kuujjuak (Québec)
J0M 1C0
Tél.: (819) 964-2222

Régie régionale Québec
525, boul. Wilfrid Hamel Est
Québec (Québec)
G1M 2S8
Tél.: (418) 529-5311

Régie régionale Estrie
2424, King Ouest
Sherbrooke (Québec)
J1J 2E8
Tél.: (819) 566-7861

Régie régionale Bas Saint-Laurent
288, rue Pierre-Saindon
Rimouski (Québec)
G5L 9A8
Tél.: (418) 724-5231

Régie régionale Nord-du-Québec
51, 3e Rue
Chibougamau (Québec)
G8P 1N1
Tél.: (418) 748-7741

Régie régionale Côte-Nord
691, rue Jalbert
Baie-Comeau (Québec)
G5C 2A1
Tél.: (418) 589-9845

Régie régionale Montréal-Centre
3725, rue Saint-Denis
Montréal (Québec)
H2X 3L9
Tél.: (514) 286-5500

Régie régionale Mauricie-Bois-Francs
550, rue Bonaventure
Trois-Rivières (Québec)
G9A 2R5
Tél.: (819) 379-3771

Régie régionale Laurentides
1000, rue Labelle, bureau 210
Saint-Jérôme (Québec)
J7Z 5N6
Tél.: (514) 436-8622

Régie régionale Abitibi-Témiscamingue
1, 9e Rue, Pavillon Laramée
Rouyn-Noranda (Québec)
J9X 2A9
Tél.: (819) 764-3264

Régie régionale Saguenay-Lac St-Jean
930, Jacques-Cartier Est
Chicoutimi (Québec)
G7H 2A9
Tél.: (418) 545-4980

Régie régionale Montérégie
125, boul. Sainte-Foy
Longueuil (Québec)
J4J 1W7
Tél.: (514) 679-6772

Conférence des régies régionales du Québec
580, Grande-Allée Est
Bureau 150
Québec (Québec)
G1R 2K2
Tél.: (418) 523-4290

Régie régionale Gaspésie-Îles-de-la-Madeleine
144, boul. de Gaspé
C.P. 5002
Gaspé (Québec)
G0C 1R0
Tél.: (418) 368-2349

Régie régionale Lanaudière
1000, boul. Sainte-Anne
Aile 5-D
Joliette (Québec)
J6E 6J2
Tél.: (514) 759-1157

Conseil régional Terres-Cries Baie James
Chisasibi (Québec)
J0M 1E0
Tél.: (819) 855-2844

Régie régionale Chaudière-Appalaches
363, route Cameron
Sainte-Marie (Québec)
G6E 3E2
Tél.: (418) 386-3363

Régie régionale Laval
800, boul. Chomedy
Tour A, 2e étage
Laval (Québec)
H7V 3Y4
Tél.: (514) 978-2000

ANNEXE V

CHOIX DE LECTURES

- **Vieillissement**

Sociétés et vieillissement, Revue sociologique et sociétés, Les Presses de l'Université de Montréal, Volume XVI, numéro 2, 1984.

La vieillesse, De Beauvoir, Simone, Gallimard (Idées), Tomes 1 et 2, 1982.

Dictionnaire manuel de gérontologie sociale, Zay, Nicolas, Les Presses de l'Université Laval, 1981.

Le vieillissement, Mishara, Brian L., Reidel, Robert G., Les Presses Universitaires de France (Psychologie d'aujourd'hui), 1984.

Le vieillissement démographique et les personnes agées au Québec, Gouvernement du Québec, Bureau de la statistique du Québec, 1991.

Bien vieillir, un art qui s'apprend tôt, Gouvernement du Québec, Ministère de l'Éducation, 1990.

- **Santé et Bien-être physique**

Dictionnaire pratique des médecines douces, Mongeau, Serge, Québec Amérique, Montréal, 1981.

Dictionnaires des médicaments de A à Z, Mongeau, Serge, Roy L., Marie-Claude, ph., Québec/Amérique, 1984.

Exercices pour les aînés, Godfrey, Charles, Feldman, Michael, L'Homme, 1985.

Santé et sagesse par la marche, Beaudoin, Pierre, Bellemarin, 1983.

Le bel âge pour bien manger, Gouvernement du Québec, Ministère de l'Agriculture, des Pêcheries, et de l'Alimentation, 1992.

S'aider soi-même, Auger, Lucien, L'Homme, 1984.

L'âge démasqué, De Ravinel, Hubert, L'Homme, 1980.

Vaincre la douleur chronique, Beaulieu, Ginette, Gouvernement du Québec, Conseil des affaires sociales et de la famille, 1987.

Tout sur la ménopause, Gouvernement du Québec, Conseil du statut de la femme, 1985.

L'Arthro-didacte, ou l'Art de vivre avec son arthrite, Lorig, Kate.

Mieux vivre l'arthrite et les rhumatismes, Barnard, Christiaan, docteur, Stanké, 1984.

Questions réponses sur la maladie d'Alzheimer, Gauvreau, Denis, docteur, et Gendron, Marie, docteur, Le Jour, 1994.

Liberté retrouvée, l'incontinence urinaire, parlons-en, Gourdeau, Yves, urologue, Santé communautaire de l'Hôpital de l'Enfant Jésus, (version française du best-seller américain *Staying Dry*), 1993.

Mon mandat en cas d'inaptitude, Gouvernement du Québec, Le Curateur public, 1993.

Répertoire des régies régionales et des établissements de santé, Gouvernement du Québec, Les Publications du Québec, Ministère de la Santé et des Services sociaux, 1994-1995.

- **Questions d'argent**

Guide descriptif des programmes de sécurité du revenu, Gouvernement du Québec, Ministère de la Sécurité du revenu, 1994.

Faire fructifier son argent, Zimmer, Henri B., L'Homme, 1985.

Stratégies de placements, Nadeau, Nicole, L'Homme, 1985.

- **Les assurances**

Bien s'assurer, Boudreault, Carole, Le Jour, 1982.

- **Le transport**

Guide de la route, Gouvernement du Québec, Société de l'assurance automobile du Québec, 1986.

- **Le travail**

Se lancer en affaires, Gouvernement du Québec, Ministère des Communications, Direction générale des publications gouvernementales, 1986 (mise à jour 1994)

Portrait des bénévoles québécois, Gouvernement du Québec, Ministère de la Santé et des Services sociaux, , 1983.

La planification de la retraite, Zay, Nicolas, Grosvenor, 1985.

Une retraite pleine de vie, McDonald, Sylvia S., Novalis, 1984.

- **L'éducation**

L'Éducation hier et aujourd'hui, 1850-1985, Prévost, Augustine, Méridien, 1986.

- **Loisirs et culture**

Les chemins de la mémoire, Monuments et sites touristiques du Québec, Tomes I et XI, Gouvernement du Québec, Commission des biens culturels, Tome I, 1990, Tome XI, 1991.

Le guide du Québec, Tremblay, Michel G., La Presse, 1985.

Chasse et gibier du Québec, Bergeron, Raymond, Le Jour, 1981.

Guide complet du jardinage, Wilson, Charles, L'Homme, 1980.

Protégez votre jardin, Gouvernement du Québec, Ministère de l'Agriculture, des Pêcheries et de l'Alimentation, 1991.

Comment faire du compost chez soi, Gouvernement du Québec, Ministère de l'Environnement, 1991.

Les arbres du Québec, Gouvernement du Québec, Ministère des Forêts, 1991.

Petite flore forestière du Québec, Gouvernement du Québec, Ministère de l'Énergie et des Ressources, 1990.

L'entomologiste amateur, Gouvernement du Québec, Ministère de l'Agriculture, des Pêcheries et de l'Alimentation, 1987.

Comment nourrir les oiseaux autour de chez soi, David, Normand, et Diquette, Gaétan, Les Presses de l'Université du Québec, Québec Science, 1982.

- **Vos droits**

Les petites créances de A à Z, Lafortune, Jean-Jacques, La Presse, 1984.

- **Les dernières volontés**

Ma mort, Ma dignité, Mes volontés, Éditions du Papillon.

Les Actes du Premier colloque québécois sur les volontés de fin de vie, Éditions du Papillon, 1993.

- **Vie, santé et valeurs**

L'euthanasie : problème de société, Boulanger, Viateur, Durand, Guy, Fides, 1985.

Ce qu'ils ont vu au seuil de la mort, Osis, Karlis, docteur, Haraldsson, Erlendur, docteur, Québec/Amérique, 1981.

Autres titres

offerts aux Publications du Québec

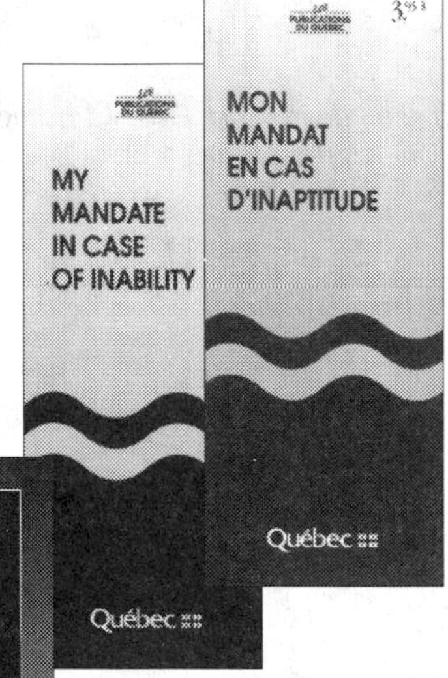

Mon mandat en cas d'inaptitude
1993, 16 pages
3,95 $

My Mandate in Case of Inability
1993, 12 pages
3,95 $

GUIDE PRATIQUE DU CONSOMMATEUR
120 LETTRES pour tout régler
VOS DROITS ! VOS RECOURS !

120 lettres pour tout régler
1993, 184 pages
9,95 $

Bien vieillir, un art qui s'apprend tôt
1990, 224 pages
15,95 $

Le bel âge pour bien manger
1992, 104 pages
9,95 $

Les PUBLICATIONS DU QUÉBEC

À VOTRE TOUR DE RÉPONDRE À NOS QUESTIONS...

Nom :

Prénom : Âge :

Adresse :

Commentaires :

À retourner à la :

Direction de l'édition gouvernementale
Services gouvernementaux
1500D, boul. Charest Ouest, 1er étage
Sainte-Foy (Québec)
G1N 2E5
Tél. : (418) 643-1328